공식으로 통하는 문장독해

#주혜연 저
#영어 문장공식30
#기출 문장

기본

| 교재 기획에 도움을 주신 분들

김유경 김한식 김학범 김호성 김효성 나소희 박용근 이지혜 이혜미 설명옥 송미정 한지영 황정본 하주영

기본

How to Study 이 책의 구성과 특징

고등학교 영어 공부의 핵심은 구문(문장의 구성 방식) 학습입니다. 문장을 이해하는 능력이 생기면 복잡한 문장의 구조를 빠르게 파악하여 정확히 해석할 수 있고 지문 독해력도 키울 수 있습니다. 특히, 모의고사나 수능에서 다뤄졌던 엄선된 기출 문장으로 반복 연습하면 긴 영어 지문들도 쉽게 정복할 수 있습니다.

독해의 기본을 다지는 문장공식!

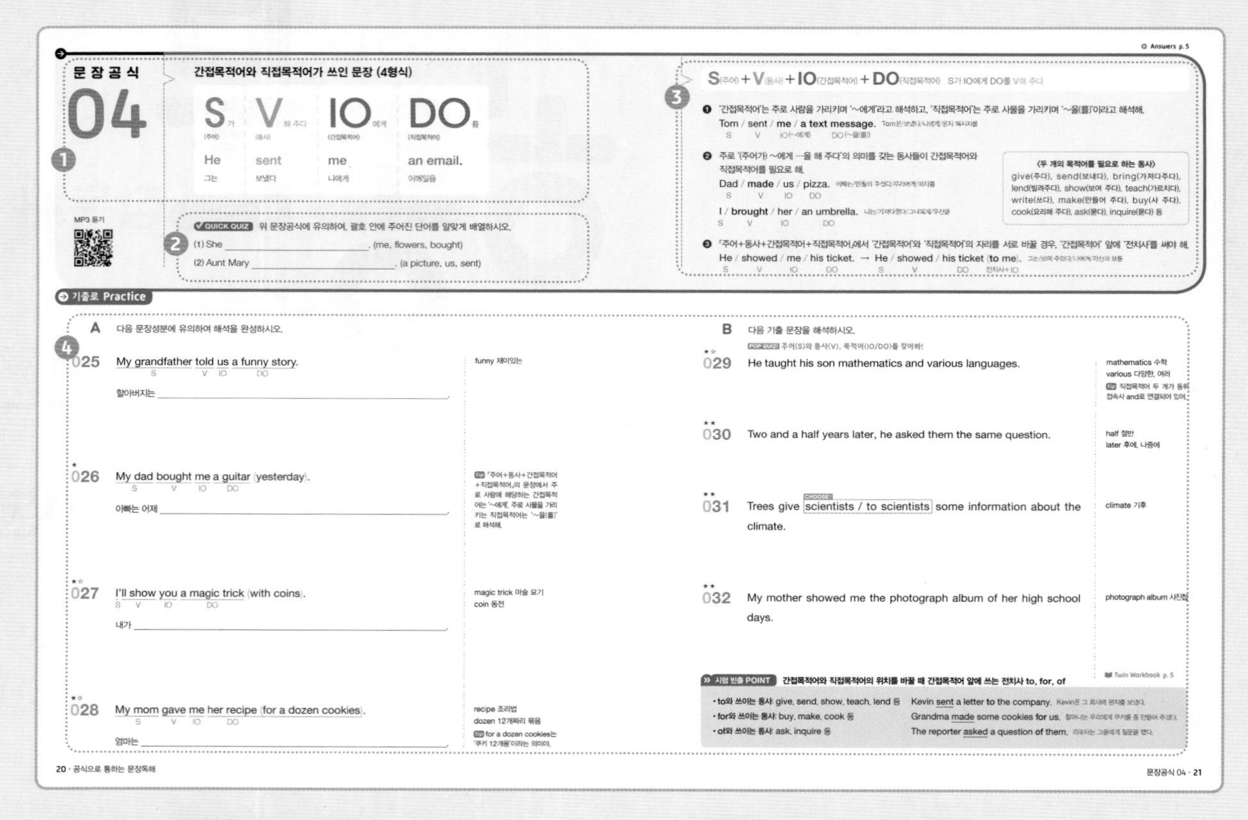

문장공식 04

간접목적어와 직접목적어가 쓰인 문장 (4형식)

S가 (주어) V해 주다 (동사) IO에게 (간접목적어) DO를 (직접목적어)

He 그는 / sent 보냈다 / me 나에게 / an email. 이메일을

MP3 듣기

QUICK QUIZ 위 문장공식에 유의하여, 괄호 안에 주어진 단어를 알맞게 배열하시오.

(1) She ____________. (me, flowers, bought)

(2) Aunt Mary ____________. (a picture, us, sent)

Answers p. 5

S(주어) + V(동사) + IO(간접목적어) + DO(직접목적어) S가 IO에게 DO를 V해 주다

❶ '간접목적어'는 주로 사람을 가리키며 '~에게'라고 해석하고, '직접목적어'는 주로 사물을 가리키며 '~을(를)'이라고 해석해.

Tom / sent / me / a text message.
S V IO(~에게) DO(~을(를))

❷ 주로 '(주어가) ~에게 …을 해 주다'의 의미를 갖는 동사들이 간접목적어와 직접목적어를 필요로 해.

Dad / made / us / pizza.
S V IO DO

I / brought / her / an umbrella.
S V IO DO

〈두 개의 목적어를 필요로 하는 동사〉
give(주다), send(보내다), bring(가져다주다), lend(빌려주다), show(보여 주다), teach(가르치다), write(쓰다), make(만들어 주다), buy(사 주다), cook(요리해 주다), ask(묻다), inquire(묻다) 등

❸ 「주어+동사+간접목적어+직접목적어」에서 '간접목적어'와 '직접목적어'의 자리를 서로 바꿀 경우, '간접목적어' 앞에 '전치사'를 써야 해.

He / showed / me / his ticket. → He / showed / his ticket (to me).
S V IO DO S V DO 전치사+IO

기출로 Practice

A 다음 문장성분에 유의하여 해석을 완성하시오.

025 My grandfather told us a funny story. (S V IO DO)
할아버지는 ____________.
funny 재미있는

026 My dad bought me a guitar (yesterday). (S V IO DO)
아빠는 어제 ____________.
Tip 「주어+동사+간접목적어+직접목적어」의 문장에서 주로 사람에 해당하는 간접목적어는 '~에게', 주로 사물을 가리키는 직접목적어는 '~을(를)'로 해석해.

027 I'll show you a magic trick (with coins). (S V IO DO)
내가 ____________.
magic trick 마술 묘기
coin 동전

028 My mom gave me her recipe (for a dozen cookies). (S V IO DO)
엄마는 ____________.
recipe 조리법
dozen 12개짜리 묶음
Tip for a dozen cookies는 '쿠키 12개용'이라는 의미야.

B 다음 기출 문장을 해석하시오.

POP QUIZ! 주어(S)와 동사(V), 목적어(IO/DO)를 찾아봐!

029 He taught his son mathematics and various languages.
mathematics 수학
various 다양한, 여러
Tip 직접목적어 두 개가 등위접속사 and로 연결되어 있어.

030 Two and a half years later, he asked them the same question.
half 절반
later 후에, 나중에

031 Trees give [scientists / to scientists] some information about the climate. (CHOOSE!)
climate 기후

032 My mother showed me the photograph album of her high school days.
photograph album 사진첩

Twin Workbook p. 5

시험 빈출 POINT 간접목적어와 직접목적어의 위치를 바꿀 때 간접목적어 앞에 쓰는 전치사 to, for, of

- to와 쓰이는 동사: give, send, show, teach, lend 등 — Kevin sent a letter to the company.
- for와 쓰이는 동사: buy, make, cook 등 — Grandma made some cookies for us.
- of와 쓰이는 동사: ask, inquire 등 — The reporter asked a question of them.

20 · 공식으로 통하는 문장독해 / 문장공식 04 · 21

❶ 문장공식으로 확인하는 해석 비법

문장공식으로 목표 구문과 해석 방법을 한눈에 익힙니다.

❷ QUICK QUIZ로 개념 확인

문장공식을 이해했는지 퀴즈로 가볍게 점검합니다.

❸ 개념 학습으로 핵심 내용 이해

강의식 설명으로 문법 및 구문의 개념을 이해합니다.

❹ 기출로 Practice로 집중 연습

기출 모의고사 및 수능에서 다뤄진 문장으로 해석 연습을 하며 구문을 자연스럽게 익힙니다.

A 문장성분이 표시된 기출 문장으로 문장의 구조를 익히며 직독직해 연습을 합니다.

B 기출 문장으로 해석 집중 훈련을 하며 실전 감각을 기릅니다.

- CHOOSE! 및 POP QUIZ!로 학습 내용을 한 번 더 점검하고 확인할 수 있습니다.
- 시험 빈출 POINT / 한 줄 독해 POINT 시험에 자주 출제되는 내용이나 문장 해석에 도움이 되는 정보를 정리합니다.

* **이 책에 사용된 기호**

이 책에서는, 직독직해하는 방법을 알려주기 위해서 각 문장을 문장성분 및 구문 단위로 끊어 읽도록 제시하였다.

S	주어(subject)	S'	진주어
V	동사(verb)	v	동사원형
O	목적어(object)	v-ing	동명사 또는 현재분사
IO	간접목적어(indirect object)	to-v	to부정사
DO	직접목적어(direct object)	[ ]	종속절
C	보어(complement)	/	문장성분 및 구문 단위 끊어 읽기
SC	주격보어(subjective complement)	( )	수식어구
OC	목적격보어(objective complement)	(< >)	긴 수식어구 속 수식어구
M	수식어(modifier)	[( )]	종속절 속 수식어구
N	명사(noun)	[{ }]	종속절 속 종속절
p.p.	과거분사(past participle)	//	등위절의 구분

Unit Exercise

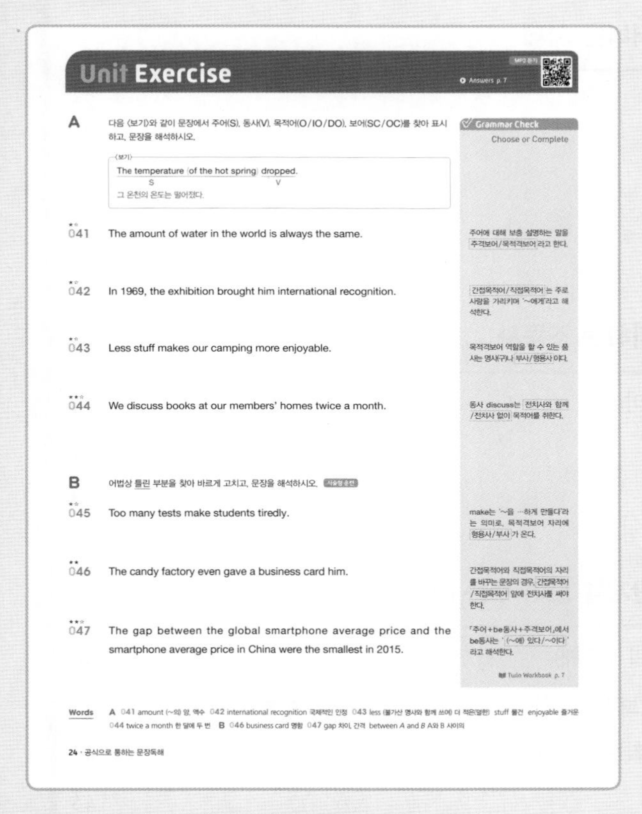
Unit Exercise

A 다음 〈보기〉와 같이 문장에서 주어(S), 동사(V), 목적어(O/IO/DO), 보어(SC/OC)를 찾아 표시하고, 문장을 해석하시오.

〈보기〉 The temperature (of the hot spring) dropped. 그 온천의 온도는 떨어졌다.

041 The amount of water in the world is always the same.

042 In 1969, the exhibition brought him international recognition.

043 Less stuff makes our camping more enjoyable.

044 We discuss books at our members' homes twice a month.

B 어법상 틀린 부분을 찾아 바르게 고치고, 문장을 해석하시오.

045 Too many tests make students tiredly.

046 The candy factory even gave a business card him.

047 The gap between the global smartphone average price and the smartphone average price in China were the smallest in 2015.

Grammar Check

24 · 공식으로 통하는 문장독해

• Twin Workbook
• 문장공식 비법노트

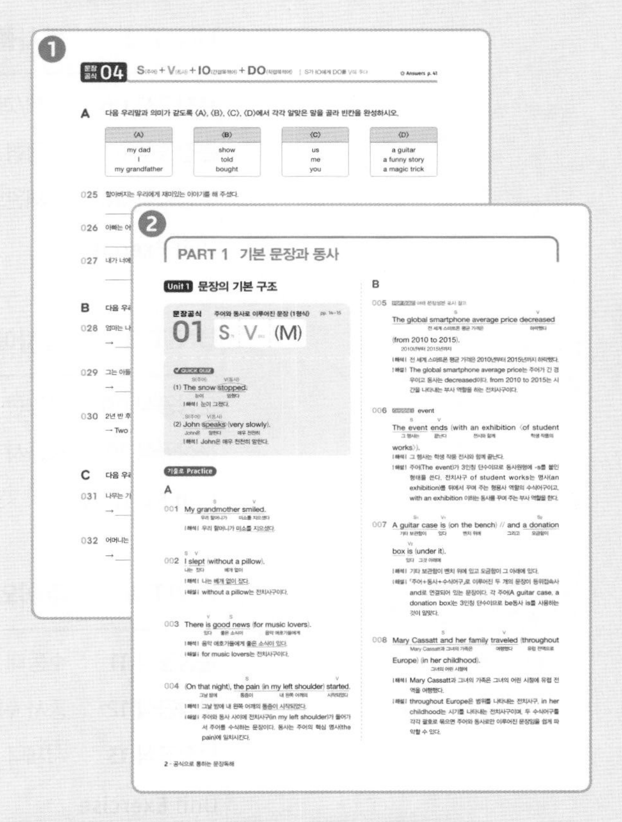
문장공식 04 S + V + IO + DO

PART 1 기본 문장과 동사

Unit 1 문장의 기본 구조

문장공식 01 S V (M)

001 My grandmother smiled.

002 I slept without a pillow.

003 There is good news for music lovers.

004 On that night, the pain in my left shoulder started.

005 The global smartphone average price decreased from 2010 to 2015.

006 The event ends with an exhibition of student works.

007 A guitar case is on the bench and a donation box is under it.

008 Mary Cassatt and her family traveled throughout Europe in her childhood.

2 · 공식으로 통하는 문장독해

- **Unit 이해도 확인을 위한 통합 Review**
  각 Unit의 이해도를 확인하고 서술형 훈련 문제로 내신 서술형 문제까지 대비합니다.

  Grammar Check 주요 문법 학습 개념을 재확인합니다.

❶ **Twin Workbook으로 서술형 집중 훈련**
다양한 내신 서술형 유형으로 본문에서 학습한 문장들을 반복 및 응용 학습하여 영작까지 대비합니다.

❷ **실력 도약의 발판이 되는 문장공식 비법노트**
끊어 읽기와 직독직해, 친절한 설명으로 심층적인 구문 학습을 도와, 정확한 해석 실력을 쌓도록 돕습니다.

* 추가 자료는 온라인 www.bookdonga.com에서 제공됩니다.

Contents 목차

PART 1
기본 문장과 동사

PART 2
주어, 목적어, 보어의 확장

문법 기초 다지기 품사, 문장성분, 구와 절

1 8개의 품사

문장에서 어떤 단어는 그것의 역할이나 의미 등에 따라 명사, 대명사, 동사, 형용사, 부사, 전치사, 접속사, 감탄사로 구분할 수 있으며 이것을 **품사**라고 해요. 품사는 어느 자리에 오더라도 그 성질은 변하지 않아요.

명사 Noun	사람, 사물, 추상적 개념 등 세상 모든 것의 이름에 해당하는 말 · Mina, dog, student, book, milk, water, bread, joy, beauty, …
대명사 Pronoun	명사를 대신해서 쓰는 말 · I, she, he, they, it, my, her, his, this, that, it, …
동사 Verb	동작이나 상태를 나타내는 말 · am, are, is, become, have, go, run, talk, study, happen, …
형용사 Adjective	명사의 모양, 성질, 상태 등을 설명하거나 꾸며주는 말 · beautiful, tall, long, small, good, bad, old, difficult, hot, …
부사 Adverb	동사, 형용사, 다른 부사를 수식하는 말 · early, today, now, so, just, here, there, easily, always, often, sometimes, never, …
전치사 Preposition	명사나 대명사 앞에 쓰여 시간, 장소, 방향, 방법 등을 나타내는 말 · at, on, in, to, from, towards, by, of, for, with, without, …
접속사 Conjunction	문장과 문장, 단어와 단어, 구와 구를 이어주는 말 · and, but, so, or, nor, because, when, while, if, until, …
감탄사 Interjection	놀람, 느낌 등 사람의 감정을 표현하는 말 · oh, wow, hmm, ouch, yeah, …

2 문장성분

문장성분은 문장을 구성하는 요소에요. 문장에서 단어가 하는 역할에 따라 붙여진 이름이에요.

주어 Subject

문장에서 동작이나 상태의 주체가 되는 말이에요. 주어 자리에는 명사, 대명사, 명사 상당어구가 올 수 있어요.

대명사 **We** play in the playground.

명사구 **Our day** started early.

동사 Verb

주어의 동작이나 상태를 나타내요. 동사는 조동사와 함께 쓰이거나 완료형, 진행형, 수동태의 형태로 쓰일 수 있어요.

동사 We just **played** with the elephants.

조동사+동사 They **will stay** late at Tom's house.

목적어 Object

동사가 나타내는 동작의 대상이 돼요. 목적어 자리에는 명사, 대명사, 명사 상당어구가 올 수 있어요.

명사 I baked **a cake** for her.

명사구 Mike brought **a lot of food** to them.

보어 Complement

주어나 목적어를 보충 설명해요. 주어나 목적어의 감정, 상태, 상황 등을 표현하므로 명사, 대명사, 형용사, 그리고 그 상당어구가 보어 역할을 할 수 있어요.

명사 Kelly is **a singer**.

형용사구 Rabbits are **cute and small**.

수식어 Modifier

다른 문장성분들을 꾸며주며 문장의 의미를 풍성하게 해요. 영어 문장에서는 주어, 동사, 목적어, 보어를 제외한 나머지 부분을 수식어라고 해요.

부사 That style **really** suits you.

전치사구 We play **on the floor in the gym**.

3 구와 절

구(명사구, 형용사구, 부사구)는 두 개 이상의 단어로 구성되어 있으며, 주어와 동사를 포함하지 않고, **절(명사절, 형용사절, 부사절)**은 주어와 동사를 포함해요.

구분	종류	역할 및 예문
구 Phrase	명사구	주어, 목적어, 보어 역할 **Drinking coffee** is not good for your health. (주어 역할을 하는 동명사구)
	형용사구	(대)명사 수식, 보어 역할 I want some water **to drink**. (명사를 수식하는 to부정사구)
	부사구	동사, 형용사, 부사, 문장 전체 수식 We couldn't play soccer **because of the rain**. (문장 전체를 수식하는 전치사구)
절 Clause	명사절	주어, 목적어, 보어 역할 I think **that coffee is not good for your health**. (목적어 역할)
	형용사절	(대)명사 수식 This is the book **which I bought yesterday**. (관계대명사절)
	부사절	동사, 형용사, 부사, 문장 전체 수식 We couldn't play soccer **because it rained**. (접속사 because + 주어 + 동사)

길고 복잡한 문장, 어떻게 끊어 읽을까?

주어, 동사, 목적어, 보어 등 주요 문장성분을 중심으로 끊어 직독직해를 연습하다 보면 독해 속도가 점점 더 빨라질 거예요.

Water (in the planet) / is / a great source of energy [because it cannot be used up].

❹

❶ 주어와 동사를 찾아 동사 앞에서 끊는다.
❷ 보어나 목적어가 길면 동사 뒤에서 끊는다.
❸ 부사(구), 전치사구와 같은 수식어(구)는 (   ) 괄호로 묶는다.
❹ 부사절은 [   ] 괄호로 묶는다. (단, 종속절 접속사가 생략된 경우에는 절 앞에서 끊는다.)

* 다만, 끊어 읽기는 개인마다 그 기준이 다를 수 있고, 실제 원어민이 말할 때 끊어 읽는 방식과는 다름에 유의한다.

Study Plan 학습계획표

• 학습계획표에 학습 날짜를 기재하고, 목표를 달성할 때마다 ○ 에 ✔ 표시해 보세요!
• 본 책에서는 하루에 한 개의 문장공식 학습을 추천하고 있으나, 아래와 같은 집중 훈련 코스로도 학습할 수 있음을 참고하여 자신에게 맞는 일정의 학습 플랜을 선택하여 학습계획표를 작성해 보세요!

15일 완성 집중 학습 플랜

Unit을 마무리할 때마다 Unit Exercise 및 TWIN WORKBOOK을 함께 학습하는 계획입니다.

			목표를 달성했다면 Check!
DAY 01	문장공식 01~02	학습날짜 . .	○
DAY 02	문장공식 03~04	학습날짜 . .	○
DAY 03	문장공식 05~06	학습날짜 . .	○
DAY 04	문장공식 07~08	학습날짜 . .	○
DAY 05	문장공식 09~10	학습날짜 . .	○
DAY 06	문장공식 11~12	학습날짜 . .	○
DAY 07	문장공식 13~14	학습날짜 . .	○
DAY 08	문장공식 15~16	학습날짜 . .	○
DAY 09	문장공식 17~18	학습날짜 . .	○
DAY 10	문장공식 19~20	학습날짜 . .	○
DAY 11	문장공식 21~22	학습날짜 . .	○
DAY 12	문장공식 23~24	학습날짜 . .	○
DAY 13	문장공식 25~26	학습날짜 . .	○
DAY 14	문장공식 27~28	학습날짜 . .	○
DAY 15	문장공식 29~30	학습날짜 . .	○

PART 1
기본 문장과 동사

Unit 1 | 문장의 기본 구조
Unit 2 | 동사를 통해 드러나는 시제
Unit 3 | 동사에 의미를 더하는 조동사
Unit 4 | 주어와 동사의 관계를 보여 주는 태

영어 문장은 동사 뒤에 어떤 문장성분이 오는지에 따라 다섯 가지로 **문장의 기본 구조**가 나뉜다.
문장성분 중 동사는 그 형태를 변화시켜 언제 일어난 일인지를 표현하는 '**시제**'를 나타낸다. '**조동사**'는 동사에 능력, 허가, 의무, 추측 등의 의미를 더해 주기도 한다.
또한, 주어가 동사의 행위를 하는 주체인지, 당하는 대상인지에 대한 관계도 동사로 나타내는데, 그것을 '**태**'라고 한다.

STUDY GOAL

학습목표를 이해합니다.

STUDY PLAN

학습 계획을 세워 봅시다.

학습목표	학습진도		학습날짜
□ 문장의 기본 구조를 이해한다.	□ **DAY 01**	문장공식 01	. .
	□ **DAY 02**	문장공식 02	. .
	□ **DAY 03**	문장공식 03	. .
	□ **DAY 04**	문장공식 04	. .
	□ **DAY 05**	문장공식 05	. .
	□ **Unit Exercise**	문장공식 01~05	. .
□ 동사를 통해 드러나는 다양한 시제를 이해한다.	□ **DAY 06**	문장공식 06	. .
	□ **DAY 07**	문장공식 07	. .
	□ **DAY 08**	문장공식 08	. .
	□ **Unit Exercise**	문장공식 06~08	. .
□ 동사에 의미를 더하는 다양한 조동사를 이해한다.	□ **DAY 09**	문장공식 09	. .
	□ **DAY 10**	문장공식 10	. .
	□ **Unit Exercise**	문장공식 09~10	. .
□ 주어와 동사의 관계를 보여 주는 태를 이해한다.	□ **DAY 11**	문장공식 11	. .
	□ **DAY 12**	문장공식 12	. .
	□ **DAY 13**	문장공식 13	. .
	□ **Unit Exercise**	문장공식 11~13	. .

UNIT 1

문장의 기본 구조

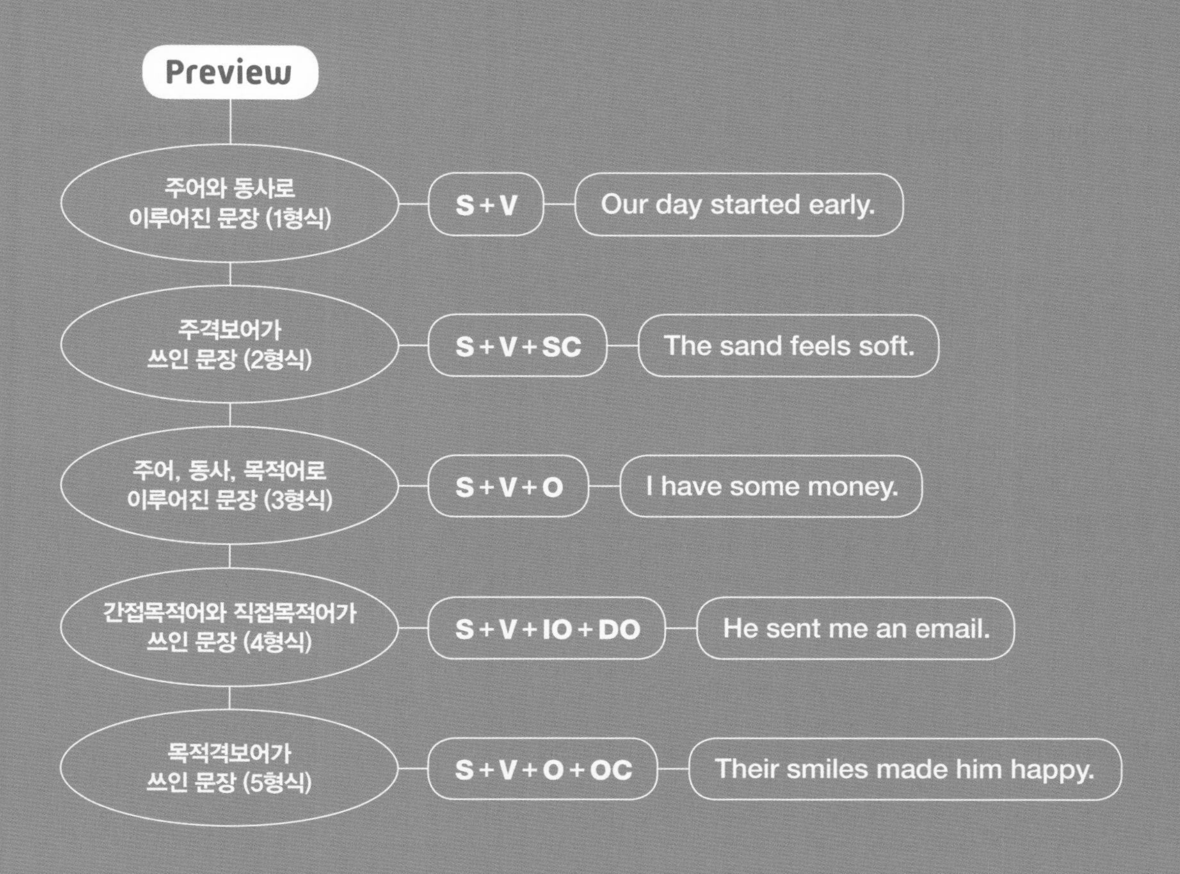

문장공식 01

주어와 동사로 이루어진 문장 (1형식)

S 가
(주어)
V 하다
(동사)
(M)
(수식어)
Our day
우리의 하루가
started
시작되었다
(early).
일찍

MP3 듣기

QUICK QUIZ 위 문장공식에 유의하여, 동사에 동그라미 하시오.

(1) The snow stopped.

(2) John speaks very slowly.

기출로 Practice

A 다음 문장성분에 유의하여 해석을 완성하시오.

★
001 My grandmother smiled.
(S: My grandmother / V: smiled)

우리 할머니가 ______________________________.

smile 웃다, 미소 짓다

★
002 I slept (without a pillow).
(S: I / V: slept)

나는 ______________________________.

sleep 자다 (-slept-slept)
without ~ 없이
pillow 베개
tip without a pillow와 같은 전치사구를 괄호로 묶으면 문장 구조가 더 잘 보여.

★☆
003 There is good news (for music lovers).
(V: is / S: good news)

음악 애호가들에게 ______________________________.

lover 애호가
tip 「There+be동사+주어」 구문을 해석할 때 There는 해석하지 않아.

★☆
004 (On that night), the pain (in my left shoulder) started.
(S: the pain / V: started)

그날 밤에 내 왼쪽 어깨의 ______________________________.

pain 통증
tip in my left shoulder는 전치사구로, 앞의 명사(the pain)를 수식하는 역할을 해.

Answers p. 2

S(주어) + V(동사) + (M(수식어)) S는 V하다

❶ '주어'와 '동사'만으로 문장이 성립할 수 있어.

→「S+V」만으로 의미가 완전한 동사는 go, come, cry, run, talk, sleep, laugh, appear, disappear, grow up, stand up, wake up, run away, fall down 등이 있어.

The fog / disappeared. 안개가/사라졌다
S V

❷ 주어나 동사에 각각 수식어(구)가 덧붙어, 각 문장성분의 의미를 풍부하게 해 주는 역할을 해.

We / swam (in the lake). 우리는/수영을 했다/호수에서
S V M → '전치사구'를 괄호로 묶으면 문장의 구조가 더 잘 보여.

❸ 「There+be동사+주어+수식어(구)」도 주어와 동사만으로 성립하는 구문으로, 이때 be동사는 '있다'라는 의미야.

→ 주어가 a guitar이므로 단수 취급해.

There / was / a guitar (in the room). 있었다/기타가/그 방에
V S

→ there는 해석하지 않아.

B 다음 기출 문장을 해석하시오.

POP QUIZ! 주어(S)와 동사(V)를 찾아봐!

★☆
005 The global smartphone average price decreased from 2010 to 2015.

global 세계의, 세계적인
average price 평균 가격
decrease 하락하다, 감소하다
tip from *A* to *B*는 'A부터 B까지'라는 뜻의 전치사구야.

★★
006 CHOOSE! The [event / events] ends with an exhibition of student works.

exhibition 전시(회)
work 작품
tip with an exhibition은 부사 역할을 하는 전치사구이고, of student works는 an exhibition을 수식하는 형용사 역할을 해.

★★☆
007 A guitar case is on the bench and a donation box is under it.

donation 기부(금)
tip be동사(~에 있다), live(~에 살다), stay(~에 머무르다)와 같은 동사는 뒤에 부사구가 있어야 의미가 완전해져.

★★☆
008 Mary Cassatt and her family traveled throughout Europe in her childhood.

travel 여행하다
throughout 도처에
childhood 어린 시절

Twin Workbook p. 2

문장공식 02

주격보어가 쓰인 문장 (2형식)

S 가 (주어)	V 하다 (동사)	SC 하게 (주격보어)
The sand	feels	soft.
그 모래는	느껴진다	부드럽게

MP3 듣기

✓ QUICK QUIZ 위 문장공식에 유의하여, 보어가 포함된 문장을 찾아 ✓ 표시하시오.

(1) I felt happy. ( )

(2) He runs at the park. ( )

기출로 Practice

A 다음 문장성분에 유의하여 해석을 완성하시오.

★
009 The story(S) sounds(V) very strange(SC).

그 이야기는 ______________________ 들린다.

sound 들리다

★
010 Your students(S) were(V) a wonderful audience(SC).

당신의 학생들은 ______________________.

audience 청중, 관중

★☆
011 The veterinarian(S) seemed(V) surprised(SC) (at the robot animal).

그 수의사는 ______________________.

veterinarian 수의사
seem ~인 것 같다
surprised 놀란

★★
012 School uniforms(S) are not(V) very comfortable(SC) (for outdoor activities).

교복은 ______________________.

comfortable 편한, 편안한
outdoor activity 야외 활동
tip for outdoor activities의 for는 '용도'를 나타내는 전치사야.

Answers p. 3

S(주어) + V(동사) + SC(주격보어) S는 SC하게 V하다

- '주어에 대해 보충 설명하는 말'을 '주격보어'라고 하며 주어와 동사만으로 의미가 불완전한 경우에 사용해.

유형 1 「주어+be동사+주격보어」 문장 (이때, be동사는 '~이다'라고 해석해.)

My mother / is / **a designer**. 우리 엄마는/~이다/디자이너 〈주격보어가 **명사**인 경우〉
S V SC (S = SC)

The box / was / so **heavy**. 그 상자는/~이었다/너무 무거운 〈주격보어가 **형용사**인 경우〉
S V SC

유형 2 「주어+감각·상태 등의 동사+주격보어」 문장

You / **look** / **handsome** (today). 너는/보인다/잘생겨/오늘
S V SC

Keep / **quiet** (during the exam). 유지해라/조용하게/시험(을 보는) 동안
V SC

〈주격보어를 필요로 하는 동사〉
- 감각동사: look, taste, feel, sound, smell 등
- 상태·변화·인식 등의 동사: be(~이다), keep, stay, remain, become, get, turn, seem, appear 등

B 다음 기출 문장을 해석하시오.

★☆
013 The round clock looks simple and modern.

round 둥근, 원형의
modern 현대적인
tip 두 개의 주격보어가 등위 접속사 and로 연결되어 있어.

★★
014 The benefits of a morning walk [CHOOSE! is / are] numerous.

benefit 이익, 이점
numerous 다수의, 많은
tip of a morning walk는 전치사구이며, 주어의 핵심 명사인 The benefits를 수식해.

POP QUIZ! 주어(S)와 동사(V), 주격보어(SC)를 찾아봐!

★★
015 Many things can go wrong in the future.

go wrong (일이) 잘못되다
future 미래
tip 조동사 can이 동사원형 앞에 쓰여 '~할 수 있다'라는 '가능'의 의미를 나타내.

★★
016 Computers can become an important part of our everyday lives.

everyday life 일상생활

Twin Workbook p. 3

» 시험 빈출 POINT 보어 역할을 하는 품사

'보어' 자리에 '명사'나 '형용사'는 올 수 있지만, '부사'는 사용할 수 없다는 점에 주의해야 한다.

Students kept very ~~silently~~(→ silent) in the library. 학생들은 도서관에서 매우 조용히 있었다.
S V SC

문장공식 03

주어, 동사, 목적어로 이루어진 문장 (3형식)

S 가
(주어)
V 하다
(동사)
O 를
(목적어)
I
나는
have
갖고 있다
some money.
약간의 돈을

MP3 듣기

✔ QUICK QUIZ 위 문장공식에 유의하여, 목적어가 포함된 문장을 골라 ✔ 표시하시오.

(1) I know her family. (　　　)

(2) The people kept quiet. (　　　)

기출로 Practice

A 다음 문장성분에 유의하여 해석을 완성하시오.

★
017 Many dog owners (S) have (V) the same problem (O).

많은 개 주인들이 ______________________________.

owner 주인

★☆
018 The builders (S) used (V) many amazing building techniques (O).

그 건축업자들은 ______________________________.

builder 건축업자
technique 기술

★☆
019 Bad lighting (S) can increase (V) stress (O) (on your eyes).

나쁜 조명은 ______________________________.

lighting 조명
increase 증가시키다
tip 조동사 can은 동사원형 앞에 쓰여 '~할 수 있다'의 의미를 나타내.

★★
020 We (S) discussed (V) traditional foods (O) (in different countries).

우리는 ______________________________.

traditional 전통의
tip in different countries는 전치사구로 traditional foods를 수식해.

Answers p. 4

S(주어) + V(동사) + O(목적어) S는 O를 V하다

❶ '동사가 나타내는 행동의 대상'이 되는 말을 '목적어'라고 해.

The boy / threw / a ball. 그 소년은/던졌다/공을
S V (행동) O (행동의 대상)

→ 「동사+부사/전치사」 형태의 구동사는 하나의 동사처럼 해석해.

Dad / turned off / the lights. 아빠는/끄셨다/전등을
S V (행동) O (행동의 대상)

❷ 대부분의 목적어는 '~을(를)'로 해석되지만, 동사에 따라 목적어가 '~와(에)' 등으로 해석될 때도 있어. 이때 해석 때문에 동사 뒤에 '전치사'가 필요하다고 착각하지 않도록 주의하자.

We / discussed / ~~about~~ the topic. 우리는/논의했다/그 주제에 대해
S V (행동) O (행동의 대상)

〈목적어가 '~와(에)' 등으로 해석되는 동사〉
enter(~에 들어가다), marry(~와 결혼하다), discuss(~에 대해 논의하다), reach(~에 도달하다), mention(~에 대해 언급하다), resemble(~와 닮다) 등

B 다음 기출 문장을 해석하시오.

★☆
021 She sold healthy snacks at a local farmer's market.

healthy 건강에 좋은
local 지역의
farmer's market 농산물 직판장

★★
022 CHOOSE! Sound [reaches / reaches to] the ear through the air.

sound 소리
through ~을 통하여

★★
POP QUIZ! 주어(S)와 동사(V), 목적어(O)를 찾아봐!
023 Today, thirty German students visited our school.

German 독일의, 독일인(의)

★★☆
024 Robots can never improve their performance beyond their pre-programmed functions.

improve 개선하다
performance 성능, 수행
beyond ~ 이상으로
pre-programmed 미리 프로그램된
function 기능
tip 「can never+동사원형」은 '절대 ~할 수 없다'의 의미야.

Twin Workbook p. 4

» 시험 빈출 POINT **목적어를 갖는 주요 구동사**

turn on(off)(~을 켜다(끄다)), get on(off)(~을 타다(내리다)), put off(~을 연기하다), give up(~을 포기하다), turn in(~을 제출하다), look after(~을 돌보다), deal with(~을 처리하다), get along with(~와 잘 지내다), look forward to(~을 기대하다) 등

Turn in your homework by tomorrow. 내일까지 네 숙제를 제출해라.
V O

문장공식 04

간접목적어와 직접목적어가 쓰인 문장 (4형식)

S가 (주어)	V해 주다 (동사)	IO에게 (간접목적어)	DO를 (직접목적어)
He 그는	sent 보냈다	me 나에게	an email. 이메일을

MP3 듣기

✔ QUICK QUIZ 위 문장공식에 유의하여, 괄호 안에 주어진 단어를 알맞게 배열하시오.

(1) She ______________________. (me, flowers, bought)

(2) Aunt Mary ______________________. (a picture, us, sent)

기출로 Practice

A 다음 문장성분에 유의하여 해석을 완성하시오.

★
025 My grandfather told us a funny story.
(My grandfather: S / told: V / us: IO / a funny story: DO)

할아버지는 ______________________.

funny 재미있는

★
026 My dad bought me a guitar (yesterday).
(My dad: S / bought: V / me: IO / a guitar: DO)

아빠는 어제 ______________________.

tip 「주어+동사+간접목적어+직접목적어」의 문장에서 주로 사람에 해당하는 간접목적어는 '~에게', 주로 사물을 가리키는 직접목적어는 '~을(를)'로 해석해.

★☆
027 I'll show you a magic trick (with coins).
(I: S / 'll show: V / you: IO / a magic trick: DO)

내가 ______________________.

magic trick 마술 묘기
coin 동전

★☆
028 My mom gave me her recipe (for a dozen cookies).
(My mom: S / gave: V / me: IO / her recipe: DO)

엄마는 ______________________.

recipe 조리법
dozen 12개짜리 묶음
tip for a dozen cookies는 '쿠키 12개용'이라는 의미야.

Answers p. 5

S(주어) + V(동사) + IO(간접목적어) + DO(직접목적어) S가 IO에게 DO를 V해 주다

❶ '간접목적어'는 주로 사람을 가리키며 '~에게'라고 해석하고, '직접목적어'는 주로 사물을 가리키며 '~을(를)'이라고 해석해.

Tom / sent / **me** / **a text message**. Tom은/보냈다/나에게/문자 메시지를
S V IO(~에게) DO(~을(를))

❷ 주로 '(주어가) ~에게 …을 해 주다'의 의미를 갖는 동사들이 간접목적어와 직접목적어를 필요로 해.

Dad / **made** / us / pizza. 아빠는/만들어 주셨다/우리에게/피자를
S V IO DO

I / **brought** / her / an umbrella. 나는/가져다줬다/그녀에게/우산을
S V IO DO

〈두 개의 목적어를 필요로 하는 동사〉
give(주다), send(보내다), bring(가져다주다), lend(빌려주다), show(보여 주다), teach(가르치다), write(쓰다), make(만들어 주다), buy(사 주다), cook(요리해 주다), ask(묻다), inquire(묻다) 등

❸ 「주어+동사+간접목적어+직접목적어」에서 '간접목적어'와 '직접목적어'의 자리를 서로 바꿀 경우, '간접목적어' 앞에 '전치사'를 써야 해.

He / showed / me / his ticket. → He / showed / his ticket (**to** me). 그는/보여 주었다/나에게/자신의 표를
S V IO DO S V DO 전치사+IO

B 다음 기출 문장을 해석하시오.

POP QUIZ! 주어(S)와 동사(V), 목적어(IO/DO)를 찾아봐!

★☆
029 He taught his son mathematics and various languages.

mathematics 수학
various 다양한, 여러
tip 직접목적어 두 개가 등위 접속사 and로 연결되어 있어.

★★
030 Two and a half years later, he asked them the same question.

half 절반
later 후에, 나중에

★★
031 Trees give [CHOOSE! scientists / to scientists] some information about the climate.

climate 기후

★★
032 My mother showed me the photograph album of her high school days.

photograph album 사진첩

Twin Workbook p. 5

» 시험 빈출 POINT 간접목적어와 직접목적어의 위치를 바꿀 때 간접목적어 앞에 쓰는 전치사 to, for, of

- **to와 쓰이는 동사**: give, send, show, teach, lend 등 — Kevin sent a letter **to** the company. Kevin은 그 회사에 편지를 보냈다.
- **for와 쓰이는 동사**: buy, make, cook 등 — Grandma made some cookies **for** us. 할머니는 우리에게 쿠키를 좀 만들어 주셨다.
- **of와 쓰이는 동사**: ask, inquire 등 — The reporter asked a question **of** them. 리포터는 그들에게 질문을 했다.

문장공식 05

목적격보어가 쓰인 문장 (5형식)

S 가 (주어)
V 하다 (동사)
O 를 (목적어)
OC 하게/라고 (목적격보어)
Their smiles
그들의 미소가
made
만들었다
him
그를
happy.
행복하게

MP3 듣기

✔ QUICK QUIZ 위 문장공식에 유의하여, 목적격보어를 찾아 동그라미 하시오.

(1) We keep our students happy.

(2) His friends called him a genius.

기출로 Practice

A 다음 문장성분에 유의하여 해석을 완성하시오.

★
033 He (always) keeps the bathroom clean.
(He: S / keeps: V / the bathroom: O / clean: OC)

그는 항상 ______________________.

bathroom 욕실

★
034 Good manners make you a better person.
(Good manners: S / make: V / you: O / a better person: OC)

훌륭한 예절은 ______________________.

manner 태도, 예의
better 더 나은
person 사람

★☆
035 Newspaper headlines called the young man a "spelling bee hero."
(Newspaper headlines: S / called: V / the young man: O / a "spelling bee hero.": OC)

신문 기사 제목들은 ______________________.

headline 기사 제목
spelling bee 단어 철자 맞히기 대회

★☆
036 The dead silence (in the car) made the drive painful.
(The dead silence: S / made: V / the drive: O / painful: OC)

차 안의 ______________________.

dead silence 무거운 침묵(정적)
drive 자동차 여행, 드라이브
painful 고통스러운

Answers p. 6

S(주어) + V(동사) + O(목적어) + OC(목적격보어) S는 O를 OC하게[라고] V하다

❶ '목적어의 의미를 보충 설명해 주는 말'을 '목적격보어'라고 해.

He / makes / me / angry. 그는/만든다/나를/화나게
S V O OC → 목적어의 상태나 성질을 나타내.

❷ 명사(구)와 형용사 등이 '목적격보어' 역할을 할 수 있어.

They / named / the cat / Mori. 그들은/이름 지었다/그 고양이를/Mori라고
S V O OC(명사) → 목적격보어 자리에 명사가 올 경우, '목적어 = 목적격보어'의 관계야.

The music / makes / the baby / sleepy. 그 음악은/만든다/그 아기를/졸리게
S V O OC(형용사) → 목적격보어 자리에 형용사가 올 경우, 의미상 '주어와 술어'의 관계야.

〈명사가 목적격보어로 쓰이는 동사〉
call((~라고) 부르다), name((~라고) 이름 짓다), elect((~로) 선출하다), make((~로) 만들다), consider((~로) 여기다) 등

〈형용사가 목적격보어로 쓰이는 동사〉
make((~하게) 만들다), keep((~하게) 유지하다), find((~임을) 깨닫다), leave((~상태로) 두다), consider((~라고) 여기다) 등

B 다음 기출 문장을 해석하시오.

POP QUIZ! 주어(S)와 동사(V), 목적어(O), 목적격보어(OC)를 찾아봐!

★☆
037 Your smile makes the neighborhood a brighter place.

neighborhood 이웃, 인근
brighter 더 밝은

★★
038 Soon, each group considered the other [CHOOSE! an enemy / to an enemy].

consider (~라고) 여기다
enemy 적
tip the other 뒤에는 앞서 언급된 group이 생략되어 있어.

★★
039 Celebrity brands will not make them [CHOOSE! popular / popularly].

celebrity 유명 인사, 명성
popular 인기 있는
tip 「will not+동사원형」은 '~하지 않을 것이다'라고 해석해.

★★☆
040 Mark is alive and finds himself alone on the harsh planet.

alive 살아 있는
harsh 혹독한
planet 행성
tip find는 '~을 깨닫다'라고 해석해.

Twin Workbook p. 6

» 한 줄 독해 POINT '직접목적어'와 '목적격보어'의 구분

「목적어+목적격보어」인지 「간접목적어+직접목적어」인지 구분하려면 목적어 뒤에 나오는 명사가 목적어와 동격 개념인지(목적격보어), 아닌지(직접목적어)에 유의하여 두 명사 간 의미 관계를 파악해야 한다.

She made him a millionaire. 〈5형식〉 그녀는 그를 백만장자로 만들었다.
O = OC

She made him a sandwich. 〈4형식〉 그녀는 그에게 샌드위치를 만들어 줬다.
IO ≠ DO

Unit Exercise

MP3 듣기

Answers p. 7

A

다음 〈보기〉와 같이 문장에서 주어(S), 동사(V), 목적어(O/IO/DO), 보어(SC/OC)를 찾아 표시하고, 문장을 해석하시오.

〈보기〉
The temperature (of the hot spring) dropped.
S V
그 온천의 온도는 떨어졌다.

★☆
041 The amount of water in the world is always the same.

★☆
042 In 1969, the exhibition brought him international recognition.

★☆
043 Less stuff makes our camping more enjoyable.

★★☆
044 We discuss books at our members' homes twice a month.

B

어법상 틀린 부분을 찾아 바르게 고치고, 문장을 해석하시오. 서술형 훈련

★☆
045 Too many tests make students tiredly.

★★
046 The candy factory even gave a business card him.

★★☆
047 The gap between the global smartphone average price and the smartphone average price in China were the smallest in 2015.

Grammar Check

Choose or Complete

주어에 대해 보충 설명하는 말을 주격보어/목적격보어라고 한다.

간접목적어/직접목적어는 주로 사람을 가리키며 '~에게'라고 해석한다.

목적격보어 역할을 할 수 있는 품사는 명사(구)나 부사/형용사이다.

동사 discuss는 전치사와 함께/전치사 없이 목적어를 취한다.

make는 '~을 …하게 만들다'라는 의미로, 목적격보어 자리에 형용사/부사가 온다.

간접목적어와 직접목적어의 자리를 바꾸는 문장의 경우, 간접목적어/직접목적어 앞에 전치사를 써야 한다.

「주어+be동사+주격보어」에서 be동사는 '(~에) 있다/~이다'라고 해석한다.

Twin Workbook p. 7

Words A 041 amount (~의) 양, 액수 042 international recognition 국제적인 인정 043 less (불가산 명사와 함께 쓰여) 더 적은(덜한) stuff 물건 enjoyable 즐거운 044 twice a month 한 달에 두 번 B 046 business card 명함 047 gap 차이, 간격 between *A* and *B* A와 B 사이의

UNIT 2

동사를 통해 드러나는 시제

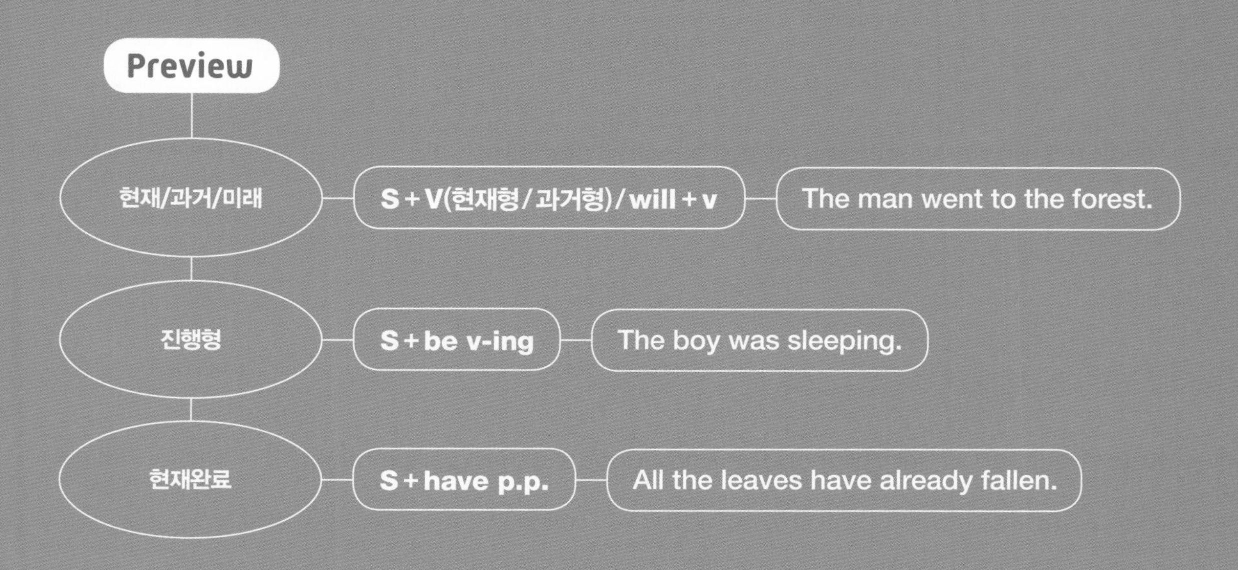

문장공식 06

현재/과거/미래

S 가 (주어)	V(현재형/과거형) 한다(이다)/했다(이었다) will+V 할 것이다(일 것이다) (동사)	
The man 그 남자는	went 갔다	(to the forest). 숲으로

MP3 듣기

✔ QUICK QUIZ 위 문장공식에 유의하여, 다음 각 문장이 나타내는 시점을 고르시오.

(1) We played basketball last night. a. 현재 b. 과거 c. 미래

(2) The students will have dinner together tonight. a. 현재 b. 과거 c. 미래

기출로 Practice

A 다음 문장성분에 유의하여 해석을 완성하시오.

★
048 These umbrellas(S) are(V) available(SC) (online).

이 우산들은 ______________________.

> available 구할 수 있는
> online 온라인에서
> tip 현재 사실을 나타내는 문장이야.

★
049 Your drink(S) will be(V) ready(SC) (in a minute).

당신의 음료는 곧 ______________________.

> be ready 준비되다
> tip in a minute은 '곧, 즉시'라는 뜻이므로 미래 시제와 쓰이는 것이 자연스러워.

★☆
050 I(S) took(V) this photo(O) (yesterday) (at the baseball stadium).

나는 어제 ______________________.

> take a photo 사진을 찍다
> stadium 경기장

★★
051 Kate(S) spent(V) part of her childhood(O) (in Barbados) (with her grandmother).

Kate는 ______________________.

> spend (시간을) 보내다
> part of ~의 일부

Answers p. 8

S(주어) + **V**(현재형/과거형) S는 V한다[이다]/V했다[이었다] **S**(주어) + **will** + **v**(동사원형) S는 v할 것이다[일 것이다]

❶ **현재 시제**: 현재의 상태나 일상적인 습관, 일반적인 사실이나 변하지 않는 진리를 나타내며, '~한다'나 '~이다'로 해석해.

My sister / **jogs** (every morning). 내 여동생은/조깅을 한다/매일 아침에 〈현재의 습관〉
S V

The moon / **goes** (around the Earth). 달은/돈다/지구의 둘레를 〈변함없는 진리〉
S V ⟶ 주어가 3인칭 단수일 때는 일반동사 뒤에 -(e)s를 붙여.

❷ **과거 시제**: 동사의 과거형을 사용하여 이미 지나간 과거의 동작이나 상태를 나타내며, '~했다'나 '~이었다'로 해석해.

Kim Yuna / **won** / an Olympic gold medal (in 2010). 김연아는/땄다/올림픽 금메달을/2010년에
S V O

❸ **미래 시제**: 주로 앞으로 일어날 일이나 계획을 나타내며, 「조동사 will+동사원형」 형태로 '~할 것이다'나 '~일 것이다'로 해석해.

It / **will rain** / (a lot) (tomorrow). 비가 올 것이다/많이/내일
S V

B 다음 기출 문장을 해석하시오.

POP QUIZ! 문장의 시제가 드러난 부분을 찾아봐!

★☆
052 The school will begin after the cotton-picking season.

cotton-picking 목화 수확

★★
053 Every summer, the king goes hunting in the nearby forests.

go hunting 사냥하러 가다
nearby 인근의, 가까운 곳의
tip Every summer는 '매해 여름'을 뜻하는 부사구야.

★★☆
054 About 2,500 years ago, builders in ancient Greece [CHOOSE! use / used] the sun's free energy.

*free energy [열역학] 자유 에너지

builder 건축가
ancient Greece 고대 그리스
tip 전치사구 in ancient Greece가 주어 builders를 뒤에서 수식해.

★★☆
055 The slogan for the event changes every year, and this year it is *Walk with Us*!

slogan 구호, 슬로건
tip for the event는 첫 번째 주어인 The slogan을 뒤에서 수식하는 전치사구야.

Twin Workbook p. 8

≫ 시험 빈출 POINT 미래의 일을 현재 시제로 나타내는 경우

시간표나 일정 등과 같이 확정된 미래를 나타낼 때는 현재 시제를 사용하기도 한다.

The train **leaves** at 7 o'clock today. 기차는 오늘 7시에 떠날 것이다.
└→ 자주 쓰이는 동사: go, leave, arrive, come, start, finish, take off 등

문장공식 07

진행형

S 가 (주어)	be v-ing (동사) 하는 중이다 / 하는 중이었다 / 하는 중일 것이다
The boy	was sleeping.
그 소년은	자고 있는 중이었다

MP3 듣기

QUICK QUIZ 위 문장공식에 유의하여, 밑줄 친 부분을 현재진행형으로 고쳐 쓰시오.

(1) I make a table. ____________________

(2) They order some food. ____________________

기출로 Practice

A 다음 문장성분에 유의하여 해석을 완성하시오.

★
056 Jimin is copying the sketch (onto the wall).
(S: Jimin / V: is copying / O: the sketch)

지민이는 벽에 ____________________.

copy 베끼다, 복제하다
onto ~ 위에
tip onto the wall과 같은 '전치사구'를 괄호로 묶으면 문장 구조가 더 잘 보여.

★
057 A violent storm was coming (with a sound of drums).
(S: A violent storm / V: was coming)

거센 폭풍우가 북소리와 함께 ____________________.

violent 심한, 난폭한
storm 폭풍우

★☆
058 People were taking a class (in the community center).
(S: People / V: were taking / O: a class)

사람들은 ____________________.

take a class 수업을 수강하다
community center 시민(문화) 회관

★★
059 I am (currently) looking for a place (for this year's contest exhibition).
(S: I / V: am … looking for / O: a place)

나는 현재 ____________________.

currently 현재
look for ~을 찾다
tip currently와 같은 부사는 be동사와 v-ing 사이에 위치하여 동사에 의미를 더할 수 있어.

Answers p. 9

S(주어) + be v-ing S는 v하는 중이다/v하는 중이었다/v하는 중일 것이다

❶ 현재진행: 「am/are/is+v-ing」의 형태로 현재 시점에서 한창 진행 중인 동작이나 상황을 나타낼 때 사용하며, '~하는 중이다'로 해석해.
She / **is talking** (on the phone). 그녀는/말하는 중이다/전화로
S V

❷ 과거진행: 「was/were+v-ing」의 형태로 과거의 특정 시점에 한창 진행 중이었던 동작이나 상황을 나타낼 때 사용하며, '~하는 중이었다'로 해석해.
The children / **were playing** / soccer (then). 아이들은/하고 있었다/축구를/그때
S V O

❸ 미래진행: 「will be+v-ing」의 형태로 특정 미래 시점에 일시적으로 진행 중인 일을 나타낼 때 사용하며, '~하는 중일 것이다'로 해석해.
They / **will be traveling** / (in Europe) (next year). 그들은/여행하고 있을 것이다/유럽에서/내년에
S V

B 다음 기출 문장을 해석하시오.

★☆
060 Our brains are constantly solving problems.

brain 두뇌, 뇌
constantly 끊임없이

POP QUIZ! 문장의 시제가 드러난 부분을 찾아봐!
★★
061 Dr. Wilkinson was giving a gold medal to each graduate.

graduate 졸업생

★★
062 A clean sheet of paper is CHOOSE! [laying / lying] in front of you.

sheet (종이) 장
in front of ~ 앞에
tip lie는 '놓여 있다'라는 뜻이고, lay는 '~을 놓다, 눕히다'라는 뜻이야.

★★☆
063 She was holding a camera in her hands and CHOOSE! [take / taking] pictures of her husband and grandson.

grandson 손자
tip 두 개 이상의 진행형(be v-ing)이 and 등으로 연결되어 나열되는 경우, 뒤에 나오는 be동사를 생략해서 be v-ing and v-ing로 표현하기도 해.

Twin Workbook p. 9

>> 시험 빈출 POINT 현재 시제 *vs.* 현재진행형

현재의 상태나 습관, 불변의 진리 등은 '현재 시제'로 나타내고, 현재 일시적으로 진행 중인 행동은 '현재진행형'을 사용한다.
The train **runs** every half hour. 그 기차는 30분마다 다닌다. 〈반복되는 행동〉 → 현재 시제
He **is running** to the river. 그는 강으로 달리고 있다. 〈일시적인 행동〉 → 현재진행형

문장공식 08

현재완료

S 가 (주어)	have p.p. 해 왔다 / 해 본 적이 있다 / (완료)했다 (동사)
All the leaves	have (already) fallen.
모든 잎들이	이미 떨어졌다

MP3 듣기

✔ QUICK QUIZ 위 문장공식에 유의하여, 밑줄 친 동사를 현재완료로 바꿔 쓰시오.

(1) I eat French food before. ____________________

(2) She teach English for three years. ____________________

기출로 Practice

A 다음 문장성분에 유의하여 해석을 완성하시오.

★

064 I have (just) created a great new recipe.
S / V / O

나는 방금 ______________________________.

create 만들어내다, 창조하다
recipe 조리법
tip just(막, 방금)와 같은 '부사'는 문장 내에서 다양한 위치에 올 수 있어.

★

065 Have you (ever) felt this kind of pain (before)?
V / S / O

당신은 전에 ______________________________?

pain 고통
tip 어떤 일을 해 본 적이 있는지 물을 때 Have you (ever) p.p. ~?를 사용해.

★

066 Kate and Dane have known each other (for five years).
S / V / O

Kate와 Dane은 ______________________________.

each other 서로
tip 「for+기간」은 '계속'의 의미를 나타내는 현재완료 시제에 쓰여.

★★

067 The Internet has (quickly) become an invaluable tool (as well).
S / V / SC

인터넷 또한 ______________________________.

invaluable 매우 귀중한
tool 도구
as well 또한, 역시

Answers p. 10

S(주어) + have p.p. S는 ~해 왔다/~해 본 적 있다/~(완료)했다

❶ '현재완료'는 「have(has)+과거분사(p.p.)」의 형태로, 과거에 일어난 일이 현재에도 영향을 미칠 때 사용해.

(1) 과거에 시작되어 현재까지 계속되는 일을 나타낼 때 '~해 왔다'로 해석해.

Jimin / **has lived** (here) (for ten years). 지민이는/살아왔다/여기에서/십 년 동안
S V

(2) 과거에서 현재 사이에 경험한 일을 나타낼 때 '~해 본 적 있다, ~해 봤다'로 해석해.

We / **have met** / him (before). 우리는/만난 적이 있다/그를/전에
S V O

(3) 현재를 기준으로 이미 완료된 일을 나타낼 때 '~을 (완료)했다'로 해석해.

I / **have** (already) **finished** / my homework. 나는/이미/끝냈다/숙제를
S V O

〈현재완료와 함께 쓰이는 부사(구)〉
- **계속**: 「for+기간」, 「since+과거 시점」
- **경험**: before, ever, never, once
- **완료**: just, yet, already

❷ 현재완료 시제의 의문형은 「Have(Has)+주어+과거분사(p.p.) ~?」, 부정형은 「have(has) not(never)+과거분사(p.p.)」로 써.

〈의문문〉 **Have** / you / **lied** / (to Kevin) (before)? ~한 적 있니?/네가/거짓말했다/Kevin에게/전에

〈부정문〉 Tim / **has** (never) **been** (to Korea). Tim은/결코 ~없다/있었던 적이 있다/한국에

B 다음 기출 문장을 해석하시오.

★★
068 Cooperation among animals [CHOOSE! has / have] become a hot topic in the mass media.

cooperation 협동, 협력
mass media 대중 매체
tip hot topic은 '관심이 많은 주제'라는 뜻이야.

★★
069 Many people have never even had a conversation with their neighbors.

conversation 대화
neighbor 이웃

★★
070 The City Park Zoo has been home to many different animals [CHOOSE! for / since] 1965.

tip for는 '(기간) ~ 동안 (죽)'이라는 의미이며, since는 '~때부터 (지금까지)'라는 의미야.

★★☆
POP QUIZ! 문장의 시제가 드러난 부분을 찾아봐!
071 Psychologists have long known about the harmful effects of noise.

psychologist 심리학자
harmful 해로운
effect 영향
tip long은 '오랫동안'이라는 뜻의 부사로 쓰였어.

Twin Workbook p. 10

» 시험 빈출 POINT 현재완료와 부사(구)

현재완료는 특정 과거 시점을 나타내는 부사(구)인 ago, then, yesterday, 「in+과거 연도」, at that time 등과 함께 쓰이지 않는다.

She lived in Seoul **2 years ago**. 그녀는 2년 전에 서울에서 살았다. → 특정한 과거 시점(2 years ago)의 일

She has lived in Seoul **since 2020**. 그녀는 2020년부터 서울에 살아 왔다. → 과거에 시작된 일(since 2020)이 현재와 연관성을 가짐

Unit Exercise

MP3 듣기 

Answers p. 11

A 시제를 나타내는 동사 부분을 찾아 V로 표시한 후, 문장을 해석하시오.

★
072 One night he was watching a PBS-TV program about cartooning.

★★
073 None of them has ever used a toothbrush until now!

★★
074 Historically, dance has been a strong, binding influence on community life.

★★
075 Have you ever sat out in a backyard at night and turned on a light?

B 밑줄 친 부분 중 어법상 틀린 것을 바르게 고쳐 쓰고, 문장을 해석하시오. 서술형 훈련

★☆
076 They are having a bad day, and they are express their disappointment.

★★
077 The program has always being very popular among international students.

★★☆
078 He visited some of the landmarks here and have become interested in building structures.

Grammar Check

Choose or Complete

과거의 시점에 한창 진행 중인 동작이나 상황을 나타낼 때는 현재진행/과거진행 시제를 사용한다.

과거에서 현재 사이에 경험한 일을 나타낼 때는 현재/현재완료 시제를 사용한다.

현재완료는 과거에 시작되어 미래/현재 까지 계속되는 일을 나타낼 때 사용할 수 있다.

현재완료 의문문은 「________ +주어+________ ~?」 형태로 쓴다.

현재 시점에서 한창 진행 중인 동작이나 상황을 나타낼 때 현재완료/현재진행 시제를 사용한다.

과거에 시작된 일이 현재에도 계속 영향을 미치고 있음을 나타낼 때 현재완료/과거진행 시제를 사용한다.

3인칭 단수가 주어인 문장의 현재완료 시제는 「________ +과거분사(p.p.)」 형태로 나타낸다.

Twin Workbook p. 11

Words A **072** cartooning 만화 제작 **073** none 아무도[아무것도] ~ (않다) toothbrush 칫솔 **074** binding 결속시키는, 묶는 influence on ~에 대한 영향 community life 공동체 생활 **075** backyard 뒷마당 B **076** express 표현하다 disappointment 실망 **077** among ~ 사이에서 international 국제의, 국제적인 **078** landmark 주요 지형지물, 랜드마크 interested 흥미로운 building structure 건축 구조(물)

UNIT 3

동사에 의미를 더하는 조동사

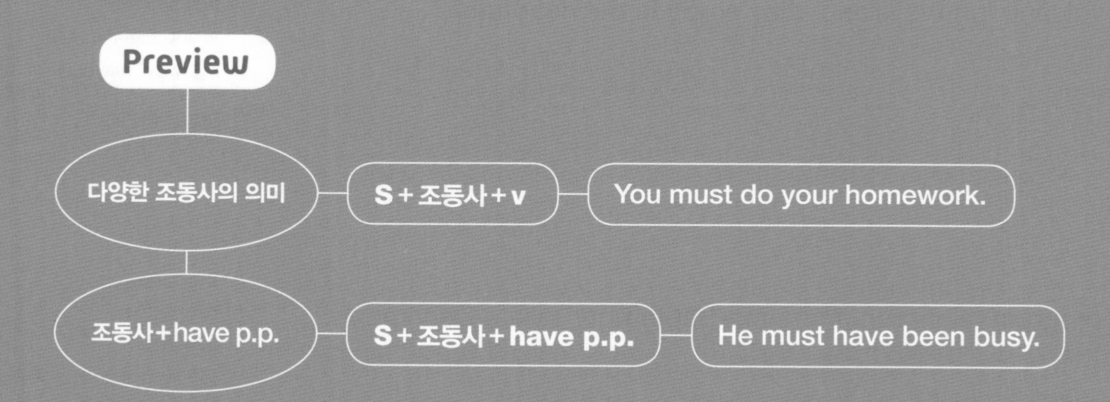

Preview
다양한 조동사의 의미
S + 조동사 + v
You must do your homework.
조동사+have p.p.
S + 조동사 + have p.p.
He must have been busy.

문장공식 09

다양한 조동사의 의미

S가 (주어)	조동사 + V 할 수 있다 / 일지도 모른다 / 해야 한다 / 하는 것이 좋다 (동사)	(목적어)
You	must do	your homework.
너는	해야 해	숙제를

MP3 듣기

✔ QUICK QUIZ 위 문장공식에 유의하여, 어법상 알맞은 것을 고르시오.

(1) He can't [choose / chooses] the date.

(2) You may [borrow / borrowed] my pen.

기출로 Practice

A 다음 문장성분에 유의하여 해석을 완성하시오.

★
079 You can join my philosophy discussion group.
(S: You / V: can join / O: my philosophy discussion group)

당신은 ________________________________.

join 가입하다
philosophy 철학
discussion 토론, 토의
tip 조동사 can은 동사에 '능력'이나 '추측', '허가'의 의미를 덧붙일 수 있어.

★
080 You should submit your homework (on time).
(S: You / V: should submit / O: your homework)

당신은 ________________________________.

submit 제출하다
on time 제시간에

★☆
081 The volcano (on the island) may erupt (in the near future).
(S: The volcano (on the island) / V: may erupt)

그 섬에 있는 ________________________________.

volcano 화산
erupt 분출하다, 내뿜다
tip 조동사 may는 동사에 '허가' 또는 '약한 추측'의 의미를 덧붙일 수 있어.

★☆
082 The program might run (from mid-September to late December).
(S: The program / V: might run)

그 프로그램은 ________________________________.

run 계속되다
mid 중간의
late 늦은
tip from *A* to *B*는 'A부터 B까지'라는 뜻이야.

Answers p. 12

S(주어) + 조동사 + V(동사원형) S가 v할 수 있다/v일지도 모른다/v해도 좋다/v해야 한다/v하는 것이 좋다/v하곤 했다

- 조동사는 동사에 '가능, 추측, 허가, 의무, 조언' 등의 의미를 덧붙이는 역할을 하며, 조동사 뒤에는 동사원형이 와.

can	능력 (~할 수 있다) (= be able to)	I **can speak** English. 나는/말할 수 있다/영어를
	가능성·추측 (~일 수도 있다) (= could)	The class **can be** boring. 그 수업은/~일 수도 있다/지루한
	허가 (~해도 좋다)	You **can go** home now. 너는/가도 좋다/집에/이제
may	허가 (~해도 좋다)	You **may leave** now. 당신은/떠나도 좋다/이제
	약한 추측 (~일지도 모른다) (= might, could)	He **may come**. 그가/올 수도 있다
must	의무 (~해야 한다) (= have to)	I **must go** to the bank. 나는/가야 한다/은행에
	강한 추측 (~임이 틀림없다)	You **must be** hungry. 너는/틀림없이 ~일 것이다/배가 고픈
should	조언 (~하는 것이 좋다)	You **should call** him. 네가/전화하는 것이 좋겠다/그에게
would	과거의 반복된 행동·습관 (~하곤 했다)	We **would walk** there every day. 우리는/걷곤 했다/그곳에서/매일

B 다음 기출 문장을 해석하시오.

★☆
083 You should read the directions of the questions carefully.

direction 지시 (사항)
tip should는 조언을 할 때 자주 사용하는 조동사야.

POP QUIZ! '의무'를 나타내는 부분을 찾아봐!
★☆
084 Chemists have to write chemical equations correctly.

chemist 화학자
chemical equation 화학 방정식
correctly 정확하게

★★
085 The old black-and-white TVs could not CHOOSE! [show / showed] the colors of each team's uniform.

black-and-white 흑백의
tip 조동사의 부정은 조동사 바로 뒤에 not이나 never를 붙여서 나타내.

★★☆
086 My aunt would babysit me and show me magic tricks.

babysit 아이를 돌보다
magic trick 마술
tip 등위접속사 and 뒤에 앞과 같은 조동사 would가 생략된 문장이야.

Twin Workbook p. 12

>> 시험 빈출 POINT must not *vs.* don't have to

must나 have to는 둘 다 의무의 의미이지만, 부정문으로 바꾸면 must not은 '~해서는 안 된다'의 '금지'를 나타내는 반면, don't have to는 '~할 필요가 없다'는 '불필요'의 의미를 나타낸다.
We **mustn't** wear shoes in the house. 우리는 집에서 신발을 신으면 안 된다. 〈금지〉
I **don't have to** get up early on Sundays. 나는 일요일에는 일찍 일어날 필요가 없다. 〈불필요〉

문장공식 10

조동사+have p.p.

S가 (주어)	조동사+have p.p. (동사) ~했을지도 모른다 / 틀림없이 ~했을 것이다 / ~했을 리가 없다 / ~했어야 했다	(주격보어)
He 그는	must have been 틀림없이 ~였을 것이다	busy. 바쁜

MP3 듣기

QUICK QUIZ 위 문장공식에 유의하여, 의미상 알맞은 것을 고르시오.

(1) 너는 그것을 틀림없이 봤을 거야. → You must [see / have seen] it.

(2) 그가 실수를 했을지도 몰라. → He may [make / have made] a mistake.

기출로 Practice

A 다음 문장성분에 유의하여 해석을 완성하시오.

★
087 You(S) should've gone(V) (to the lecture) (yesterday).

너는 어제 ______________________________.

lecture 강의
tip should have p.p.에서 should have는 should've로 줄여서 쓸 수 있어.

★☆
088 The little boy(S) must have seen(V) something scary(O).

그 어린 소년은 ______________________________.

scary 무서운
tip -thing으로 끝나는 대명사는 형용사가 -thing 뒤에서 수식해.

★☆
089 You(S) cannot have done(V) such a foolish thing(O).

네가 ______________________________.

such 그런, 그 정도의
foolish 어리석은

★☆
090 We(S) may have lost(V) some(O) (of our ancient ancestors' survival skills).

우리는 ______________________________.

ancestor 조상, 선조
survival 생존

Answers p. 13

S(주어) + 조동사 + have p.p. S가 ~했을지도 모른다/틀림없이 ~했을 것이다/~했을 리가 없다/~했어야 했다

- 추측의 의미를 나타내는 '조동사(may, might, could, must 등)' 뒤에 have p.p.를 쓰면 지나간 일에 대한 추측을 나타내는데, 조동사에 따라 확신의 정도는 달라. 또한, 조동사 should 뒤에 have p.p.를 써서 과거에 하지 않은 일에 대한 후회·유감 등을 나타낼 수 있어.

may(might/could) have p.p.	과거에 대한 약한 추측 (~했을지도 모른다)	He **may have broken** his leg. 그는/부러졌을지도 모른다/다리가
must have p.p.	과거에 대한 강한 추측 (틀림없이 ~했을 것이다)	She **must have lost** her key. 그녀는/틀림없이 잃어버렸을 것이다/자신의 열쇠를
cannot have p.p.	과거에 대한 강한 부정의 추측 (~했을 리가 없다)	Jin **cannot have said** so. 진이/말했을 리가 없다/그렇게
should have p.p.	과거에 대한 후회·유감 (~했어야 했다 (그런데 하지 않았다))	I **should have taken** an umbrella. 나는/가지고 갔어야 했다/우산을

B 다음 기출 문장을 해석하시오.

★☆
091 Daniel is an honest boy. He CHOOSE! [cannot / should] have told a lie.

honest 정직한, 솔직한
lie 거짓말

★★
092 Some of them may have traveled by small boat along the coast, but many walked.

travel 이동하다
along the coast 해안을 따라서
tip many 뒤에 of them이 생략되었어.

★★
093 He fell down the stairs and hurt his leg. He CHOOSE! [must / should] have been more careful.

fall down 떨어지다, 넘어지다
stair 계단

★★
POP QUIZ! '과거의 일에 대한 추측'을 나타내는 부분을 찾아봐!
094 Henry's father was a house painter. He must have painted hundreds of houses.

house painter 가옥 페인트공
hundreds of 수백의 ~

Twin Workbook p.13

>> 한 줄 독해 POINT 「조동사+have p.p.」의 부정형

- should have p.p.의 부정형: shouldn't(should not) have p.p.(~하지 말았어야 했다 (그런데 했다))
  We **shouldn't have come** here. 우리는 여기에 오지 말았어야 했다.
- must have p.p.의 부정 표현: cannot have p.p.(~했을 리가 없다)
  They **cannot have done** it. 그들이 그것을 했을 리가 없다.

Unit Exercise

MP3 듣기 

▶ Answers p. 14

A 각 문장이 괄호 안의 의미가 되도록 알맞은 단어를 〈보기〉에서 골라 문장을 해석하시오.

〈보기〉 must　can　should　must have

★
095 ____________ I change these earphones to black ones? (허가)

★☆
096 Students ____________ sign up for our program in advance. (의무)

★☆
097 A great leader ____________ have a positive attitude. (조언)

★☆
098 She ____________ lost her phone at the bus stop. (과거에 대한 강한 추측)

B 밑줄 친 부분 중 어법상 틀린 것을 바르게 고쳐 쓰고, 문장을 해석하시오. 서술형 훈련

★☆
099 The community center may is available now.

★☆
100 Someone can earns extra money for a new smartphone.

★☆
101 You should've write the speech on your own.

Grammar Check

Choose or Complete

동사에 '허가'의 의미를 더하는 조동사에는 can/must 또는 may 등이 있다.

'의무'의 의미를 나타낼 수 있는 조동사에는 ______나 have to 등이 있다.

동사에 '조언'의 의미를 더하는 조동사에는 ______나 had better 등이 있다.

'과거의 일에 대한 강한 추측'은 「조동사 ________+have p.p.」로 나타낸다.

조동사는 동사에 '가능, 추측, 의무' 등의 의미를 더하며, 뒤에 동사의 과거형/동사원형 이 온다.

조동사 can은 '~할 수 있다'라는 '______'의 의미로 해석되기도 한다.

과거에 대한 후회를 나타내는 표현은 「should+동사원형」/ should have p.p. 이다.

Twin Workbook p. 14

Words
A 096 sign up for ~에 등록하다, ~을 신청하다 in advance 미리 097 leader 지도자, 대표 positive 긍정적인 attitude 태도
B 099 available 이용할 수 있는 100 earn (돈을) 벌다 extra 추가의 101 speech 연설, 담화 on one's own 혼자서, 단독으로

UNIT 4

주어와 동사의 관계를 보여 주는 태

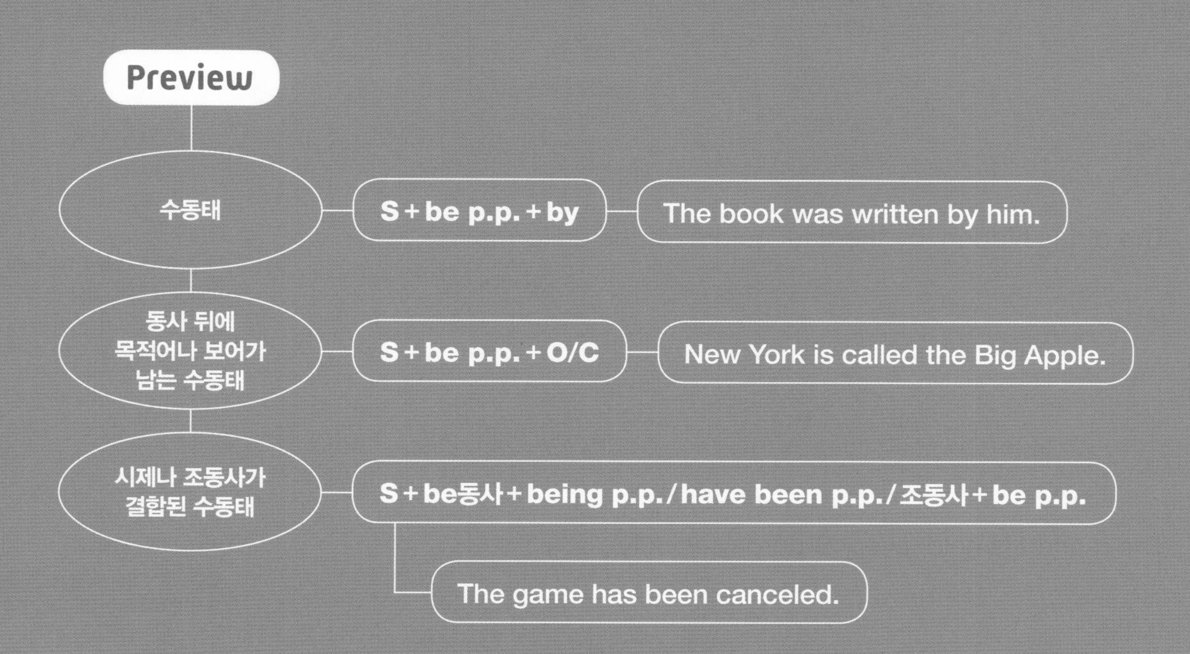

문장공식 11

수동태 (3형식 문장의 수동태)

S 가	be p.p. 되다/받다	by (~에 의해)
(주어)	(동사)	(by+행위자)
The book	was written	(by him).
그 책은	쓰여졌다	그에 의해

MP3 듣기

✔ QUICK QUIZ 위 문장공식에 유의하여, 밑줄 친 동사를 수동태로 고쳐 쓰시오.

(1) Spain loves by lots of tourists. ____________

(2) *The Mona Lisa* painted by Leonardo da Vinci in 1506. ____________

기출로 Practice

A 다음 문장성분에 유의하여 해석을 완성하시오.

★

102 Those pictures were not painted (by the artist).

(S: Those pictures / V: were not painted)

그 그림들은 ______________________________.

tip 「be동사+p.p.」는 '~되다/받다/당하다'로 해석해. 간혹 수동태로 해석하면 어색한 경우가 있는데, 그럴 때는 능동태로 바꿔 해석하는 것이 더 자연스러워.

★☆

103 I was (deeply) touched (by your kind words).

(S: I / V: was ~ touched)

나는 ______________________________.

touch 감동시키다

word 말, 단어

tip 부사인 deeply는 be동사와 p.p. 사이에 위치할 수 있어.

★☆

104 The dirt is hidden (by the dark colors 〈of the uniforms〉).

(S: The dirt / V: is hidden)

먼지는 ______________________________.

dirt 먼지

hide 숨기다 (-hid-hidden)

uniform 제복, 교복

tip 「by+행위자」는 전치사구이므로 괄호로 묶어 해석하면 편해.

★☆

105 The market is held (every Saturday)(in July).

(S: The market / V: is held)

그 장은 ______________________________.

market 장, 시장

hold 열다, 개최하다

tip every Saturday는 '매주 토요일마다'라는 의미로, on Saturdays로도 쓸 수 있어.

Answers p. 15

S(주어) + be p.p. + by S가 (~에 의해) p.p.되다(받다)

- 주어가 '동작의 주체'가 되는 서술 형식을 '능동태', 주어가 '동작의 대상'이 되는 서술 형식을 '수동태'라고 해.

❶ 수동태 문장은 「주어+be동사+과거분사(p.p.) ~ (by+행위자)」의 형태로 쓰며 '(주어)가 (~에 의해) …되다(받다)'로 해석해.

The window / **was broken** (by him). 그 창문은/깨졌다/그에 의해
S V by+행위자 ⟶ 행위자를 밝힐 필요가 없을 때는 「by+행위자」가 생략되기도 해.

❷ 「주어+동사+목적어」 구조의 능동태 문장을 수동태로 전환하면 「주어+be p.p.+(by+행위자)」가 돼.

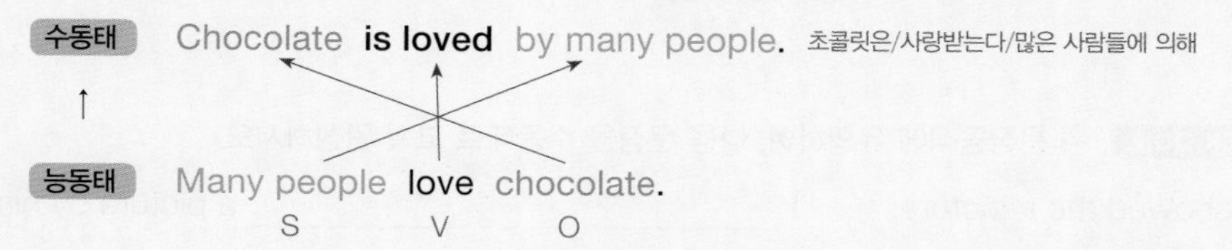

수동태 Chocolate is loved by many people. 초콜릿은/사랑받는다/많은 사람들에 의해
능동태 Many people love chocolate.
S V O

B 다음 기출 문장을 해석하시오.

★☆
106 This picture was [CHOOSE! took / taken] in front of the monkey cage.

cage 우리
tip 「by+행위자」가 생략된 수동태 문장이야.

POP QUIZ! 주어와 동사를 찾아봐!
★★
107 The details of their everyday lives were posted on the Internet.

detail 세부 사항
post 게시하다

★★
108 Doctors Without Borders was [CHOOSE! found / founded] in 1971 by a small group of French doctors.

Doctors Without Borders 국경 없는 의사회
found 설립하다
tip find(찾다)의 과거형이자 과거분사형인 found를 '설립하다'라는 의미의 동사 found와 혼동하지 않도록 유의하자.

★★☆
109 During 2009-2010, nearly 40 percent of the expenditures were financed by borrowing.

*expenditure 지출

nearly 거의
finance 자금을 공급하다
borrowing 대출
tip 「부분을 나타내는 표현(40 percent of)+복수명사」는 '복수'로 취급해.

Twin Workbook p. 15

>> 시험 빈출 POINT **행위자 앞에 by 이외의 전치사를 쓰는 수동태**

be filled with(~로 가득 차 있다), be covered with(~로 덮여 있다), be crowded with(~로 붐비다), be known for(~로 유명하다), be interested in(~에 흥미가 있다), be surprised with(by)(~에 놀라다), be disappointed with(by)(~에 실망하다) 등
She **was** very **disappointed with** her new classmates. 그녀는 새로운 반 친구들에게 매우 실망했다.

문장공식 12

동사 뒤에 목적어나 보어가 남는 수동태 (4·5형식 문장의 수동태)

S 가 (주어)	be p.p. 되다 (동사)	O/C 로(라고/하게) (목적어/보어)
New York 뉴욕은	is called 불린다	the Big Apple. Big Apple이라고

MP3 듣기

QUICK QUIZ 위 문장공식에 유의하여, 다음 문장을 수동태로 고쳐 완성하시오.

(1) He showed me a picture. → I ______________________ a picture by him.

(2) We consider him an expert. → He ______________________ by us.

기출로 Practice

A 다음 문장성분에 유의하여 해석을 완성하시오.

★
110 Identical twins(S) are given(V) the same genes(O).

일란성 쌍둥이는 ______________________.

> identical twins 일란성 쌍둥이
> gene 유전자
> tip 행위의 주체를 나타낼 필요가 없을 때는 「by+행위자」를 생략해.

★
111 Mae(S) was named(V) the first black woman astronaut(C) (in 1987).

Mae는 1987년에 ______________________.

> astronaut 우주 비행사
> tip name을 동사로 사용하면 '임명하다'라는 뜻으로 쓰여.

★☆
112 The residents(S) were asked(V) questions(O) (about welfare).

거주자들은 ______________________.

> resident 주민, 거주자
> welfare 복지

★☆
113 The 18th century(S) is called(V) the Golden Age(C) (of botanical painting).

18세기는 ______________________.

> century 세기
> golden age 황금기(전성기)
> botanical 식물(학)의
> tip 「be called+보어」는 '~라고 불린다'라고 해석해.

Answers p. 16

S(주어) + be p.p. + O/C(목적어/보어) S가 ~로(라고/하게) p.p.되다(받다)

❶ 「주어+be동사+p.p.(+전치사)+목적어」는 「주어+동사+간접목적어+직접목적어」 문장을 수동태로 전환한 것이야.

간접목적어가 주어인 수동태 — I **was offered** a job by him.
수동태 뒤에 '목적어'가 나와.

직접목적어가 주어인 수동태 — A job **was offered** to me by him.
수동태 뒤에 「전치사+목적어」가 나와.

↑

능동태 — He **offered** me a job. 그는/제공했다/나에게/일자리를
S V IO DO

❷ 「주어+be동사+p.p.+보어」는 「주어+동사+목적어+목적격보어」 문장을 수동태로 전환한 것이야.

수동태 — I **was made** happy by his song.
수동태 뒤에 '보어'가 나와.

↑

능동태 — His song **made** me happy. 그의 노래는/만들었다/나를/행복하게
S V O OC

B 다음 기출 문장을 해석하시오.

POP QUIZ! 수동의 의미를 나타내는 부분을 찾아봐!

★☆
114 Sadness is considered an unnecessary emotion in some cultures.

sadness 슬픔
consider 여기다
unnecessary 불필요한
emotion 감정

★★
115 The fairy returned to heaven with her children, and the woodcutter CHOOSE! [left / was left] alone.

fairy 요정, 선녀
woodcutter 나무꾼
alone 혼자, 홀로
tip 「leave+목적어+보어」는 '~를 …(상태)로 남겨 두다'라는 의미야.

★★☆
116 One group was paid very well for their time, but the other was only given a small amount of cash.

be paid 보수가 지급되다
cash 현금

★★☆
117 In their experiment, participants were shown a documentary film and then CHOOSE! [to ask / asked] a series of questions about the video.

experiment 실험
participant 참가자
a series of 일련의
tip and가 두 개의 수동태를 연결하고 있으며, 뒤에 나오는 be동사는 생략해서 표현하기도 해.

Twin Workbook p. 16

문장공식 13

시제나 조동사가 결합된 수동태

S 가 (주어)	be동사+being p.p. 되고 있는 중이(었)다 have been p.p. 되어 왔다/된 적이 있다 조동사+be p.p. 될 것이다/될 수 있다/되어야 한다 (동사)
The game 그 경기는	has been canceled. 취소되었다.

MP3 듣기

QUICK QUIZ 위 문장공식에 유의하여, 밑줄 친 동사를 올바른 형태로 고쳐 쓰시오.

(1) All data have been delete. ____________

(2) The foot has been call the second heart. ____________

기출로 Practice

A 다음 문장성분에 유의하여 해석을 완성하시오.

★
118 One hundred people(S) will be invited(V) (to the event).

백 명의 사람들이 ______________________________.

invite 초대하다

tip 조동사 will이 수동태와 결합하여 미래 시제를 나타내.

★☆
119 The impact (of color)(S) has been studied(V) (for decades).

색깔의 영향은 ______________________________.

impact 영향
decade 10년

tip study는 '공부하다'라는 의미 외에 '연구하다'라는 의미로도 쓰여.

★☆
120 Special radar systems(S) are being installed(V) (at major airports).

특수 레이더 시스템이 ______________________________.

radar 레이더
install 설치하다
major 주요한

★☆
121 Books(S) must be returned(V) (within 2 weeks) (from the check-out date).

도서는 ______________________________.

return 반납하다
within ~ 이내에
check-out 대출

tip 수동태에 조동사 must가 결합되어 수동의 의미에 '의무'의 의미를 더해 줘.

Answers p. 17

S(주어)+**be동사+being p.p.** S가 ~되고 있는 중이(었)다 **S**(주어)+**have been p.p.** S가 ~되어 왔다(~된 적이 있다)
S(주어)+**조동사+be p.p.** S가 ~될 것이다(~될 수 있다/~되어야 한다)

❶ **진행형 수동태:** 현재진행형 수동태는 「am/are/is+being p.p.」 형태로 '~되고 있는 중이다'라고 해석하며,
과거진행형 수동태는 「was/were+being p.p.」 형태로 '~되고 있는 중이었다'라고 해석해.
The book / **is being used** (in universities). 그 책은/사용되는 중이다/대학에서
S V

❷ **현재완료 수동태:** 「have(has)+been p.p.」 형태로 '~되어 왔다(된 적이 있다)'라고 해석해.
Great efforts / **have been made** (for the project). 엄청난 노력이/이루어져 왔다/그 프로젝트를 위해
S V

❸ **조동사가 결합된 수동태:** 「will/can/must+be p.p.」 형태로 '~될 것이다(~될 수 있다/~되어야 한다)'라고 해석해.
Messages / **will be sent** (to you). 메시지가/보내질 것이다/너에게
S V

B 다음 기출 문장을 해석하시오.

★☆
122 The quoll's survival was being threatened by the cane toad.
*quoll 주머니고양이

survival 생존
threaten 위협하다
cane toad 수수두꺼비

★★
123 Language skills, like any other skills, can [CHOOSE! acquire / be acquired] only through practice.

acquire 배우다, 습득하다
practice 연습
tip like가 '~처럼'이라는 의미의 전치사로 쓰였어.

POP QUIZ! 수동의 의미를 나타내는 부분을 찾아봐!
★★
124 Other members of his family have already been taken to the hospital.

other 다른
hospital 병원

★★☆
125 One of her novels [CHOOSE! has / have] been translated into more than eighty languages.

novel 소설
translate *A* into *B* A를 B로 번역하다
tip 「one of+복수명사」가 주어일 때, 동사의 수는 one에 일치시켜.

Twin Workbook p. 17

》 시험 빈출 POINT **수동태로 사용하지 않는 동사**

목적어를 취하지 않는 동사(exist, happen 등)나 상태를 나타내는 동사(have, possess, resemble 등)는 수동태로 쓰이지 않는다.
The accident happened last year. 그 사고는 작년에 일어났다.
was happened (×)

Unit Exercise

MP3 듣기

Answers p. 18

A 괄호 안의 단어를 빈칸에 알맞은 형태로 쓰고, 문장을 해석하시오.

★☆
126 Her early life was strongly ____________ by her father's historical knowledge. (influence)

★☆
127 In 1849, he was ____________ the first professor of mathematics at Queen's College. (appoint)

★★
128 Art can ____________ out of all kinds of old things around us. (make)

★★
129 In fact, much research has ____________ on the developmental stages of childhood. (do)

B 밑줄 친 부분 중 어법상 틀린 것을 바르게 고쳐 쓰고, 문장을 해석하시오. 서술형 훈련

★★
130 Every medal winner was gave an olive wreath along with their medal.

★★
131 Registration forms must send by email to the address below by 6:00 p.m., November 28.

★★☆
132 Rats are considered pests in much of Europe and North America and greatly respect in some parts of India.

Grammar Check

Choose or Complete

수동태는 「be동사+______+(______+행위자)」로 나타낸다.

목적어와 목적격보어가 쓰인 문장을 수동태로 바꾸면 「be동사+p.p.」 뒤에 보어/목적어 가 온다.

조동사와 결합된 수동태는 「조동사+ is/be p.p.」의 형태로 쓴다.

현재완료 수동태는 have(has) ______p.p.의 형태로 쓴다.

능동태 문장의 간접목적어가 주어로 쓰인 수동태의 경우, 「be동사+p.p.+ 목적어/전치사+목적어」의 형태가 된다.

조동사 must 뒤에 동사원형/be p.p. 이(가) 오면 '~되어야 한다'라는 의미를 나타낸다.

수동태가 등위접속사 and나 but으로 나란히 연결될 경우, 두 번째 수동태에서 ______는 생략 가능하다.

Twin Workbook p. 18

Words A **126** strongly 강하게 influence 영향을 주다 historical 역사의 knowledge 지식 **127** appoint 임명하다, 정하다 professor 교수 mathematics 수학 **128** out of (재료) ~으로 **129** in fact 사실은, 실제로 research 연구 developmental stage 발달 단계 childhood 어린 시절, 유아기 B **130** wreath 화환, 화관 along with ~와 함께 **131** registration form 등록 신청서 address 주소 below 아래에 **132** rat 쥐 pest 해충, 유해 동물 respect 존경하다

PART 2
주어, 목적어, 보어의 확장

to부정사(to-v)와 **동명사**(v-ing)가 명사처럼 쓰이면 문장에서 **주어, 목적어, 보어 역할**을 할 수 있다.
지각동사나 사역동사가 있는 문장에서 **동사원형**과 **분사**는 목적어 뒤에서 목적격보어 역할을 한다.
이렇듯 문장에서 명사나 형용사, 부사가 쓰이는 자리에 동사를 쓰는 경우가 생기는데 이때 동사는 원형부정사(v), to부정사(to-v), 동명사(v-ing), 분사(v-ing/p.p.)의 형태가 되며, 이를 한데 묶어 준동사라 한다.

STUDY GOAL

학습목표를 이해합니다.

STUDY PLAN

학습 계획을 세워 봅시다.

학습목표	학습진도		학습날짜
□ to부정사와 동명사가 주어 또는 목적어로 쓰인 문장을 이해한다.	□ **DAY 14**	문장공식 14	. .
	□ **DAY 15**	문장공식 15	. .
	□ **DAY 16**	문장공식 16	. .
	□ **DAY 17**	문장공식 17	. .
	□ **Unit Exercise**	문장공식 14~17	. .
□ to부정사, 동명사, 원형부정사, 분사가 보어로 쓰인 문장을 이해한다.	□ **DAY 18**	문장공식 18	. .
	□ **DAY 19**	문장공식 19	. .
	□ **DAY 20**	문장공식 20	. .
	□ **DAY 21**	문장공식 21	. .
	□ **Unit Exercise**	문장공식 18~21	. .

UNIT
5

주어, 목적어로 쓰이는 to부정사와 동명사

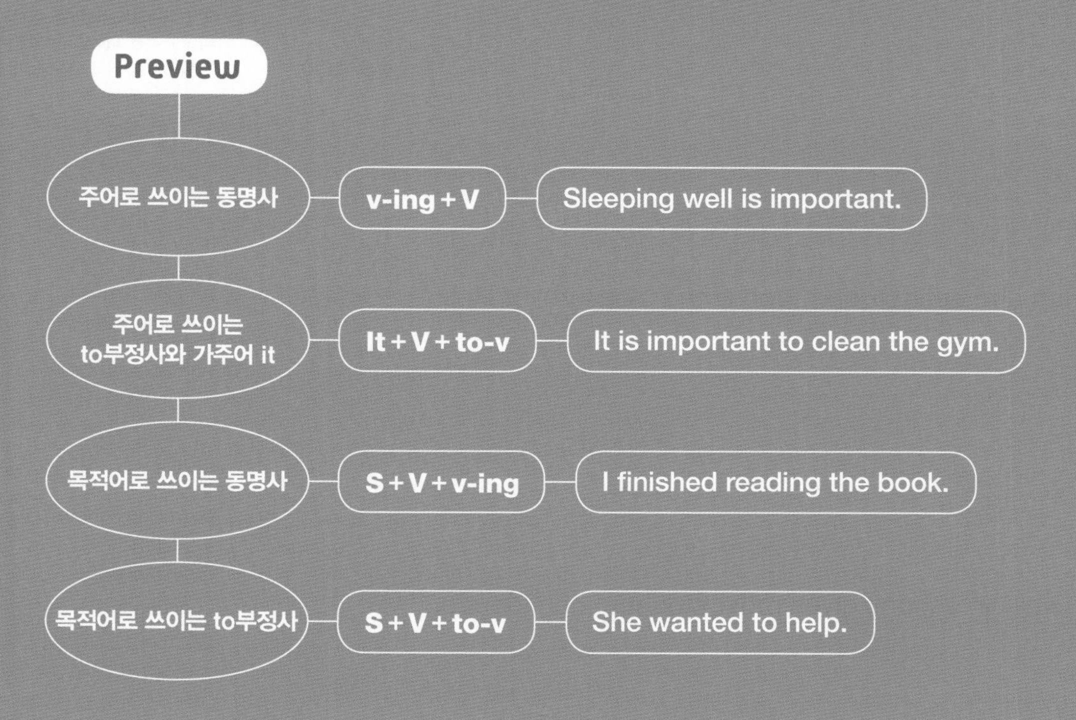
Preview
주어로 쓰이는 동명사
v-ing + V
Sleeping well is important.
주어로 쓰이는 to부정사와 가주어 it
It + V + to-v
It is important to clean the gym.
목적어로 쓰이는 동명사
S + V + v-ing
I finished reading the book.
목적어로 쓰이는 to부정사
S + V + to-v
She wanted to help.

문장공식 14

주어로 쓰이는 동명사

v-ing 하는 것은	V 하다	
(주어)	(동사)	(주격보어)
Sleeping (well)	is	important.
잠을 잘 자는 것은	~이다	중요한

MP3 듣기

✔ QUICK QUIZ 위 문장공식에 유의하여, 어법상 알맞은 것을 고르시오.

(1) [Lose / Losing] weight can be difficult.

(2) Buying things on sale [is /are] good.

기출로 Practice

A 다음 문장성분에 유의하여 해석을 완성하시오.

★
133 Drawing pictures(S) is(V) one of my hobbies.(SC)

______________________ 내 취미 중 하나이다.

draw 그리다

tip one of 뒤에는 복수명사가 와서 '~ 중의 하나'라는 의미로 쓰여.

★☆
134 Visiting a sunflower festival(S) would be(V) nice.(SC)

______________________ 좋을 것이다.

sunflower 해바라기

tip 조동사 would는 현재의 약한 추측을 나타낼 수 있으며 '~일 것이다'라고 해석해.

★☆
135 Preparing and eating good food(S) is(V) the pleasure (of life).(SC)

______________________ 삶의 기쁨이다.

prepare 준비하다

pleasure 기쁨

★☆
136 Doing (well) (in school)(S) gives(V) most students(IO) confidence.(DO)

______________________ 대부분의 학생들에게 자신감을 준다.

do well in school 학교 공부를 잘하다

most 대부분의

confidence 자신감

tip 「give+간접목적어+직접목적어」는 '~에게 …을 주다'라고 해석해.

Answers p. 19

v-ing + V(동사) v-ing하는 것은 V하다

❶ 동명사는 「동사원형+-ing」의 형태로 쓰며, 명사(구)로서 주어, 목적어, 보어 역할을 할 수 있어.

주어 역할 **Walking** / is / very good (for you). 걷기는/~이다/매우 좋은/너에게
S V SC

보어 역할 My hobby / is / **listening** to music. 내 취미는/~이다/음악을 듣는 것
S V SC

목적어 역할 Helen / likes / **eating** chocolate. Helen은/좋아한다/초콜릿 먹는 것을
S V O

❷ 동명사(구)는 주어로 쓰일 때 '단수' 취급하며 '~하는 것은'으로 해석해.
Reading books / **is** / fun. 책을 읽는 것은/~이다/재미있는
동명사구 주어는 단수 취급해.

❸ 동명사(구) 앞에 not 또는 never를 넣으면 '~하지 않는 것은'으로 해석해.
Not getting enough sleep / is / bad (for your health). 충분한 잠을 자지 않는 것은/~이다/나쁜/당신의 건강에
S V SC

B 다음 기출 문장을 해석하시오.

★☆
137 CHOOSE! [Learn / Learning] does not happen in the same way for all people.

happen 일어나다, 발생하다
in the same way 같은 방식으로

★★
138 Living without smartphones CHOOSE! [is / are] difficult for many people these days.

without ~ 없이
these days 요즘에
tip '동명사(구)' 주어는 단수 취급해.

POP QUIZ! 주어를 찾아봐!
★★☆
139 Challenging your brain with new activities can strengthen the connections between brain cells.

challenge 도전하다, 도전 의식을 북돋우다
strengthen 강화하다
connection 연결
brain cell 뇌세포

★★★
140 Increasingly, reading and writing can be done electronically with the aid of a computer.

increasingly 갈수록 더
electronically 전자적으로
with the aid of ~의 도움으로

Twin Workbook p. 19

» 한 줄 독해 POINT 「동명사+명사」 복합어

동명사는 명사 앞에서 수식하는 명사의 '목적'이나 '용도'를 나타내는 경우도 있다.

a **sleeping** bag 침낭 a **dining** room 식당 a **sewing** machine 재봉틀 a **waiting** room 대합실

문장공식 15

주어로 쓰이는 to부정사와 가주어 it

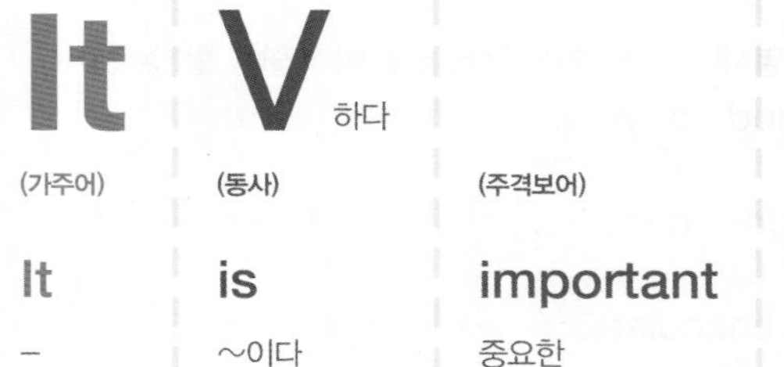

It (가주어)	V 하다 (동사)	(주격보어)	to-v 하는 것은 (진주어)
It	is	important	to clean the gym.
–	~이다	중요한	체육관을 청소하는 것은

MP3 듣기

QUICK QUIZ 위 문장공식에 유의하여, 진주어를 찾아 밑줄로 표시하시오.

(1) It is fun to ride bicycles.

(2) It was hard to find enough food.

기출로 Practice

A 다음 문장성분에 유의하여 해석을 완성하시오.

★
141 It is not easy to choose a wedding ring.
S V SC S'

________________________________ 쉽지 않다.

tip 가주어 it은 따로 해석하지 않아.

★
142 It is quick and easy to post photos (online).
S V SC S'

________________________________ 빠르고 쉽다.

post 게시하다
online 온라인으로
tip to부정사는 동사의 특징도 가지므로 뒤에 '목적어'를 취할 수 있어.

★☆
143 It is impossible to satisfy everyone (around you).
S V SC S'

________________________________ 불가능하다.

impossible 불가능한
satisfy 만족시키다

★☆
144 It is hard to realize our potential (in difficult situations).
S V SC S'

어려운 상황에서는 ________________________________.

realize 실현하다
potential 잠재력
situation 상황

Answers p. 20

It+V(동사)+to-v to-v하는 것은 V하다

❶ to부정사는 「to+동사원형」의 형태로 쓰며, to부정사(구)는 명사(구)로서 주어, 목적어, 보어 역할을 할 수 있어.

❷ to부정사(구) 주어는 '단수' 취급하며 '~하는 것은'으로 해석해.

To have friends / **is** / **good.** 친구가 있는 것은/~이다/좋은
S V SC

❸ to부정사(구)가 주어로 쓰일 경우, 주어 자리에 '가주어 it'을 쓰고 to부정사(구)는 뒤로 보낼 수 있어.

To watch games / **is** / **fun.** 경기를 관람하는 것은/~이다/재미있는
S V SC

It / is / fun / **to watch games.**
가주어 it은 '그것'이라고 해석하지 않아.

❹ to부정사(구) 앞에 not 또는 never를 넣어 부정의 의미인 '~하지 않는 것은'으로 해석해.

It / is / foolish / **not to take** a virus seriously. ~이다/어리석은/바이러스를 심각하게 받아들이지 않는 것은
S V SC S'

B 다음 기출 문장을 해석하시오.

POP QUIZ! 문장의 진주어를 찾아봐!

★☆
145 It is important to recognize your pet's particular needs.

recognize 인지하다, 인식하다
pet 애완동물
particular 특정한
needs 요구, 욕구

★★
146 Nowadays, it is popular [CHOOSE! expression / to express] feelings through handwriting.

nowadays 요즘
expression 표현
express 표현하다
handwriting 자필

★★☆
147 It is okay to cry or fill up pages in your journal about all the horrible emotions.

fill up 채우다
journal 일기
horrible 끔찍한
tip to부정사가 or로 연결될 경우 뒤에 나오는 to는 생략할 수 있어.

★★☆
148 It is wise [CHOOSE! to don't / not to] open email attachments from an unknown source.

attachment (이메일의) 첨부 문서
unknown 무명의, 알 수 없는
source 원천, 근원, 출처

Twin Workbook p. 20

문장공식 16

목적어로 쓰이는 동명사

S 는	V 하다	v-ing 하는 것을	
(주어)	(동사)	(목적어)	
I	finished	reading	the book.
나는	끝냈다	읽는 것을	그 책을

MP3 듣기

✔ QUICK QUIZ 위 문장공식에 유의하여, 밑줄 친 단어를 알맞은 형태로 고쳐 쓰시오.

(1) She enjoys make delicious food. ____________

(2) Many ideas come from observe nature. ____________

기출로 Practice

A 다음 문장성분에 유의하여 해석을 완성하시오.

★
149 We keep searching for answers (on the Internet).
(We: S / keep: V / searching for answers: O)

우리는 인터넷에서 ____________________.

search for ~을 찾다, 검색하다

★☆
150 They will become interested (in protecting animals).
(They: S / will become: V / interested: SC)

그들은 ____________________.

interested 흥미가 있는
protect 보호하다
tip 전치사(in) 뒤에 동사가 올 때는 동명사(v-ing)의 형태로 써.

★☆
151 Consider adopting a pet (with medical or behavioral needs).
(Consider: V / adopting a pet (with medical or behavioral needs): O)

의료적 또는 행동적인 도움이 필요한 ____________________.

consider 고려하다
adopt 입양하다
medical 의학(의료)의
behavioral 행동의

★☆
152 (On the morning 〈of my performance〉), I was worried (about forgetting my lines).
(I: S / was: V / worried: SC)

공연 날 아침에 ____________________.

performance 공연
line 대사
tip be worried about은 '~에 대해 걱정하다'라고 해석해.

Answers p. 21

S(주어) + V(동사) + v-ing S는 v-ing하는 것을 V하다

❶ 동명사는 목적어 역할을 할 수 있으며, 이때 '~하는 것을'으로 해석해.

He / finished / **washing** his car. 그는/끝마쳤다/그의 차를 닦는 것을
S V O

❷ 끝(finish, quit, give up), 회피·부정(avoid, mind, deny), 기타(keep, enjoy, put off) 등의 동사들은 동명사를 목적어로 사용해.

I / enjoy / **listening** (to music). 나는/즐긴다/듣는 것/음악을
S V O (동명사)

They / put off / **making** a decision. 그들은/미뤘다/결정하는 것을
S V O (동명사)

❸ 전치사 뒤에 동사가 올 때는 동사에 -ing를 붙여 동명사의 형태로 써 줘. 다시 말해, 동명사(구)는 전치사의 목적어로도 쓰일 수 있어.

I / made / money (**by selling** books). 나는/벌었다/돈을/책을 팔아서
S V O 전치사+v-ing(동명사)

B 다음 기출 문장을 해석하시오.

POP QUIZ! 목적어를 찾아봐!

★☆
153 Minhwa artists enjoyed painting beautiful flowers with a male and a female bird.

male 수컷의
female 암컷의

★★
154 By combining story and report, a writer can speak to both our hearts and our heads.

combine 결합시키다
report 보도, 기사, 기록
tip 전치사 by는 '~함으로써'의 의미로 쓰였고, both *A* and *B*는 'A와 B 모두'를 나타내는 표현이야.

★★
155 We are looking forward to CHOOSE! [see / seeing] excellent work from you in your new department.

look forward to ~을 기대하다
excellent 훌륭한
work 작업물, 업무
department 부서

★★☆
156 The volcano kept growing, and it finally stopped CHOOSE! [growing / to grow] at 424 meters in 1952.

volcano 화산

Twin Workbook p. 21

문장공식 17

목적어로 쓰이는 to부정사

S 는 (주어)	V 하다 (동사)	to-v 하는 것을 (목적어)
She	wanted	to help.
그녀는	원했다	돕기를

MP3 듣기

✔ QUICK QUIZ 위 문장공식에 유의하여, 어법상 알맞은 것을 고르시오.

(1) I plan [leaving / to leave] tomorrow.

(2) He wanted [finishing / to finish] his work.

기출로 Practice

A 다음 문장성분에 유의하여 해석을 완성하시오.

★
157 He decided to take a trip (on a train).
(He: S / decided: V / to take a trip: O)

그는 ______________________________.

take a trip 여행을 하다

★
158 I want to open my own donut shop.
(I: S / want: V / to open my own donut shop: O)

나는 ______________________________.

own 자신의
donut 도넛

★☆
159 Most young designers like to work (in big cities).
(Most young designers: S / like: V / to work: O)

대부분의 젊은 디자이너들은 ______________________________.

designer 디자이너

tip like는 to부정사와 동명사 둘 다 목적어로 취할 수 있으며 둘의 의미 차이는 없어.

★☆
160 People began to call him a master.
(People: S / began: V / to call him a master: O)

사람들은 ______________________________.

master 주인

tip begin은 to부정사와 동명사 둘 다 목적어로 취할 수 있으며 의미 차이는 없어.

Answers p. 22

S(주어) + V(동사) + to-v S는 to-v하는 것을 V하다

❶ to부정사(구)는 동사 뒤에서 목적어의 역할을 할 수 있으며, 이때 '~하는 것을, ~하기로'라고 해석해.

They / plan / **to arrive** (today). 그들은/계획한다/도착할 것을(도착하기로)/오늘
S V O

I / wanted / **to return** (to Canada). 나는/원했다/되돌아가는 것을/캐나다로
S V O

❷ 소망·기대(hope, want, expect), 약속·계획(promise, plan), 결심·필요(decide, need) 등 '미래'의 의미와 잘 어울리는 동사들은 to부정사를 목적어로 취해.

They / **decided** / **to sell** the tables. 그들은/결정했다/식탁들을 팔기로
S V O

We / **are planning** / **to make** a cake (for Dad). 우리는/계획 중이다/케이크를 만들어 드리는 것을/아빠에게
S V O

B 다음 기출 문장을 해석하시오.

★☆
161 I want to understand their songs without subtitles or translations.

subtitle 자막
translation 번역

POP QUIZ! 목적어를 찾아봐!

★★
162 Children learn to do things independently by trial and error.

independently 독립적으로
trial and error 시행착오
tip '미래'의 의미와 잘 어울리는 동사들은 to부정사를 목적어로 취해.

★★
163 The organization agreed to transport the T-shirts on their next trip to Africa.

organization 단체
transport 운반하다, 수송하다

★★☆
164 All mammals need to leave their parents and [CHOOSE! set / setting] up on their own at some point.

mammal 포유동물
set up on one's own 혼자 독립하다
at some point 어느 시점에
tip to부정사(구)가 and로 연결될 경우, 두 번째 to부정사의 to는 생략되기도 해.

Twin Workbook p. 22

Unit Exercise

MP3 듣기

Answers p. 23

A 다음 괄호 안의 단어를 어법에 맞게 빈칸에 쓰고, 문장을 해석하시오.

★
165 It is unwise ____________ several things at once. (do)

★☆
166 ____________ a teenager can be a very stressful time in your life. (be)

★★
167 The left engine starts ____________ power and the right engine is nearly dead now. (lose)

B 어법상 틀린 부분을 찾아 바르게 고치고, 문장을 해석하시오. 서술형 훈련

★☆
168 I like helping people and hope get a job as a lifeguard later.

★☆
169 Her legs began shake and she felt her body stiffen.

★☆
170 She is interested in helped with special programs for kids.

★★☆
171 Losing weight can be difficult, but changing their looks are very simple.

Grammar Check

Choose or Complete

to부정사(구)가 주어로 쓰일 경우, 주어 자리에 ______을 쓰고 to부정사(구)는 뒤로 보낼 수 있다.

동명사는 문장에서 명사처럼 쓰여 ______, 목적어, 보어 역할을 한다.

동명사는 목적어 역할을 할 수 있고 '~하기 위해'/'~하는 것을' 이라고 해석한다.

소망·기대 등 '미래'의 의미와 잘 어울리는 동사들은 주로 to부정사 / 동명사를 목적어로 취한다.

동사 begin은 목적어로 동사원형/to부정사/동명사를(을) 사용할 수 있다.

전치사의 목적어로 동사가 올 때는 ______ 형태로 쓴다.

동명사(구)가 문장의 주어로 쓰일 때는 단수/복수 취급을 한다.

Twin Workbook p. 23

Words **A** **165** unwise 현명하지 못한 several 몇몇의, 여러 가지의 at once 동시에, 즉시 **166** teenager 십 대 stressful 스트레스가 많은 **167** nearly 거의
B **168** lifeguard 인명 구조원 **169** stiffen 뻣뻣해지다 **171** lose weight 몸무게를 감량하다, 살을 빼다 looks 겉모습, 외모

UNIT

보어로 쓰이는 to부정사와 동명사, 원형부정사, 분사

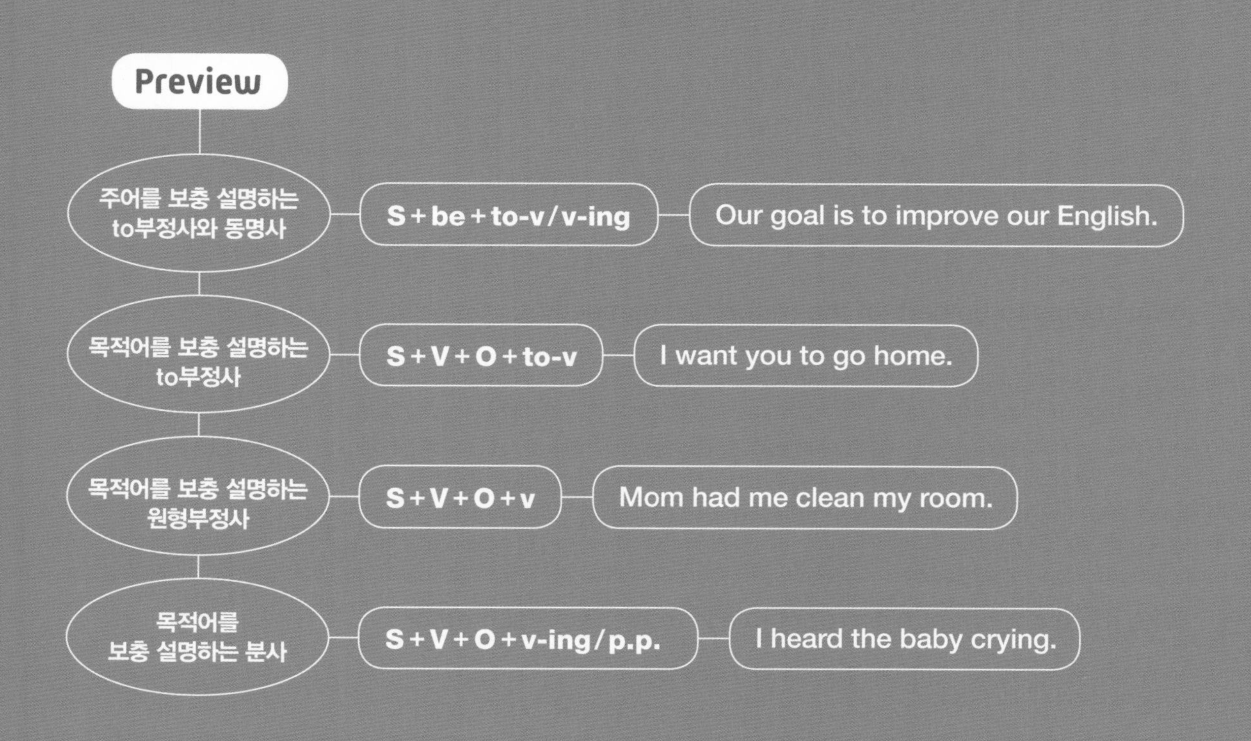

Preview
주어를 보충 설명하는 to부정사와 동명사
S + be + to-v / v-ing
Our goal is to improve our English.
목적어를 보충 설명하는 to부정사
S + V + O + to-v
I want you to go home.
목적어를 보충 설명하는 원형부정사
S + V + O + v
Mom had me clean my room.
목적어를 보충 설명하는 분사
S + V + O + v-ing / p.p.
I heard the baby crying.

문장공식 18

주어를 보충 설명하는 to부정사와 동명사

S는 (주어)	be이다 (동사)	to-v / v-ing하는 것 (주격보어)	
Our goal	is	to improve	our English.
우리의 목표는	~이다	향상시키는 것	영어를

MP3 듣기

✔ QUICK QUIZ 위 문장공식에 유의하여, 어법상 알맞은 것을 고르시오.

(1) Her hobby is [played / playing] tennis.

(2) His job is [saved / to save] people from danger.

기출로 Practice

A 다음 문장성분에 유의하여 해석을 완성하시오.

★
172 My habit(S) is(V) avoiding eye contact(SC).

나의 습관은 ______________________________.

avoid 피하다
eye contact 눈 맞춤
tip is avoiding을 현재진행형(be v-ing)으로 해석하지 않도록 유의해.

★
173 My dream(S) is(V) to be the world chess champion(SC).

내 꿈은 ______________________________.

chess 체스

★☆
174 War(S) seems(V) to be part (of the history 〈of humanity〉)(SC).

전쟁은 ______________________________.

humanity 인류
tip seem은 주격보어로 to부정사를 취하여 '~인 것 같다'로 해석해.

★☆
175 The most important classroom rule(S) is(V) to respect each other(SC).

가장 중요한 ______________________________.

rule 규칙
respect 존중하다

Answers p. 24

S(주어) + be동사 + to-v/v-ing(주격보어) S는 to-v/v-ing하는 것이다

❶ be동사는 to부정사(구)와 동명사(구)를 주격보어로 취할 수 있으며, to부정사(구)와 동명사(구)는 '~하는 것'으로 해석해.
My goal / is / **to make** a better world. 내 목표는/~이다/더 나은 세상을 만드는 것
= My goal / is / **making** a better world.
S V SC

❷ seem, appear 등의 동사는 to부정사(구)를 보어로 취할 수 있어.
They / **seem** / **to be** close friends. 그들은/~인 것 같다/가까운 친구인 것
S V SC
The restaurant / **appeared** / **to have** many customers. 그 식당은/~로 보였다/손님이 많은 것
S V SC

〈주격보어로 to부정사를 취하는 동사〉
seem(appear) to-v ~하는 것 같다
happen(chance) to-v 우연히 ~하게 되다
come(get) to-v ~하게 되다
tend to-v ~하는 경향이 있다
prove(turn out) to-v ~하는 것으로 밝혀지다
pretend to-v ~하는 체 하다

B 다음 기출 문장을 해석하시오.

POP QUIZ! 밑줄 친 부분이 무엇을 보충 설명하고 있는지 찾아봐!

★☆
176 My goal is to help all dogs in this community.

community 공동체, 지역사회
tip in this community는 all dogs를 수식해.

★★
177 One of the most impolite behaviors is cutting in line in public places.

impolite 무례한
behavior 행동
cut in line 새치기하다
public place 공공장소
tip 「one of+복수명사」는 '~ 중 하나'로 해석하고 단수 취급해.

★★
178 The best means of destroying an enemy is to make him your friend.

means 수단, 방법
destroy 파괴하다
enemy 적
tip 「make+목적어+명사(목적격보어)」는 '~를 …로 만들다'라고 해석해.

★★☆
179 Imitation seems [CHOOSE! to be / being] a key to the transmission of valuable practices.

imitation 모방
transmission 전달
practice 관습, 실천

Twin Workbook p. 24

한 줄 독해 POINT **동명사 vs. 현재분사**

be동사의 보어로 쓰이는 동명사(v-ing)와 진행형(be v-ing)을 나타내는 현재분사를 혼동하지 않도록 유의한다.
My hobby **is playing** the cello. 내 취미는 첼로를 연주하는 것이다. 〈주격보어로 쓰인 동명사〉
My sister **is playing** the cello. 내 여동생이 첼로를 연주하고 있다. 〈현재진행형으로 쓰인 현재분사〉

문장공식 19

목적어를 보충 설명하는 to부정사

I	want	you	to go	home.
나는	원한다	네가	가기를	집에

MP3 듣기

QUICK QUIZ 위 문장공식에 유의하여, 어법상 알맞은 것을 고르시오.

(1) I advised her [taking / to take] a rest.

(2) We want him [to come / come] back soon.

기출로 Practice

A 다음 문장성분에 유의하여 해석을 완성하시오.

★
180 The woman(S) told(V) the boy(O) to be careful(OC).

그 여자는 ______________________________ 말했다.

careful 조심하는, 주의 깊은

tip to be careful의 행동의 주체는 주어인 The woman이 아니라 목적어인 the boy임에 유의해.

★
181 Jack(S) ordered(V) the dog(O) to get the ball(OC).

Jack은 ______________________________.

order 명령하다

★☆
182 I(S) (really) encourage(V) you(O) to participate in this event(OC).

나는 정말로 ______________________________.

encourage 권장하다
participate in ~에 참여하다

★☆
183 Kevin(S) asked(V) the company(O) to use paper straws(OC).

Kevin은 ______________________________.

straw 빨대

tip 「ask+목적어+to부정사」의 형태로 쓰일 때 ask는 '묻다'가 아니라 '요구하다, 요청하다'라는 의미야.

Answers p. 25

S(주어) + V(동사) + O(목적어) + to-v(목적격보어) S는 O가 to-v하기를/하라고 V하다

❶ to부정사(구)는 목적어 뒤에서 목적어를 보충 설명해 주는 목적격보어로 쓰일 수 있어.
I / (really) wanted / them / **to be my friends.** 나는/정말/원했다/그들이/내 친구들이 되기를
S V O OC

❷ 목적격보어가 to부정사(구)일 때, 목적어와 목적격보어는 의미상 '주어와 동사'의 관계로 볼 수 있어.
We / asked / **the doctor** / **to come.** 우리는/부탁했다/의사에게/와 달라고
S V O OC
→ 의미상 주어와 동사의 관계로, '의사가 오다'라고 해석해.

❸ to부정사를 목적격보어로 취하는 동사는 소망·기대(want, expect), 명령·강요(order, force), 요구·설득(ask, require, persuade), 허락·가능(allow, enable), 조언·장려(advise, encourage) 등이 있다.

We / **persuaded** / the children / **to come back** (to school). 우리는/설득했다/아이들에게/돌아오라고/학교로
S V O OC

B 다음 기출 문장을 해석하시오.

★☆
184 We expected the package [CHOOSE!] arrive / to arrive earlier.

package 소포
arrive 도착하다

★★
185 The manager asked guests not to make too much noise in the restaurant.

manager 지배인, 관리자
make noise 시끄럽게 하다
tip to부정사의 부정형은 to부정사 앞에 not을 붙여서 나타내.

POP QUIZ! 밑줄 친 부분이 무엇을 보충 설명하고 있는지 찾아봐!

★★
186 My volunteer experience enabled me to see the world from a different point of view.

volunteer 자원봉사
enable 가능하게 하다
a point of view 관점, 시점
tip 「enable+목적어+to부정사」는 '~가 …할 수 있게 하다'로 해석할 수 있어.

★★☆
187 Stressful events sometimes force people to develop new skills.

develop 개발하다, 발달시키다
tip 주어가 사람이 아닌 경우, force는 '(어쩔 수 없이) ~하게 하다'라고 해석하는 게 좋아.

Twin Workbook p. 25

문장공식 20

목적어를 보충 설명하는 원형부정사

S는 (주어)	V하다 (동사)	O가 (목적어)	V하도록/하는 것을 (목적격보어)	
Mom	had	me	clean	my room.
엄마는	시키셨다	내가	청소하도록	내 방을

MP3 듣기

✔ QUICK QUIZ 위 문장공식에 유의하여, 밑줄 친 부분을 바르게 고쳐 쓰시오.

(1) The manager had us met at 9 a.m. ____________________

(2) Music can make us to feel happy or sad. ____________________

기출로 Practice

A 다음 문장성분에 유의하여 해석을 완성하시오.

★
188 We can watch people play music.
(S: We / V: can watch / O: people / OC: play music)

우리는 ______________________________.

tip 지각동사 watch는 목적격보어로 원형부정사를 사용해.

★☆
189 Peter (sometimes) lets his dog sleep (on his bed).
(S: Peter / V: lets / O: his dog / OC: sleep (on his bed))

Peter는 때때로 ______________________________.

tip 사역동사 let은 '~가 …하도록 놓아두다, 허락하다'의 의미로 해석해.

★☆
190 The bad weather made them stay (at home) (all day).
(S: The bad weather / V: made / O: them / OC: stay (at home))

궂은 날씨는 ______________________________.

all day 온종일

tip 주어가 사람이 아닌 경우, 사역동사 make는 '(주어) 때문에 ~하다'로 해석할 수 있어.

★☆
191 We can let you use a room (in our company's building).
(S: We / V: can let / O: you / OC: use a room (in our company's building))

우리는 ______________________________.

company 회사

Answers p. 26

S(주어) + V(동사) + O(목적어) + v(목적격보어) S는 O가 v하도록[하는 것을] V하다

*v = 원형부정사

❶ 지각동사와 사역동사가 쓰인 문장에서, 목적어(O)와 목적격보어(OC)의 관계가 '능동'일 때 목적격보어로 원형부정사를 사용해. 원형부정사는 to나 -ing 등이 붙지 않은 동사원형을 의미해.

I / let / him / **know** my decision. 나는/~하게 했다/그가/내 결정을 알게
S V O OC

❷ **지각동사**: 감각을 나타내는 동사로 see, hear, smell, feel 등이 있으며, '(~을) 보다/듣다/냄새 맡다/느끼다'로 해석해.

I / **felt** / Mom / **touch** my hand. 나는/느꼈다/엄마가/내 손을 만지시는 것을
touching을 쓸 수도 있어.

❸ **사역동사**: 어떤 행동을 하게 하는 동사로 make, have, let 등이 있으며 '(~하게) 시키다'로 해석해.

Sad movies / (always) **make** / me / **cry**. 슬픈 영화는/언제나/만든다/내가/울게

cf. I / **helped** / Dad / (**to**) **wash** the car. 나는/도와 드렸다/아빠가/세차하시는 것을
준사역동사 help는 목적격보어로 원형부정사와 to부정사를 모두 취할 수 있어.

B 다음 기출 문장을 해석하시오.

★☆
192 The performers made many plates CHOOSE! [spin / spun] around on thin sticks.

performer 곡예사, 연주자
plate 접시
spin around 회전하다
thin 가는
stick 막대

★★
193 Their mineral and vitamin-rich diet helped them have healthy teeth.

mineral 무기물
rich 풍부한
diet 식사, 식습관
tip help는 목적격보어 자리에 원형부정사나 to부정사를 가질 수 있어.

★★☆
POP QUIZ! 밑줄 친 부분이 무엇을 보충 설명하는지 찾아봐!
194 I will recover soon and see you <u>become champion one day in perfect health</u>.

recover 회복하다
one day 언젠가

★★☆
195 Andrew Carnegie, the great early-twentieth-century businessman, once heard his sister complain about her two sons.

century 세기
businessman 사업가
complain 불평하다
tip Andrew Carnegie와 콤마(,) 뒤의 the great ~businessman은 동격이야.

Twin Workbook p. 26

문장공식 21

목적어를 보충 설명하는 분사

v-ing 하고 있는 것을/하도록
p.p. 되는 것을/되도록
(목적격보어)

crying.
울고 있는 것을

MP3 듣기

✔ QUICK QUIZ 위 문장공식에 유의하여, 어법상 알맞은 것을 고르시오.

(1) I smell something [burning / to burn].

(2) The news made us [surprise / surprised].

기출로 Practice

A 다음 문장성분에 유의하여 해석을 완성하시오.

★
196 I felt something approaching (from my back).
S V O OC

나는 ____.

approach 다가오다
back 뒤, 등

★☆
197 Emily had her bike fixed (at the shop).
S V O OC

Emily는 ____.

fix 고치다, 수리하다
tip 목적어와 목적격보어가 수동의 관계일 때 목적격보어로 과거분사를 써.

★☆
198 I heard my name called (in excitement).
S V O OC

나는 ____.

in excitement 흥분하여, 신이 나서

★☆
199 Susan saw her purse left (on the table).
S V O OC

Susan은 ____.

purse 지갑
leave 두고 가다
tip 목적어가 목적격보어와 능동 관계일 때는 현재분사, 수동 관계일 때는 과거분사를 사용해.

Answers p. 27

S(주어) + V(동사) + O(목적어) + v-ing / p.p.(목적격보어)

S는 O가 v-ing하고 있는 것을(하도록)/p.p.되는 것을(되도록) V하다

❶ 분사(구)는 목적어 뒤에서 목적어를 보충 설명해 주는 목적격보어로 쓰일 수 있어.

I / saw / my brother / **swimming** in the river. 나는/보았다/내 남동생이/강에서 수영하는 것을
S V O OC

❷ 목적어와 목적격보어의 관계가 '능동'일 때는 현재분사(v-ing)를, '수동'일 때는 과거분사(p.p.)를 사용해. 현재분사일 때는 '~가 …하고 있는'의 진행의 의미를 나타내고, 과거분사일 때는 '~가 …된'이라는 수동의 의미를 가져.

her = 다가오는 주체 (능동 관계)

He / saw / her / **coming** toward him. 그는/보았다/그녀가/자신을 향해 오고 있는 것을
S V O OC

the toy = 포장된 대상 (수동 관계)

I / kept / the toy / **wrapped** in paper. 나는/~채로 뒀다/그 장난감을/종이로 포장된
S V O OC

〈목적격보어로 현재분사를 취하는 동사〉
- keep, get, leave, have 등
- 지각동사 (see, feel, smell, hear, notice 등)

〈목적격보어로 과거분사(p.p.)를 취하는 동사〉
- 사역동사 (make, have, let)
- keep, leave, find 등
- 지각동사

B 다음 기출 문장을 해석하시오.

★★
200 Amy heard the bell ringing noisily from the basement.

basement 지하실

★☆
201 A police officer saw a little boy [CHOOSE!] to cry / crying on the street.

police officer 경찰관

★★
202 I cannot imagine myself living on a small amount of food every day.

live on ~을 먹고 살다
a small amount of 적은 양의

POP QUIZ! 밑줄 친 부분이 무엇을 보충 설명하는지 찾아봐!

★★☆
203 My sisters noticed their stockings <u>filled with presents</u>.

notice 알아채다
stocking 스타킹, (긴) 양말
fill 채우다

Twin Workbook p. 27

» 한 줄 독해 POINT 지각동사의 목적격보어

지각동사가 사용된 문장에는 목적격보어로 원형부정사와 현재분사가 모두 쓰일 수 있는데, 현재분사가 쓰인 경우에는 진행의 의미가 좀 더 강하다.

They **watched** their kids **play(playing)** soccer. 그들은 자녀들이 축구 하는 것을 봤다.
현재분사로 진행의 의미를 강조할 수도 있어.

Unit Exercise

MP3 듣기 

Answers p. 28

A 괄호 안의 단어를 빈칸에 알맞은 형태로 쓰고, 문장을 해석하시오.

★☆
204 Their job was ____________ into the pipe and fix the leak. (look)

★☆
205 The hunter felt someone ____________ him in the woods. (follow)

★☆
206 Good manners can help you ____________ better relationships with other people. (have)

B 밑줄 친 부분을 어법상 바르게 고쳐 쓰고, 문장을 해석하시오. 서술형 훈련

★☆
207 Too much exercise made Jenny felt tired.

★☆
208 Mr. Baker often lets his students going home early.

★☆
209 He heard his old nickname calling among the crowd.

★☆
210 Art museums allow us see works of art in different ways.

Grammar Check

Choose or Complete

to부정사(구)와 동명사(구)는 be 동사 뒤에서 주격보어/목적격보어 역할을 할 수 있다.

목적어와 목적격보어의 관계가 '능동'일 때는 목적격보어로 현재분사/과거분사를 사용한다.

동사 help는 목적격보어로 ________와(과) ________를(을) 모두 사용할 수 있다.

지각동사/사역동사는 '~가 …하게 하다'라는 의미로 쓰이는 동사로, make, have, let 등이 있다.

사역동사가 쓰인 문장에서 목적어와 목적격보어의 관계가 '능동'일 때 목적격보어로 to부정사/원형부정사를 사용한다.

목적어와 목적격보어의 관계가 '수동'일 때, 목적격보어로 원형부정사/과거분사/현재분사를 사용한다.

want, expect, ask 등의 동사는 목적어 뒤에 동명사/to부정사 형태의 목적격보어를 사용한다.

Twin Workbook p. 28

Words A 204 pipe 배관, 파이프 leak 새는 곳, 틈 205 hunter 사냥꾼 woods 숲 206 manners 예의 relationship 관계 B 207 exercise 운동 208 often 종종 209 nickname 별명 among ~ 사이에(서) crowd 사람들, 군중 210 work of art 미술품, 예술 작품

PART 3
형용사 및 부사 역할을 하는 준동사

Unit 7 | 명사를 수식하는 to부정사와 분사

Unit 8 | 부사 역할을 하는 to부정사와 분사구문

to부정사와 **분사(v-ing/p.p.)**는 동사를 변형한 것으로, 명사를 앞이나 뒤에서 수식해 주는 형용사 역할을 할 수 있다.
to부정사(구)는 목적, 감정의 원인, 결과 등의 의미를 나타내어 부사 역할을 하는 경우도 있다. 또한, 분사가 이끄는 어구가 문장 전체를 수식하며 부사 역할을 하는 것을 **분사구문**이라고 한다.

STUDY GOAL

학습목표를 이해합니다.

STUDY PLAN

학습 계획을 세워 봅시다.

학습목표	학습진도		학습날짜
□ 명사를 수식하는 to부정사와 분사가 쓰인 문장을 이해한다.	□ **DAY 22**	문장공식 22	. .
	□ **DAY 23**	문장공식 23	. .
	□ **Unit Exercise**	문장공식 22~23	. .
□ 부사 역할을 하는 to부정사와 분사구문이 쓰인 문장을 이해한다.	□ **DAY 24**	문장공식 24	. .
	□ **DAY 25**	문장공식 25	. .
	□ **DAY 26**	문장공식 26	. .
	□ **DAY 27**	문장공식 27	. .
	□ **Unit Exercise**	문장공식 24~27	. .

UNIT

명사를 수식하는 to부정사와 분사

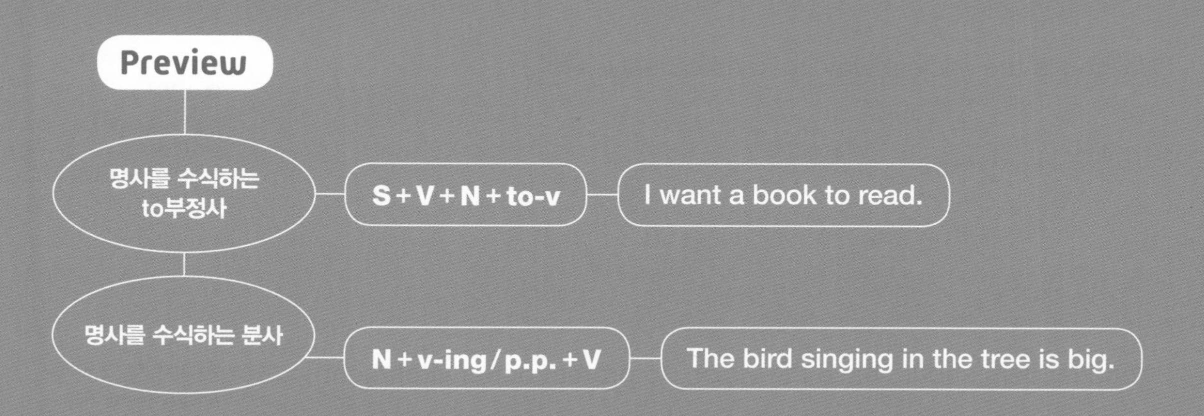
Preview
명사를 수식하는 to부정사
S + V + N + to-v
I want a book to read.
명사를 수식하는 분사
N + v-ing / p.p. + V
The bird singing in the tree is big.

문장공식 22

명사를 수식하는 to부정사

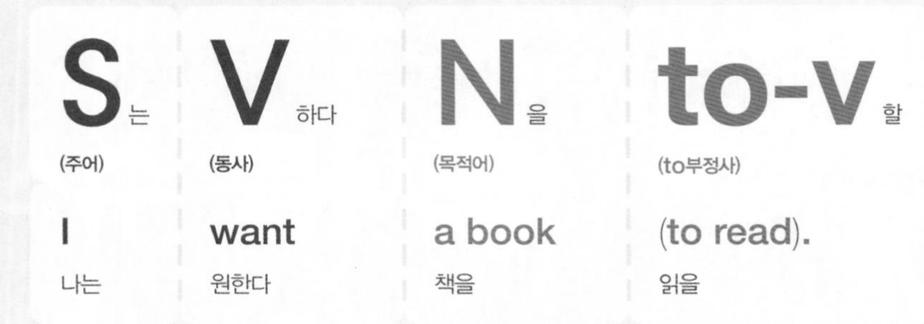

S 는
V 하다
N 을
to-v 할
(주어)
(동사)
(목적어)
(to부정사)
I
want
a book
(to read).
나는
원한다
책을
읽을

MP3 듣기

✔ QUICK QUIZ 위 문장공식에 유의하여, 어법상 알맞은 것을 고르시오.

(1) He knows many fun activities [doing / to do].

(2) I need a friend [help / to help] me.

기출로 Practice

A 다음 문장성분에 유의하여 해석을 완성하시오.

★
211 He didn't have a chance (to watch the movie).
S / V / O

그는 ______________________________ 없었다.

chance 기회

tip to watch the movie가 앞의 명사 a chance를 수식하고 있어.

★
212 Joe had something (important) (to talk about).
S / V / O

Joe에게는 ______________________________ 있었다.

tip -thing으로 끝나는 대명사를 형용사와 to부정사구가 「대명사+형용사+to부정사구」 순서로 수식하고 있어.

★☆
213 Walking is the easiest way (to keep ourselves fit).
S / V / SC

걷는 것이 ______________________________.

ourselves 우리 자신

fit 건강한

tip 「keep+목적어+목적격보어(형용사)」는 '~를 …하게 유지하다'라는 의미로 해석해.

★☆
214 World leaders should have the vision (to protect our environment).
S / V / O

세계 지도자들은 ______________________________.

vision 비전, 선견지명

environment 환경

Answers p. 29

S(주어) + V(동사) + N(명사) + to-v S는 to-v할 N을 V하다

❶ to부정사(구)는 '명사'를 뒤에서 수식할 수 있고, 이때 to부정사(구)는 '~할', '~하는'이라고 해석해.
I / have / lots of math problems (to do). 나는/있다/많은 수학 문제들이/해야 할
형용사 역할: 명사 math problems를 수식

❷ -thing, -body, -one으로 끝나는 대명사를 형용사와 to부정사(구)가 동시에 수식할 경우, 「대명사+형용사+to부정사(구)」의 순서로 써.
I / want / something (cold) (to drink). 나는/원한다/무언가를/시원한/마실
대명사+형용사+to-v ⟵ 대명사 something을 수식

❸ to부정사(구)의 수식을 받아 주어가 길어지는 경우, 동사는 to부정사(구)의 수식을 받는 '명사'에 수를 일치시키는 것에 유의해.
동사 수일치
The pressure (to meet the strangers) / was / great. 압박이/낯선 사람들을 만나야 한다는/~이었다/매우 큰
S 명사 The pressure를 수식 V SC

B 다음 기출 문장을 해석하시오.

★☆
215 The desire to make money [CHOOSE!] challenge / challenges and inspires us.

desire 욕구
challenge 도전 정신을 북돋우다
inspire 영감을 주다
tip 동사 두 개가 접속사 and로 연결되어 있어.

POP QUIZ! 밑줄 친 단어를 수식하는 부분을 찾아봐!
★★
216 The girls and boys found a place to sit down and started chatting.

chat 이야기를 나누다

★★
217 Food labels are a good way to find the information about the foods.

label 라벨, 꼬리표
way 방법, 방식

★★☆
218 The gift was a pack of batteries, and I had nothing to use them with!

battery 건전지, 배터리
tip to부정사구의 수식을 받는 대명사(nothing)가 전치사(with)의 목적어야.

Twin Workbook p. 29

>> 시험 빈출 POINT 「(대)명사+to-v+전치사」

to부정사(구)의 수식을 받는 명사나 대명사가 to부정사에 쓰인 전치사의 목적어일 때는 to부정사(구) 뒤에 전치사를 함께 쓴다.
He has two cats to take care of. 그에게는 돌볼 두 마리의 고양이가 있다.
전치사 of의 목적어

문장공식 23

명사를 수식하는 분사

N 은	v-ing 하는 / p.p. 되는	V 하다	
(주어)	v-ing(현재분사구)	(동사)	(주격보어)
The bird	(singing in the tree)	is	big.
새는	나무에서 노래하고 있는	~이다	큰

MP3 듣기

✔ QUICK QUIZ 위 문장공식에 유의하여, 어법상 알맞은 것을 고르시오.

(1) People [living / live] in the cities don't like the factory.

(2) Who is the girl [carrying / carried] a basket?

기출로 Practice

A 다음 문장성분에 유의하여 해석을 완성하시오.

★
219 The shop (selling toy cars) became popular.
S V SC

장난감 자동차를 ______________________________.

tip 현재분사구가 명사를 뒤에서 수식하고 있어.

★
220 I received a present (wrapped in a colorful paper).
S V O

나는 ______________________________ 받았다.

receive 받다
present 선물
wrap 포장하다
colorful (색이) 다채로운

★☆
221 The amount of oil (produced by this region) is decreasing.
S V

이 지역에서 ______________________________.

amount 양
produce 생산하다
region 지역
decrease 감소하다

★☆
222 My aunt removed a heavy box (containing many old pictures).
S V O

고모는 ______________________________.

remove 제거하다
contain 들어 있다, 담고 있다

Answers p. 30

N(명사) +v-ing/p.p.+V(동사) v-ing하는/p.p.되는 N은 V하다

❶ 분사(구)는 명사를 앞이나 뒤에서 수식하는 형용사의 역할을 할 수 있어.

❷ 분사가 명사를 단독으로 수식할 때는 명사의 앞에, 구를 이루어 수식할 때는 명사의 뒤에 위치해.

❸ **현재분사**: 「동사원형+-ing」의 형태로, 능동이나 진행의 의미를 나타내며 '~하는', '~하고 있는'으로 해석해.

Look at / the **rising** sun. 보아라/떠오르는 해를
V O 명사를 수식하는 현재분사 (명사와 분사는 '능동'의 관계)

❹ **과거분사**: p.p.의 형태로, 수동이나 완료의 의미를 나타내며 '~된', '~해진'으로 해석해.

The spaghetti (**served at this restaurant**) tastes / good. 스파게티는/이 식당에서 제공되는/맛이 난다/좋은
S 명사를 수식하는 과거분사구 (명사와 분사는 '수동'의 관계)

B 다음 기출 문장을 해석하시오.

★★
223 A bicycle with a flag showing an image of a mug is leaning against the fence.

mug 머그잔
lean against ~에 기대다
fence 울타리
tip 분사가 구를 이루어 명사를 꾸밀 때는 명사 뒤에 위치해.

★★
224 A small bag [CHOOSE! finding / found] in Park Avenue was returned to its owner.

return 반환하다
owner 주인
tip a small bag은 '발견되는' 대상이야.

★★
225 Every year the number of people living in Africa and Asia [CHOOSE! increase / increases].

increase 증가하다
tip 「the number of+복수명사」는 '~의 숫자(개수)'라는 의미로 단수 취급해.

POP QUIZ! 밑줄 친 단어를 수식하는 부분을 찾아봐!

★★☆
226 The first underwater photographs were taken by an Englishman named William Thompson.

underwater 물속의, 수중의

Twin Workbook p. 30

>> 한 줄 독해 POINT 감정을 나타내는 현재분사와 과거분사

감정을 나타내는 현재분사(v-ing)는 '~한 감정을 느끼게 만드는'이라는 능동의 의미를, 과거분사(p.p.)는 '~한 감정을 느끼는'이라는 수동의 의미를 나타낸다. 이러한 단어에는 'amazing(놀라게 하는) – amazed(놀란)', 'disappointing(실망스러운) – disappointed(실망한)' 등이 있다.

The children were **excited** about the party. 아이들은 그 파티에 대해 신이 났다.
The children expected something **exciting** to happen. 아이들은 신나는 무언가가 일어나기를 기대했다.

Unit Exercise

MP3 듣기

Answers p. 31

A 네모 안에서 알맞은 것을 고르고, 문장을 해석하시오.

★☆
227 The men [inviting / invited] to dinner should wear suits and ties.

★☆
228 Don't miss this great opportunity [improved / to improve] your Korean writing.

★★
229 The house was full of old furniture [covering / covered] with white cloths.

B 어법상 올바르면 O, 틀리면 X로 표시하고, 틀린 부분은 바르게 고쳐 쓰시오. 서술형 훈련

★☆
230 Homework gives students plenty of time thinks deeply.

★☆
231 Joe visited a beautiful house locating at the top of the hill.

★★
232 I was charmed by the native birds moving among the branches.

★★
233 Parents and their children have the right to entering any restaurant freely.

Grammar Check

Choose or Complete

분사구는 명사를 뒤에서 꾸며 주는 [부사/형용사] 역할을 할 수 있다.

to부정사(구)는 명사 [앞/뒤]에서 명사를 꾸며 줄 수 있다.

분사구가 수식하는 명사와 수동의 관계일 경우에는 [현재분사/과거분사]를 사용한다.

to부정사가 형용사의 역할을 할 때는 '__________' 이라고 해석한다.

__________는 주로 수동이나 완료의 의미로 명사를 수식한다.

현재분사는 「동사원형+-ing」의 형태로, 능동이나 [진행/완료]의 의미를 나타낸다.

to부정사구는 명사를 수식하는 [형용사구/명사구]의 역할을 할 수 있다.

Twin Workbook p. 31

Words **A** **227** suit 정장 tie 넥타이 **228** miss 놓치다; 그리워하다 **229** be full of ~로 가득 차 있다 furniture 가구 cloth 천 **B** **230** plenty of 많은 **231** locate (특정 위치에) 두다, 위치하다 hill 언덕 **232** charm 매혹하다 native 토박이의, 토종의 branch 나뭇가지 **233** right 권리

UNIT

부사 역할을 하는 to부정사와 분사구문

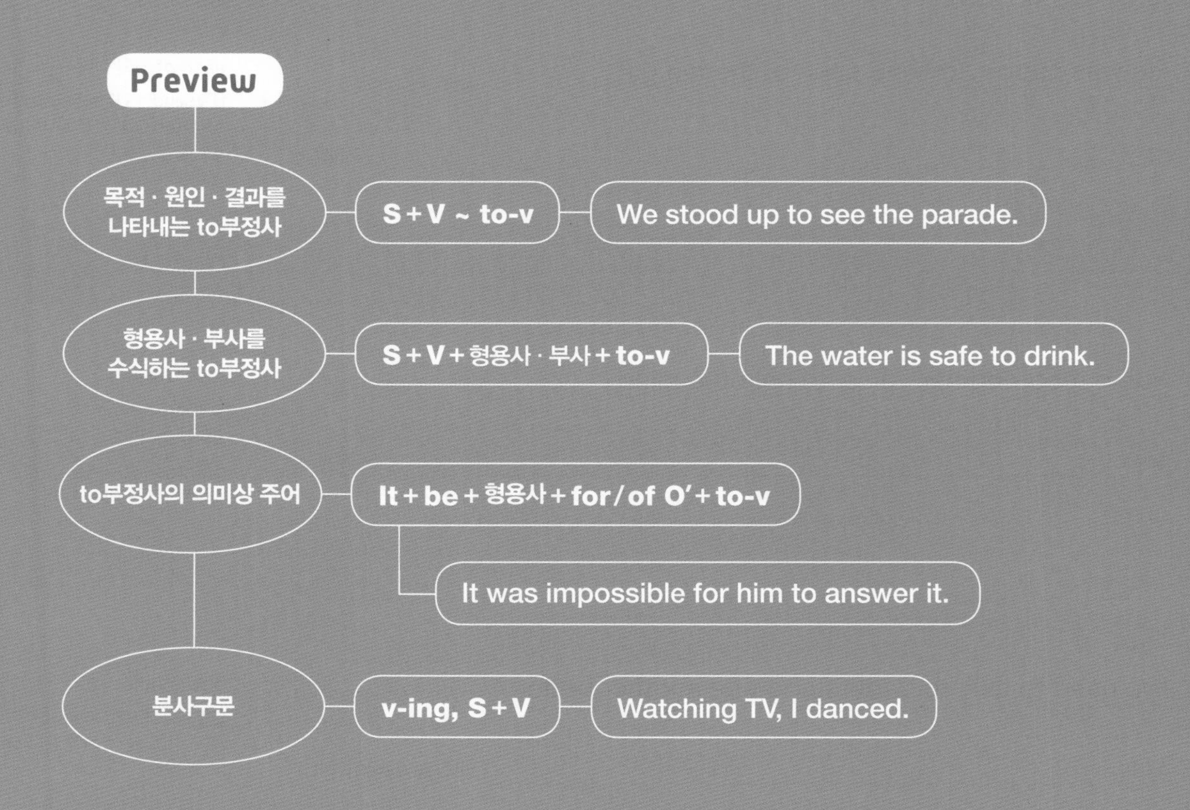

Preview
목적 · 원인 · 결과를 나타내는 to부정사
S + V ~ to-v
We stood up to see the parade.
형용사 · 부사를 수식하는 to부정사
S + V + 형용사 · 부사 + to-v
The water is safe to drink.
to부정사의 의미상 주어
It + be + 형용사 + for / of O' + to-v
It was impossible for him to answer it.
분사구문
v-ing, S + V
Watching TV, I danced.

문장공식 24

목적·원인·결과를 나타내는 to부정사

S 가 (주어)	V 하다 (동사)	to-v 하기 위해/해서 (결국) (to부정사구)
We	stood up	to see the parade.
우리는	일어났다	퍼레이드를 보기 위해

MP3 듣기

✔ QUICK QUIZ 위 문장공식에 유의하여, 밑줄 친 부분이 나타내는 것으로 알맞은 것을 고르시오.

(1) I go to the cafeteria to have lunch. □ 장소의 방향 □ 동작의 목적

(2) To stay healthy, I exercise every day. □ 동작의 목적 □ 감정의 원인

기출로 Practice

A 다음 문장성분에 유의하여 해석을 완성하시오.

★
234 They(S) had to travel(V) (to find more food).

그들은 ______________________________ 이동해야 했다.

travel 이동하다

★☆
235 He(S) was(V) happy(SC) (to send each of them a gift).

그는 ______________________________ 기뻤다.

each of ~의 각각

tip send는 간접목적어(each of them)와 직접목적어(a gift)를 갖는 동사야.

★☆
236 Yubin(S) recorded(V) her voice(O) (to help the blind).

유빈이는 ______________________________ 녹음했다.

record 녹음하다
voice 목소리
blind 눈이 먼

tip 「the+형용사」는 '~하는 사람들'이라는 의미야.

★☆
237 We(S) need(V) to talk(O) (to understand one another better).

우리는 ______________________________ 대화를 나눠야 한다.

one another 서로

tip need의 목적어로 to부정사(구)가 오면 '~해야 한다'라고 해석해.

Answers p. 32

S(주어) + V(동사) ~ + to-v S가 to-v하기 위해(해서) (결국) V하다

- to부정사(구)는 동사를 수식하는 '부사(구)'의 역할을 할 수 있어.

❶ 부사(구)의 역할을 하는 to부정사(구)는 주로 동작의 '목적'을 나타내는데, 이때 '~하기 위해'라고 해석해.

I / learn / English (**to travel** around the world). 나는/배운다/영어를/세계를 여행하기 위해
S V O
→ '목적'의 의미를 명확하게 하려면 「in order to + 동사원형」으로 쓸 수 있어.

❷ 감정(happy, sad 등)을 나타내는 형용사 뒤에서 to부정사(구)는 그런 감정을 들게 한 '원인'을 설명하며, '~해서'로 해석해.

I / was / happy (**to see** him). 나는/~이었다/행복한/그를 보아서
S V SC

❸ live, grow up, wake up 등의 동사 뒤에서 to부정사(구)는 동작의 '결과'를 나타내며, '…해서 (결국) ~하다'로 해석해.

He / studied (hard) (**only to fail** the exam). 그는/공부했다/열심히/(결국) 시험에 떨어졌다
S V
→ only to-v는 '의외' 또는 '실망'한 상황을 나타내.

B 다음 기출 문장을 해석하시오.

POP QUIZ! 밑줄 친 부분의 '목적'이 드러난 부분을 찾아봐!

★☆
238 Jessica went to the airport to pick up a client.

pick up ~을 (차에) 태우다
client 고객, 의뢰인
tip to 뒤에 명사가 오면 전치사구이고, 동사가 오면 to부정사(구)야.

★★
239 Clothing doesn't have to be expensive to provide comfort during exercise.

clothing 옷, 의복
provide 제공하다
comfort 안락, 편안
tip 「during+명사」는 '~하는 동안'이라고 해석해.

★★
240 He suppressed his feelings at the office only to fight with his spouse at home.

suppress 참다, 억누르다
spouse 배우자

★★☆
241 CHOOSE! [Get / To get] the necessary nutrients, you must balance your food choices.

necessary 필요한
nutrient 영양소, 영양분
balance 균형을 유지하다

Twin Workbook p. 32

>> 한 줄 독해 POINT '목적'과 '결과'의 의미를 나타내는 to부정사의 관용 표현

- **목적**: in order to, so as to(~하기 위해)를 사용해 '목적'의 의미를 강조할 수 있다.
  I went to the library **in order to** read some novels. 나는 소설책을 읽기 위해서 도서관에 갔다.
- **결과**: only to(결국 ~하다), never to(~하지 않았다)로 부정적인 결과를 표현할 수 있다.
  She hurried to the bus stop **only to** miss the bus. 그녀는 급히 버스 정류장에 갔지만, 버스를 놓치고 말았다.

문장공식 25

형용사·부사를 수식하는 to부정사

MP3 듣기

✔ QUICK QUIZ 위 문장공식에 유의하여, 어법상 알맞은 것을 고르시오.

(1) Our songs are easy [sing / to sing].

(2) I was too tired [done / to do] my homework.

기출로 Practice

A 다음 문장성분에 유의하여 해석을 완성하시오.

★
242 The scoreboard was easy (to see) (from my seat).
S V 형용사+to부정사

그 득점판은 내 자리에서 ______________________________.

scoreboard 득점판
seat 자리, 좌석
tip to부정사(구)는 바로 앞의 형용사를 수식하기도 해.

★☆
243 I was (too) short (to reach the top shelf).
S V too+형용사+to부정사구

나는 ______________________________.

reach (손을 뻗어) ~에 닿다
shelf 선반

★☆
244 This bag is big (enough) (to carry ten books).
S V 형용사+enough+to부정사구

이 가방은 ______________________________.

carry 가지고 다니다, 나르다
tip enough는 형용사나 부사를 뒤에서 수식해.

★☆
245 Food (with fat) was hard (to get) (for thousands of years).
S V 형용사+to부정사

수천 년 동안 ______________________________.

fat 지방, 기름

Answers p. 33

S(주어) + V(동사) + 형용사·부사 + to-v　S는 to-v하기에 ~하는[하게] V이다[하다]

- to부정사(구)는 형용사나 부사를 수식하는 '부사(구)'의 역할을 할 수 있어.

❶ 「형용사(easy, hard, likely 등)+to-v」의 형태는 'to-v하기에 ~한'으로 해석해.

The window / was / **easy** (**to open**).　그 창문은/~이었다/쉬운/열기에
S　V　SC

❷ 「too+형용사·부사+to-v」는 'to-v하기에 너무 ~하는[하게](너무 ~해서 to-v할 수 없는)'라는 의미야.

The class / is / (**too**) difficult (**to follow**).　그 수업은/~이다/너무/어려운/따라가기에
S　V　SC
(= 그 수업은 너무 어려워서 따라갈 수 없다.)

❸ 「형용사·부사+enough+to-v」는 'to-v할 만큼 충분히 ~하는[하게]'라는 의미야.

He / is / smart (**enough**) (**to solve** the puzzle).　그는/~이다/똑똑한/충분히/그 퍼즐을 풀 수 있을 만큼
S　V　SC

B 다음 기출 문장을 해석하시오.

POP QUIZ! 밑줄 친 부분을 수식하는 표현을 찾아봐!

★☆
246 Eric is smart enough to solve difficult math problems.

solve 풀다, 해결하다

★☆
247 It would take too long [CHOOSE! writing / to write] a book.

tip 거리, 날씨, 계절, 시간, 명암, 상황 등을 표현할 때 비인칭 주어 it을 사용하며 이때의 it은 특별히 해석하지 않아.

★★
248 He was [CHOOSE! bold enough / enough bold] to save a girl in danger.

bold 용감한, 대담한
in danger 위험에 처한

★★
249 The baby penguin will be too big to sit on its father's feet.

feet 발
tip its는 the baby penguin's를 나타내.

Twin Workbook p. 33

≫ 시험 빈출 POINT　to부정사와 함께 자주 쓰이는 형용사

be easy to-v(~하기 쉽다)　be hard to-v(~하기 어렵다)　be willing to-v(기꺼이 ~하다)
be likely to-v(~할 것 같다)　be able to-v(~할 수 있다)
I am willing to accept your offer.　나는 너의 제안을 기꺼이 받아들이겠다.

문장공식 26

to부정사의 의미상 주어

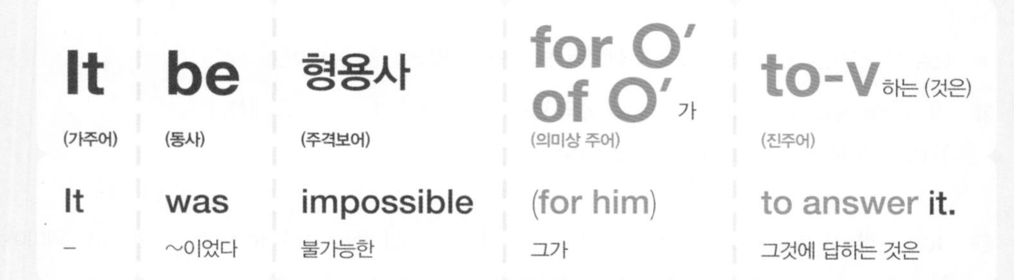

It	be	형용사	for O′ / of O′ 가	to-v 하는 (것은)
(가주어)	(동사)	(주격보어)	(의미상 주어)	(진주어)
It	was	impossible	(for him)	to answer it.
–	~이었다	불가능한	그가	그것에 답하는 것은

MP3 듣기

✔ QUICK QUIZ 위 문장공식에 유의하여, 어법상 알맞은 것을 고르시오.

(1) It is impossible [of he / for him] to do it.

(2) It was difficult [for her / of hers] to learn yoga.

➔ 기출로 Practice

A 다음 문장성분에 유의하여 해석을 완성하시오.

★
250 It was easy (for us) to choose the best idea.
S V SC 의미상 주어 S′

______________________________ 쉬웠다.

choose 선택하다

★☆
251 There is no place (for you) (to drop off garbage).
V S 의미상 주어

당신이 쓰레기를 ______________________________.

drop off 버리다
garbage 쓰레기
tip to부정사구가 의미상 주어 앞에 있는 명사를 수식하는 형용사 역할을 해.

★☆
252 It is important (for us) to manage time (effectively).
S V SC 의미상 주어 S′

______________________________ 중요하다.

manage 관리하다
effectively 효과적으로

★☆
253 It is foolish (of him) to make the same mistake (twice).
S V SC 의미상 주어 S′

______________________________ 어리석다.

make a mistake 실수하다
twice 두 번
tip foolish는 사람에 대한 주관적인 평가를 나타내는 형용사야.

Answers p.34

It+be동사+형용사+for/of O'+to-v O'가 to-v하는 (것은) ~이다

❶ to부정사의 행위의 주체가 문장의 주어와 다를 때, to부정사 앞에 「for/of+명사(목적격)」를 써서 의미상 주어를 나타낼 수 있어.

It / is / important (**for you**) to exercise regularly. ~이다/중요한/네가/규칙적으로 운동하는 것은
S V SC to부정사의 의미상 주어 S'
→ 주어와 to부정사의 행위자가 다르므로 의미상 주어가 필요해.

❷ to부정사의 의미상 주어는 「for+명사(목적격)」로 나타내는 것이 일반적이지만, 사람에 대한 주관적인 평가를 나타내는 형용사와 함께 쓰일 경우, 의미상 주어로 「of+명사(목적격)」를 써.

It / is / **nice** (**of you**) to say so. ~이다/친절한/당신이/그렇게 말하다니
S V SC 의미상 주어 S'

〈사람에 대한 주관적인 평가를 나타내는 형용사 예시〉
kind, nice, considerate, polite, generous, brave, honest, stupid, careless, rude, foolish 등

B 다음 기출 문장을 해석하시오.

★☆
254 It is important for the speaker to memorize his or her script.

speaker 발표자, 연설가
memorize 암기하다
script 대본, 원고
tip his or her는 the speaker's를 나타내.

★☆
255 Zero Waste Day is an opportunity for you to clean out your attic.

Zero Waste Day 쓰레기 없는 날
opportunity 기회
attic 다락(방)

★★
256 The program will be a great opportunity CHOOSE! [of / for] our students to experience something new.

experience 경험하다
tip to experience의 주체는 our students이고 문장의 주어는 The program으로 서로 다르므로, 의미상 주어를 to부정사구 앞에 써 줘야 해.

POP QUIZ! 밑줄 친 부분의 의미상 주어를 찾아봐!

★★☆
257 It is natural for parents <u>to protect their children from dangerous things</u>.

natural 당연한
protect *A* from *B* A를 B로부터 보호하다

Twin Workbook p. 34

문장공식 27

분사구문

v-ing, 할 때/때문에/하면서 **S**는 **V**하다
(분사구문) (주어) (동사)

(Watching TV), I danced.
TV를 보면서 나는 춤을 췄다.

MP3 듣기

✔ QUICK QUIZ 위 문장공식에 유의하여, 어법상 알맞은 것을 고르시오.

(1) [Have / Having] no car, I had to walk.

(2) [Listen / Listening] to the radio, she made a cake.

기출로 Practice

A 다음 문장성분에 유의하여 해석을 완성하시오.

★
258 (Having no money), they can't buy anything.
분사구문 / they: S / can't buy: V / anything: O

그들은 ______________________________ 아무것도 살 수 없다.

tip 분사구문의 주체는 문장의 주어인 they와 같아.

★☆
259 I did my math homework, (listening to classical music).
I: S / did: V / my math homework: O / 분사구문

나는 ______________________________ 수학 숙제를 했다.

classical music 고전 음악
tip 분사구문은 문장의 뒤에 위치할 수 있어.

★☆
260 (Walking along the street), I saw a man (with five dogs).
분사구문 / I: S / saw: V / a man: O

나는 ______________________________ 개 5마리와 있는 한 남자를 봤다.

along ~을 따라

★★
261 (In spring), the female insects become active, (flying around looking for food).
the female insects: S / become: V / active: SC / 분사구문

봄이 되면 암컷 곤충들은 ______________________________ 슬슬 활동을 시작한다.

female 암컷의
insect 곤충
active 활동적인
look for ~을 찾다
tip 분사구문은 문맥에 따라 해석하므로 둘 이상의 의미로 해석할 수도 있어.

Answers p. 35

v-ing, S(주어) + V(동사) v-ing할 때/v-ing때문에/v-ing하면서, S는 V하다

❶ 분사(v-ing)가 이끄는 어구가 문장에 의미를 더해 주는 것을 '분사구문'이라고 해.

❷ 분사구문은 문장의 앞, 중간 또는 뒤에 위치하며 문맥에 따라 '시간, 이유, 동시동작' 등의 의미로 해석할 수 있어.

- 시간 (~할 때, ~하고 나서) **Hearing the news, I cried.** 그 소식을 들었을 때/나는 울었다
- 이유 (~하기 때문에) **Living alone, I feel lonely.** 혼자 살기 때문에/나는 외롭다
- 동시동작 (~하면서) **Taking a shower, I sing songs.** 샤워를 하면서/나는 노래를 부른다

❸ 주어와 '수동'의 관계인 분사구문은 (being) p.p.로 시작하며, being이 문장 첫머리에 올 때는 보통 생략해.

((**Being**) **Left alone**), the man / ran away. 혼자 남겨졌을 때/그 남자는/도망쳤다
분사구문 S V

B 다음 기출 문장을 해석하시오.

POP QUIZ! '동시동작'의 의미를 나타내는 부분을 찾아봐!

★☆
262 Surrounded by her friends, she enjoyed her victory.

surround 둘러싸다, 에워싸다
victory 승리
tip 주어인 she는 '친구들에게 둘러싸인' 대상이야.

★★
263 Each morning, the king came from the palace, greeting his people.

palace 궁전
greet 인사하다, 환영하다
tip his people은 the king's people 즉, '왕의 백성들'을 가리켜.

★★☆
264 The sunlight shines through the leaves of the trees, CHOOSE! [filling / filled] the forest with brightness.

shine 빛나다
forest 숲
brightness 밝음
tip 주어인 The sunlight는 숲을 '채우는' 주체야.

★★☆
265 CHOOSE! [Educating / Educated] by private tutors at home, she enjoyed reading and writing early on.

educate 교육하다
private tutor 개인 교사
early on 초기에, 일찍부터

Twin Workbook p. 35

>> 한 줄 독해 POINT 분사구문의 의미

분사구문은 '시간, 이유, 동시동작' 외에도 다음과 같은 의미를 가질 수 있다.

- **조건**(만약 ~한다면) **Turning to the right**, you'll find the office. 오른쪽으로 돌면, 사무실을 찾을 거야.
- **양보**(비록 ~이지만) **Living near the sea**, he can't swim. 그는 바닷가 근처에 살지만 수영을 할 줄 모른다.

Unit Exercise

MP3 듣기

Answers p. 36

A 밑줄 친 단어를 〈조건〉에 맞게 고쳐 쓰고, 문장을 해석하시오.

〈조건〉
1. 괄호 안에 주어진 의미에 맞춰 밑줄 친 단어를 고쳐 쓸 것
2. to부정사나 분사구문을 반드시 활용할 것

★
266 We need to practice harder speed up our cooking. (목적)

★☆
267 They were excited telling me about their achievements. (감정의 원인)

★★
268 We are famous in our school, win a lot of awards and trophies. (이유)

B 우리말과 의미가 같도록 어법상 틀린 부분을 찾아 고치시오. 서술형 훈련

★☆
269 전 세계 사람들은 자신들을 표현하기 위해 춤을 사용한다.
→ People around the world use dance express themselves.

★★
270 그녀가 줄기와 잎이 있는 꽃을 그리는 데 약 5개월이 걸렸다.
→ It took about five months for her painted a flower with a stem and leaves.

★★
271 그녀는 야생화의 향기를 맡으며 풀밭으로 얼굴을 내밀었다.
→ She pushed her face into the grass, smelled the scent from the wildflowers.

★★☆
272 사무실에 개를 데리고 있는 것은 스트레스를 경감시켰으며 주변의 모든 사람들을 더 행복하게 했기 때문에 긍정적인 효과가 있었다.
→ Having a dog in the office had a positive effect, relieved stress and making everyone around happier.

Grammar Check

Choose or Complete

to부정사(구)의 '목적'의 의미를 확실하게 하기 위해 in ______ to-v로 쓸 수 있다.

동명사(구)/to부정사(구)는 형용사 뒤에서 '감정의 원인'을 나타낼 수 있다.

분사구문은 문맥에 따라 '시간, 동시동작, 이유/경험' 등의 의미로 해석할 수 있다.

to부정사(구)는 명사/동사를 수식하는 '부사(구)'의 역할을 할 수 있다.

to부정사 앞에 「for/______ + 명사(목적격)」를 써서 to부정사의 의미상 주어를 나타낼 수 있다.

문장의 주어가 분사구문의 동작을 하는 주체이면 (being) p.p./v-ing의 형태로 시작하는 분사구문을 사용한다.

문장의 주어와 분사의 관계가 '능동'일 경우, 현재분사/과거분사로 시작하는 분사구문을 사용한다.

Twin Workbook p. 36

Words **A** **266** practice 연습하다 speed up 속도를 더 올리다 **267** achievement 성취, 달성, 업적 **268** award 상 trophy 트로피 **B** **269** express 표현하다, 나타내다 **270** stem (식물의) 줄기 **271** push ~ into … ~을 …로 밀다 grass 풀, 잔디 scent 향기 wildflower 야생화 **272** positive 긍정적인 effect 효과, 작용 relieve 완화하다, 줄이다

PART 4
절의 기본 이해

Unit 9 | 관계대명사절, 부사절, 명사절의 이해

「주어+동사」를 포함하여 문장의 한 단위가 된 것을 '절'이라고 한다. 절을 이끄는 접속사의 종류에 따라 등위절과 종속절로 나뉜다. 종속접속사가 쓰인 종속절은 문장 안에서 명사처럼 주어, 목적어, 보어가 되기도 하고, 형용사나 부사처럼 다른 문장성분을 수식하기도 한다.

STUDY GOAL

학습목표를 이해합니다.

학습목표
☐ 관계대명사절과 부사절, 명사절의 형태와 쓰임을 이해한다.

STUDY PLAN

학습 계획을 세워 봅시다.

학습진도		학습날짜
☐ **DAY 28**	문장공식 28	. .
☐ **DAY 29**	문장공식 29	. .
☐ **DAY 30**	문장공식 30	. .
☐ **Unit Exercise**	문장공식 28~30	. .

UNIT
9

관계대명사절, 부사절, 명사절의 이해

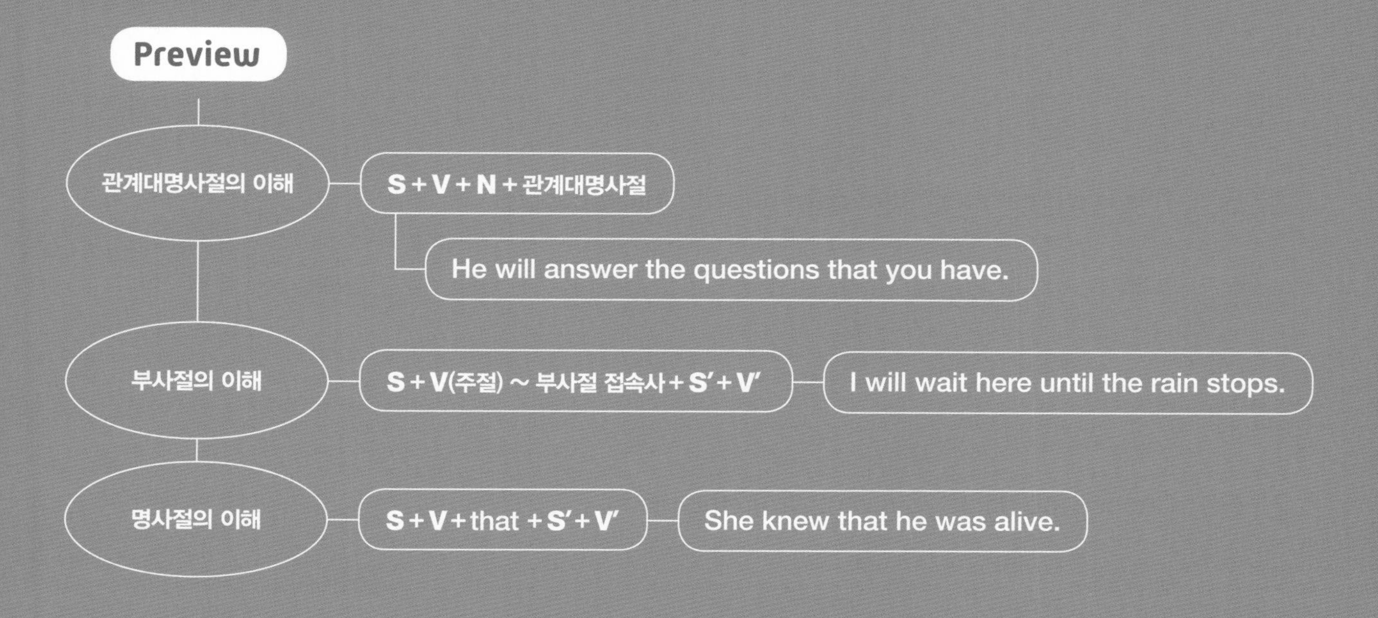
Preview
관계대명사절의 이해
S + V + N + 관계대명사절
He will answer the questions that you have.
부사절의 이해
S + V(주절) ~ 부사절 접속사 + S′ + V′
I will wait here until the rain stops.
명사절의 이해
S + V + that + S′ + V′
She knew that he was alive.

문장공식 28

관계대명사절의 이해

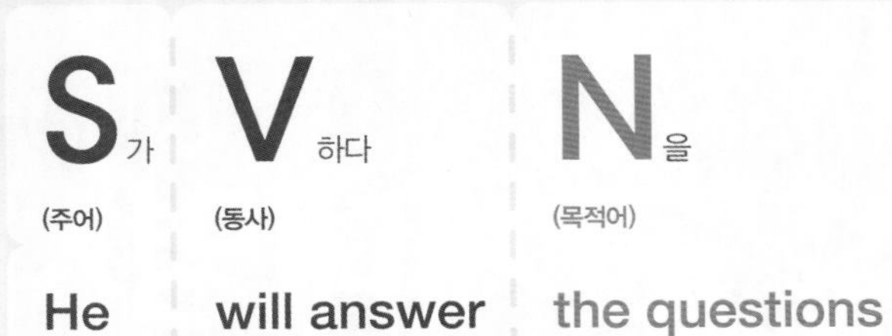

S가 (주어)	V하다 (동사)	N을 (목적어)	관계대명사절 하는
He	will answer	the questions	[that you have].
그가	대답할 것이다	질문에	당신이 가진

MP3 듣기

✔ QUICK QUIZ 위 문장공식에 유의하여, 관계대명사절을 찾아 밑줄로 표시하시오.

(1) This is the card which I got from Tim.

(2) The boy that we saw at the park is cute.

기출로 Practice

A 다음 문장성분에 유의하여 해석을 완성하시오.

★
273 I want a robot [which can clean my room].
S V O 관계대명사절

나는 ______________________ 로봇을 원한다.

tip 관계대명사절이 문장의 목적어인 a robot을 꾸며 주고 있어.

★☆
274 Max is a singer [who my friends love].
S V SC 관계대명사절

Max는 ______________________ 가수이다.

tip 선행사 a singer가 관계대명사절 내에서 목적어 역할을 해.

★☆
275 This is a great story [that gave hope to many people].
S V SC 관계대명사절

이것은 ______________________ 이다.

hope 희망

tip 관계대명사 that은 선행사가 사람, 사물, 동물일 때 모두 쓸 수 있어.

★★
276 Choose the drink [you want] (from the menu).
V O 관계대명사절

메뉴판에서 ______________________ 선택해라.

drink 음료수

tip you 앞에 목적격 관계대명사 which 또는 that이 생략되었어.

Answers p. 37

S(주어) + V(동사) + N(명사) + 관계대명사절 S가 ~하는 N을 V하다

❶ 관계대명사는 접속사와 대명사의 역할을 동시에 하며, 관계대명사가 이끄는 절은 앞에 있는 명사(선행사)를 수식하는 역할을 해.

I have a sister. + She is very tall. → I / have / **a sister** [**who** is very tall]. 나는/가지고 있다/여동생을/키가 매우 큰
명사(선행사) 관계대명사
나는 키가 매우 큰 여동생이 있다.

❷ 관계대명사는 선행사가 관계대명사절 내에서 어떤 역할을 하는지에 따라 다르게 사용돼.

격 \ 선행사	사람	동물/사물	모두
주격 관계대명사	who	which	that
목적격 관계대명사	who(m)	which	that
소유격 관계대명사	whose		–

Amy / is / the girl [**who(that)** won the contest].
선행사+주격 관계대명사

I / love / the watch [(**which(that)**) you gave me].
선행사+목적격 관계대명사 (which와 that은 생략 가능)

She / likes / the movie [**whose** plot was very unique].
선행사+소유격 관계대명사

B 다음 기출 문장을 해석하시오.

POP QUIZ! 다음 밑줄 친 부분을 수식하는 관계대명사절을 찾아봐!

★☆
277 There was a light switch that I could turn on.

switch 스위치
turn on ~을 켜다

★★
278 Sharks have special skin that makes them swim fast.

skin 피부, 껍질
tip them은 주어인 sharks를 가리켜.

★★
279 A habit is a faithful friend who [CHOOSE!] help / helps us toward our goal.

habit 습관
faithful 충실한
toward ~로 향하여
tip 주격 관계대명사절의 동사는 선행사에 수를 일치시켜야 해.

★★☆
280 Any activity which you do [CHOOSE!] has / have some risk or chance of injury.

activity 활동
risk 위험
chance 가능성, 기회
injury 부상
tip 동사는 관계대명사절의 수식을 받는 주어(명사)에 수를 일치시켜야 해.

Twin Workbook p. 37

≫ 시험 빈출 POINT **관계대명사절이 있는 문장의 수 일치**

선행사가 주어일 경우, 관계대명사절은 주로 주어와 동사 사이에 위치한다. 이때, 문장의 주어가 관계대명사절의 수식을 받아 길어지더라도 동사는 주어에 수를 일치시켜야 하는 것에 주의한다.

The shop [that sells balloons] **is** closed today. 풍선을 파는 가게는 오늘 문을 닫았다.
관계대명사절

문장공식

29

부사절의 이해

MP3 듣기

✔ QUICK QUIZ 위 문장공식에 유의하여, 부사절을 찾아 밑줄로 표시하시오.

(1) I will buy a new laptop when I get a job.

(2) While he was on the bus, he fell asleep.

기출로 Practice

A 다음 문장성분에 유의하여 해석을 완성하시오.

★
281 He was late [because his bike had a flat tire].
S V SC 부사절

그는 ______________________________ 늦었다.

have a flat tire 타이어가 펑크 나다

★☆
282 Billy is going to stay (in our house) [while we are away].
S V 부사절

______________________________ Billy는 우리 집에서 머물 것이다.

be away 집을 비우다, 부재 중이다

tip 「be going to+동사원형」은 '~할 것이다'라고 해석해.

★☆
283 His knees were shaking [as he walked to the microphone].
S V 부사절

______________________________ 그의 무릎은 후들거리고 있었다.

knee 무릎
shake 흔들리다
microphone 마이크

★☆
284 You can never learn (very much) [if you do not ask questions].
S V 부사절

______________________________ 당신은 절대 매우 많이 배울 수 없다.

tip if ~ not은 '만약 ~하지 않는다면'의 의미로 unless와 바꿔 쓸 수 있어.

Answers p. 38

S+V ~ +부사절 접속사+S' +V' S'가 V'할 때/V'하기 때문에/V'하면/V'이지만, S는 V하다

❶ 부사절은 「접속사+주어+동사 ~」 형태의 절로 문장의 앞이나 뒤에 붙어 주절을 수식하는 부사 역할을 해.

[When ice melts], it turns (to liquid water). 얼음이 녹을 때/그것은/변한다/액체 상태의 물로

부사절 접속사(~할 때) S' V' S V

❷ 접속사가 이끄는 부사절은 시간, 이유, 조건, 양보 등의 정보를 전달할 수 있어.

- 시간의 접속사: when(~할 때), while(~하는 동안), as(~할 때, ~하면서), before(~하기 전에), after(~한 후에), until(~할 때까지), since(~한 이래로), as soon as(~하자마자)
- 이유의 접속사: because, since, as(~ 때문에)
- 조건의 접속사: if(만약 ~라면), unless(만약 ~아니라면)
- 양보의 접속사: though, although, even though(비록 ~이지만), even if(비록 ~일지라도)

They / will clean / the house [after the party finishes]. 그들은/청소할 것이다/집을/파티가 끝난 후에

⟶ 주절의 시제가 미래일 경우, 시간과 조건의 부사절에서는 현재 시제를 사용해.

B 다음 기출 문장을 해석하시오.

★☆

285 As she was tired from her city life, she went back to the country.

tired 지친, 싫증난
country 시골
tip as는 문맥에 따라 '이유'나 '시간'의 의미로 해석할 수 있어.

POP QUIZ! 이유를 나타내는 부사절을 찾아봐!

★★

286 Since her height was under 120 cm, she could not get on the ride.

height 키
ride 놀이기구

★★

287 You can't be a winner unless you're willing to face failure.

be willing to 기꺼이 ~하다
face 직면하다
failure 실패

★★☆

288 CHOOSE! [If / Even though] no one was around to celebrate with me, it didn't matter.

celebrate 축하하다
matter 중요하다, 문제가 되다
tip if는 조건, even though는 양보의 접속사야.

Twin Workbook p. 38

>> 시험 빈출 POINT 접속사 *vs.* 전치사

접속사 뒤에는 주어와 동사를 갖춘 절이, 전치사(구) 뒤에는 명사(구)가 이어지는 것에 주의한다.

- 이유의 접속사(because) *vs.* 전치사구(because of)

Because it rained heavily(= Because of heavy rain), the game was canceled. 비가 많이 와서 경기는 취소됐다.

- 양보의 접속사(though) *vs.* 전치사구(despite, in spite of)

Though it rained(= Despite the rain), they played soccer. 비가 왔음에도 불구하고 그들은 축구를 했다.

문 장 공 식 30

명사절의 이해

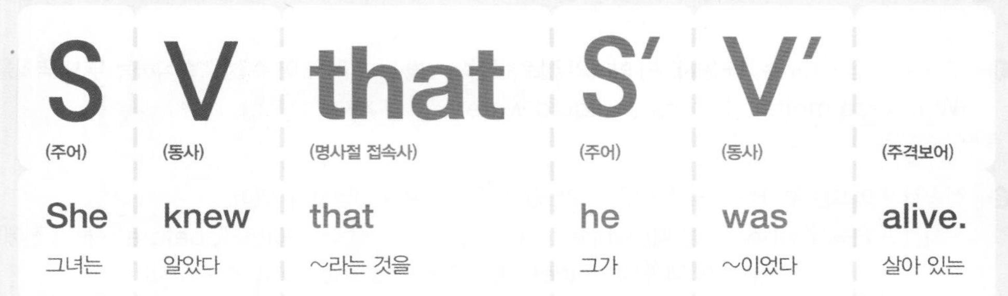

S V that S' V'
(주어) (동사) (명사절 접속사) (주어) (동사) (주격보어)
She knew that he was alive.
그녀는 알았다 ~라는 것을 그가 ~이었다 살아 있는

MP3 듣기

✔ QUICK QUIZ 위 문장공식에 유의하여, 밑줄 친 부분이 문장에서 어떤 역할을 하는지 고르시오.

(1) Tim found that his baggage was missing. □ 주어 □ 목적어

(2) I don't think that it was my mistake. □ 보어 □ 목적어

기출로 Practice

A 다음 문장성분에 유의하여 해석을 완성하시오.

★
289 Everyone knows [that the Earth goes around the sun].
S V O (명사절)

모두가 ______________________________ 알고 있다.

go around 주위를 돌다

★☆
290 It is interesting [that some animals can use tools].
S V SC S' (명사절)

______________________________ 흥미롭다.

tool 도구

tip It은 진주어인 that절을 대신해 사용한 가주어이므로 해석하지 않아.

★☆
291 It is strange [that Susan doesn't remember me].
S V SC S' (명사절)

______________________________ 이상하다.

★☆
292 Some students complain [that history is boring and worthless].
S V O (명사절)

일부 학생들은 ______________________________ 불평한다.

complain 불평하다
worthless 가치 없는, 쓸모없는

Answers p. 39

S(주어) + V(동사) + that(명사절 접속사) + S'(주어) + V'(동사) S는 S'가 V'하는 것을 V하다

❶ 접속사 that은 「that+주어+동사 ~」의 형태로 절을 이루어 명사 역할을 하며, 문장 내에서 주어, 목적어, 보어가 될 수 있어.

❷ **주어 역할을 하는 that절**: that절이 주어 역할을 하는 경우, 보통 가주어 it을 주어 자리에 쓰고 진주어인 that절을 문장의 뒤로 보내.

[**That** he loves you] is true. 그가 너를 사랑하는 것은/~이다/사실인 〈주어 역할〉
S (명사절)

→ **It** is true [**that** he loves you].
S (가주어) S'(진주어)

❸ **보어나 목적어 역할을 하는 that절**: that절은 문장 내에서 보어나 목적어 역할을 할 수 있어.

My problem / is [**that** I feel tired all the time]. 내 문제는/~이다/내가 항상 피곤하다고 느끼는 것 〈보어 역할〉
S V SC (명사절)

I / believe [(**that**) he is honest]. 나는/믿는다/그가 정직하다는 것을 〈목적어 역할〉
S V → 목적어 역할을 하는 절을 이끌 경우, 접속사 that은 생략할 수 있어.

B 다음 기출 문장을 해석하시오.

★☆
293 People said [CHOOSE! that / which] she gave a lot of money to charity.

charity 자선 단체
tip 명사절을 이끄는 접속사 that 뒤에는 「주어+동사 ~」가 이어져.

★★
294 [CHOOSE! It / This] is commonly thought that drinking lots of water is good for skin.

commonly 흔히
tip that절이 주어로 쓰이는 경우, 보통 가주어를 주어 자리에 쓰고 that절은 문장의 뒤로 보내.

★★
295 I heard that you need to be physically strong to be a police officer.

physically 신체적으로
tip to be a police officer는 '목적'을 나타내는 to부정사구야.

★★☆
POP QUIZ! 목적어 역할을 하는 명사절을 찾아봐!
296 You should remember that there are cultural differences from country to country.

cultural 문화의
from country to country 나라마다

Twin Workbook p. 39

» 시험 빈출 POINT **that의 다양한 쓰임**

- **지시대명사 that**: That is my new laptop. 저것은 내 새로운 노트북 컴퓨터이다. 〈that은 대상을 가리키거나 이전에 언급된 것을 의미〉
- **접속사 that**: It is true that Jake will move to Seoul. Jake가 서울로 이사 갈 것이라는 것은 사실이다. 〈that 뒤에 완전한 문장으로 연결〉
- **관계대명사 that**: This is the book that I bought yesterday. 이것은 내가 어제 산 책이다. 〈선행사를 수식하는 관계대명사 역할〉

Unit Exercise

MP3 듣기

Answers p. 40

A 〈보기〉에서 적절한 것을 골라 빈칸에 쓰고, 문장을 해석하시오. (단, 중복 사용 가능)

〈보기〉 that as it though

★☆
297 Some countries have laws ________ are very unusual.

★☆
298 ________ is often believed that Shakespeare did not always write alone.

★☆
299 ________ I walked to the train station, I felt the warm sun on my back.

★☆
300 The research reports ________ dogs can understand the human words.

B 어법상 올바르면 O, 틀리면 X로 표시하고, 틀린 부분은 바르게 고쳐 쓰시오. 서술형 훈련

★☆
301 The sun is really important because it helps us to see things.

★★
302 Having someone who listen to you at school can really help.

★★☆
303 Her study shows which there is an important relationship between friendships and health.

Grammar Check

Choose or Complete

297 접속사/관계대명사 가 이끄는 절은 앞에 있는 명사를 수식하는 형용사(절)의 역할을 한다.

298 that절이 주어 역할을 하는 경우, 보통 가주어 ________을 주어 자리에 쓰고 that절을 뒤로 보낸다.

299 접속사 ________는 '~할 때, ~하면서, ~ 때문에'라는 의미를 나타내는 시간 부사절이나 이유 부사절을 이끈다.

300 접속사 ________이 이끄는 명사절은 '~라는 것'의 의미로 문장 내에서 주어, 목적어, 보어 역할을 할 수 있다.

301 접속사 뒤에는 주어와 동사를 갖춘 절/구 이(가) 온다.

302 주격 관계대명사절에서 동사는 ________에 수를 일치시켜야 한다.

303 접속사 ________이 이끄는 명사절이 목적어 역할을 할 때는 접속사를 생략할 수 있다.

Twin Workbook p. 40

Words **A** **297** law 법 unusual 특이한, 색다른 **298** alone 혼자서 **299** train station 기차역 back 등 **300** research 연구 report 알리다, 보고하다
B **303** relationship 관계 friendship 우정 health 건강

추가 자료 1 일반동사의 과거형·과거분사형 불규칙 변화

(1) A–A–A 형태

원형	과거형	과거분사	뜻	원형	과거형	과거분사	뜻
cost	cost	cost	(비용)이 들다	read	read	read	읽다
hit	hit	hit	치다, 때리다	set	set	set	놓다, 설치하다
hurt	hurt	hurt	다치다	shut	shut	shut	닫다
put	put	put	놓다, 두다	spread	spread	spread	퍼뜨리다

(2) A–B–B 형태

원형	과거형	과거분사	뜻	원형	과거형	과거분사	뜻
bring	brought	brought	가져오다	lose	lost	lost	잃다, 지다
build	built	built	(건물을) 짓다	make	made	made	만들다
buy	bought	bought	사다	meet	met	met	만나다
catch	caught	caught	잡다	pay	paid	paid	지불하다
feed	fed	fed	먹이를 주다	say	said	said	말하다
feel	felt	felt	느끼다	sell	sold	sold	팔다
fight	fought	fought	싸우다	send	sent	sent	보내다
find	found	found	찾다	sit	sat	sat	앉다
forget	forgot	forgot〔forgotten〕	잊다	sleep	slept	slept	자다
get	got	got〔gotten〕	얻다	spend	spent	spent	쓰다, 소비하다
have	had	had	가지다, 먹다	teach	taught	taught	가르치다
hold	held	held	잡다, 개최하다	tell	told	told	말하다
lay	laid	laid	놓다	think	thought	thought	생각하다
leave	left	left	떠나다	understand	understood	understood	이해하다
lend	lent	lent	빌려주다	win	won	won	이기다

(3) A–B–C 형태

원형	과거형	과거분사	뜻	원형	과거형	과거분사	뜻
be(원형) am/are/is(현재형)	was/were	been	~이다, ~에 있다	grow	grew	grown	자라다
				hide	hid	hidden	숨다; 숨기다
bear	bore	born	낳다	know	knew	known	알다
begin	began	begun	시작하다	lie	lay	lain	눕다
break	broke	broken	깨다, 부수다	ride	rode	ridden	타다
choose	chose	chosen	고르다, 선택하다	rise	rose	risen	오르다
do	did	done	하다	see	saw	seen	보다
draw	drew	drawn	그리다	shake	shook	shaken	흔들다
drive	drove	driven	운전하다	sing	sang	sung	노래하다
eat	ate	eaten	먹다	speak	spoke	spoken	말하다
fall	fell	fallen	떨어지다	swim	swam	swum	수영하다
fly	flew	flown	날다; 날리다	take	took	taken	가지고 가다
freeze	froze	frozen	얼다; 얼리다	throw	threw	thrown	던지다
give	gave	given	주다	wear	wore	worn	입다
go	went	gone	가다	write	wrote	written	쓰다

(4) A–B–A 형태

원형	과거형	과거분사	뜻	원형	과거형	과거분사	뜻
become	became	become	~이 되다	run	ran	run	달리다
come	came	come	오다				

추가 자료 2 형용사·부사의 형태 변화

(1) 규칙변화

형용사/부사 형태	변화	원급	비교급	최상급
1음절 단어	⊕ -er / -est	hard	harder	hardest
		kind	kinder	kindest
		old	older	oldest
-e로 끝나는 단어	⊕ -r / -st	close	closer	closest
		large	larger	largest
		wide	wider	widest
자음+-y로 끝나는 단어	y를 i로 바꾸고 ⊕ -er / -est	busy	busier	busiest
		happy	happier	happiest
		pretty	prettier	prettiest
단모음+단자음으로 끝나는 단어	마지막 자음 추가 ⊕ -er / -est	big	bigger	biggest
		hot	hotter	hottest
		thin	thinner	thinnest
3음절 이상의 단어, -ful, -less, -ous, -ve, -ly 등으로 끝나는 2음절인 단어	more / most ⊕ 단어	important	more important	most important
		helpful	more helpful	most helpful
		slowly	more slowly	most slowly

(2) 불규칙변화

원급	뜻	비교급	최상급
good / well	좋은 / 잘	better	best
bad / ill	나쁜 / 아픈	worse	worst
many / much	(수) / (양) 많은	more	most
little	(양) 적은	less	least
late	(순서) 뒤의	latter	last
far	(거리) 먼	farther	farthest
far	(정도) 먼	further	furthest

Vocabulary List

문장공식 01

average price	평균 가격	news	소식, 뉴스
childhood	어린 시절	pain	통증
decrease	하락하다, 감소하다	pillow	베개
donation	기부(금)	shoulder	어깨
end	끝나다	sleep	자다
event	행사, 사건	smile	웃다, 미소 짓다
exhibition	전시(회)	throughout	도처에
global	세계의, 세계적인	travel	여행하다
grandmother	할머니	without	~ 없이
lover	애호가	work	작품

문장공식 02

audience	청중, 관중	round	둥근, 원형의
benefit	이익, 이점	school uniform	교복
comfortable	편한, 편안한	seem	~인 것 같다
everyday life	일상생활	simple	간단한, 단순한
future	미래	sound	들리다
go wrong	(일이) 잘못되다	strange	이상한
important	중요한	surprised	놀란
modern	현대적인	veterinarian	수의사
numerous	다수의, 많은	walk	걷기, 산책
outdoor activity	야외 활동	wonderful	훌륭한

문장공식 03

beyond	~ 이상으로	local	지역의
builder	건축업자	owner	주인
discuss	~에 대해 논의하다	performance	성능, 수행
farmer's market	농산물 직판장	pre-programmed	미리 프로그램된
function	기능	reach	~에 도달하다
German	독일의, 독일인(의)	sound	소리
healthy	건강에 좋은	technique	기술
improve	개선하다	through	~을 통하여
increase	증가시키다	traditional	전통의
lighting	조명	visit	방문하다

Vocabulary List

문장공식 04

buy	사다, 구매하다	magic trick	마술 묘기
climate	기후	mathematics	수학
coin	동전	photograph album	사진첩
dozen	12개짜리 묶음	question	질문
funny	재미있는	recipe	조리법
grandfather	할아버지	same	같은, 동일한
half	절반	scientist	과학자
high school	고등학교	show	보여 주다
information	정보	teach	가르치다
later	후에, 나중에	various	다양한, 여러

문장공식 05

alive	살아 있는	harsh	혹독한
alone	혼자	headline	기사 제목
bathroom	욕실	keep	(~하게) 유지하다
better	더 나은	manner	태도, 예의
brighter	더 밝은	neighborhood	이웃, 인근
celebrity	유명 인사, 명성	painful	고통스러운
consider	(~라고) 여기다	person	사람
dead silence	무거운 침묵(정적)	planet	행성
drive	자동차 여행, 드라이브	popular	인기 있는
enemy	적	spelling bee	단어 철자 맞히기 대회

Unit Exercise 문장공식 01~05

always	항상, 언제나	gap	차이, 간격
amount	(~의) 양, 액수	hot spring	온천
between *A* and *B*	A와 B 사이의	international	국제적인
bring	데려오다, 가져다주다	less	더 적은(덜한)
business card	명함	recognition	인식, 인지도
drop	떨어지다	smallest	가장 작은
enjoyable	즐거운	stuff	물건
even	심지어	temperature	온도, 기온
exhibition	전시(회)	tired	피곤한
factory	공장	twice a month	한 달에 두 번

Vocabulary List

문장공식 06

ancient Greece	고대 그리스	in a minute	곧, 즉시
available	구할 수 있는	nearby	인근의, 가까운 곳의
baseball	야구, 야구공	online	온라인에서
be ready	준비되다	part of	~의 일부
begin	시작하다	season	시기, 철
builder	건축가	slogan	구호, 슬로건
cotton-picking	목화 수확	spend	(시간을) 보내다
drink	음료, 마실 것	stadium	경기장
free energy	[열역학] 자유 에너지	take a photo	사진을 찍다
go hunting	사냥하러 가다	umbrella	우산

문장공식 07

brain	두뇌, 뇌	lay	~을 놓다, 눕히다
community center	시민 (문화) 회관	lie	놓여 있다
constantly	끊임없이	look for	~을 찾다
contest	대회	onto	~ 위에
copy	베끼다, 복제하다	sheet	(종이) 장
currently	현재	solve	해결하다, 풀다
graduate	졸업생	storm	폭풍우
grandson	손자	take a class	수업을 수강하다
hold	들고 있다	violent	심한, 난폭한
in front of	~ 앞에	wall	벽

문장공식 08

among	~ 사이에서	mass media	대중 매체
as well	또한, 역시	neighbor	이웃
conversation	대화	noise	소음
cooperation	협동, 협력	pain	고통
create	만들어내다, 창조하다	psychologist	심리학자
each other	서로	quickly	빠르게
effect	영향	recipe	조리법
harmful	해로운	since	~때부터 (지금까지)
invaluable	매우 귀중한	tool	도구
kind	종류, 유형	topic	주제

Vocabulary List

Unit Exercise
문장공식 06~08

among	~ 사이에서	influence on	~에 대한 영향
backyard	뒷마당	interested	흥미로운
binding	결속시키는, 묶는	international	국제의, 국제적인
building structure	건축 구조(물)	landmark	주요 지형지물, 랜드마크
cartooning	만화 제작	light	불, 전등
community life	공동체 생활	none	아무도[아무것도] ~ (않다)
dance	춤	then	그때
disappointment	실망	toothbrush	칫솔
express	표현하다	turn on	켜다
historically	역사적으로	until	~까지

문장공식 09

aunt	이모	island	섬
babysit	아이를 돌보다	join	가입하다
black-and-white	흑백의	late	늦은
carefully	주의 깊게, 신중하게	magic trick	마술
chemical equation	화학 방정식	mid	중간의
chemist	화학자	on time	제시간에
correctly	정확하게	philosophy	철학
direction	지시 (사항)	run	계속되다
discussion	토론, 토의	submit	제출하다
erupt	분출하다, 내뿜다	volcano	화산

문장공식 10

along the coast	해안을 따라서	hurt	다치게 하다
ancestor	조상, 선조	lecture	강의
ancient	고대의	lie	거짓말
boat	배, 보트	lose	잃어버리다
careful	조심하는, 주의 깊은	scary	무서운
fall down	떨어지다, 넘어지다	skill	기술
foolish	어리석은	stair	계단
honest	정직한, 솔직한	such	그런, 그 정도의
house painter	가옥 페인트공	survival	생존
hundreds of	수백의 ~	travel	이동하다

Vocabulary List

Unit Exercise
문장공식 09~10

attitude	태도	lose	잃어버리다
available	이용할 수 있는	must	~ 해야 한다
bus stop	버스 정류장	on one's own	혼자서, 단독으로
community center	시민 (문화) 회관	phone	휴대 전화
earn	(돈을) 벌다	positive	긍정적인
earphones	이어폰	should	~ 하는 것이 좋다
extra	추가의	sign up for	~에 등록하다, ~을 신청하다
great	훌륭한	smartphone	스마트폰
in advance	미리	speech	연설, 담화
leader	지도자, 대표	write	쓰다, 작성하다

문장공식 11

artist	화가, 예술가	hide	숨기다
borrowing	대출	hold	열다, 개최하다
cage	우리	market	장, 시장
deeply	깊이	monkey	원숭이
detail	세부 사항	nearly	거의
dirt	먼지	paint	그리다
Doctors Without Borders	국경 없는 의사회	post	게시하다
expenditure	지출	touch	감동시키다
finance	자금을 공급하다	uniform	제복, 교복
found	설립하다	word	말, 단어

문장공식 12

a series of	일련의	fairy	요정, 선녀
alone	혼자, 홀로	gene	유전자
astronaut	우주 비행사	golden age	황금기(전성기)
be paid	보수가 지급되다	identical twins	일란성 쌍둥이
botanical	식물(학)의	participant	참가자
cash	현금	resident	주민, 거주자
century	세기	sadness	슬픔
consider	여기다	unnecessary	불필요한
emotion	감정	welfare	복지
experiment	실험	woodcutter	나무꾼

Vocabulary List

문장공식 13

acquire	배우다, 습득하다	novel	소설
cane toad	수수두꺼비	other	다른
check-out	대출	practice	연습
decade	10년	quoll	주머니고양이
hospital	병원	radar	레이더
impact	영향	return	반납하다
install	설치하다	survival	생존
invite	초대하다	threaten	위협하다
language	언어	translate *A* into *B*	A를 B로 번역하다
major	주요한	within	~ 이내에

Unit Exercise
문장공식 11~13

address	주소	out of	(재료) ~으로
along with	~와 함께	pest	해충, 유해 동물
appoint	임명하다, 정하다	professor	교수
below	아래에	rat	쥐
developmental	발달상의	registration form	등록 신청서
historical	역사의	research	연구
in fact	사실은, 실제로	respect	존경하다
influence	영향을 주다	stage	단계
knowledge	지식	strongly	강하게
mathematics	수학	wreath	화환, 화관

문장공식 14

brain cell	뇌세포	increasingly	갈수록 더
challenge	도전하다, 도전 의식을 북돋우다	learning	배움
confidence	자신감	most	대부분의
connection	연결	pleasure	기쁨
do well in school	학교 공부를 잘하다	prepare	준비하다
draw	그리다	strengthen	강화하다
electronically	전자적으로	sunflower	해바라기
happen	일어나다, 발생하다	these days	요즘에
hobby	취미	with the aid of	~의 도움으로
in the same way	같은 방식으로	without	~ 없이

Vocabulary List

문장공식 15

attachment	(이메일의) 첨부 문서	particular	특정한
express	표현하다	pet	애완동물
expression	표현	post	게시하다
fill up	채우다	potential	잠재력
handwriting	자필	realize	실현하다
horrible	끔찍한	recognize	인지하다, 인식하다
impossible	불가능한	satisfy	만족시키다
journal	일기	situation	상황
needs	요구, 욕구	source	원천, 근원, 출처
nowadays	요즘	unknown	무명의, 알 수 없는

문장공식 16

adopt	입양하다	line	대사
artist	예술가	look forward to	~을 기대하다
behavioral	행동의	male	수컷의
both *A* and *B*	A와 B 둘 다	medical	의학(의료)의
combine	결합시키다	performance	공연
consider	고려하다	protect	보호하다
department	부서	report	보도, 기사, 기록
excellent	훌륭한	search for	~을 찾다, 검색하다
female	암컷의	volcano	화산
interested	흥미가 있는	work	작업물, 업무

문장공식 17

agree	동의하다	organization	단체
at some point	어느 시점에	own	자신의
call	~라고 부르다	set up on one's own	혼자 독립하다
designer	디자이너	shop	가게
donut	도넛	subtitle	자막
independently	독립적으로	take a trip	여행을 하다
leave	떠나다	translation	번역
mammal	포유동물	transport	운반하다, 수송하다
master	주인	trial and error	시행착오
open	열다, 개업하다	young	젊은

Vocabulary List

Unit Exercise

문장공식 14~17

at once	동시에, 즉시	nearly	거의
change	바꾸다	power	힘
dead	작동을 안 하는	several	몇몇의, 여러 가지의
engine	엔진	shake	떨다, 떨리다
feel	느끼다	simple	간단한, 단순한
get a job	직업을 얻다	special	특별한
kid	아이	stiffen	뻣뻣해지다
lifeguard	인명 구조원	stressful	스트레스가 많은
looks	겉모습, 외모	teenager	십 대
lose weight	몸무게를 감량하다, 살을 빼다	unwise	현명하지 못한

문장공식 18

avoid	피하다	humanity	인류
behavior	행동	imitation	모방
champion	챔피언	impolite	무례한
chess	체스	means	수단, 방법
community	공동체, 지역 사회	practice	관습, 실천
cut in line	새치기하다	public place	공공장소
destroy	파괴하다	respect	존중하다
enemy	적	rule	규칙
eye contact	눈 맞춤	transmission	전달
habit	습관	valuable	가치 있는

문장공식 19

a point of view	관점, 시점	experience	경험
arrive	도착하다	guest	손님
careful	조심하는, 주의 깊은	make noise	시끄럽게 하다
company	회사	manager	지배인, 관리자
develop	개발하다, 발달시키다	order	명령하다
earlier	더 일찍	package	소포
enable	가능하게 하다	participate in	~에 참여하다
encourage	권장하다	restaurant	식당
event	행사, 사건	straw	빨대
expect	기대하다	volunteer	자원봉사

Vocabulary List

문장공식 20

all day	온종일	plate	접시
businessman	사업가	recover	회복하다
century	세기	rich	풍부한
company	회사	sometimes	때때로
complain	불평하다	spin around	회전하다
diet	식사, 식습관	stick	막대
mineral	무기물	teeth	치아
one day	언젠가	thin	가는
perfect	완벽한, 완전한	vitamin	비타민
performer	곡예사, 연주자	weather	날씨

문장공식 21

a small amount of	적은 양의	live on	~을 먹고 살다
approach	다가오다	myself	내 자신
back	뒤, 등	name	이름
basement	지하실	noisily	시끄럽게
bike	자전거	notice	알아채다
fill	채우다	police officer	경찰관
fix	고치다, 수리하다	present	선물
imagine	상상하다	purse	지갑
in excitement	흥분하여, 신이 나서	stocking	스타킹, (긴) 양말
leave	두고 가다	street	거리, 길

Unit Exercise

문장공식 18~21

among	~ 사이에(서)	leak	새는 곳, 틈
art museum	미술관	manners	예의
better	더 나은	nickname	별명
crowd	사람들, 군중	often	종종
early	일찍	old	예전의, 오래된
exercise	운동	pipe	배관, 파이프
fix	고치다, 수리하다	relationship	관계
follow	따라오다	tired	피곤한
hunter	사냥꾼	woods	숲
job	일, 임무	work of art	미술품, 예술 작품

Vocabulary List

문장공식 22

battery	건전지, 배터리	label	라벨, 꼬리표
challenge	도전 정신을 북돋우다	make money	돈을 벌다
chance	기회	movie	영화
chat	이야기를 나누다	ourselves	우리 자신
desire	욕구	pack	묶음, 꾸러미
environment	환경	protect	보호하다
fit	건강한	sit down	앉다
gift	선물	vision	비전, 선견지명
information	정보	watch	보다
inspire	영감을 주다	way	방법, 방식

문장공식 23

amount	양	owner	주인
colorful	(색이) 다채로운	popular	인기 있는
contain	들어 있다, 담고 있다	present	선물
decrease	감소하다	produce	생산하다
every year	매년	receive	받다
fence	울타리	region	지역
flag	깃발	remove	제거하다
increase	증가하다	return	반환하다
lean against	~에 기대다	underwater	물속의, 수중의
mug	머그잔	wrap	포장하다

Unit Exercise 문장공식 22~23

be full of	~로 가득 차 있다	locate	(특정 위치에) 두다, 위치하다
branch	나뭇가지	miss	놓치다; 그리워하다
charm	매혹하다	native	토박이의, 토종의
cloth	천	opportunity	기회
cover	덮다	plenty of	많은
deeply	깊게	right	권리
enter	들어가다	suit	정장
furniture	가구	tie	넥타이
hill	언덕	top	꼭대기
improve	향상시키다	wear	입다

Vocabulary List

문장공식 24

airport	공항	necessary	필요한
balance	균형을 유지하다	nutrient	영양소, 영양분
blind	눈이 먼	one another	서로
choice	선택	pick up	~을 (차에) 태우다
client	고객, 의뢰인	provide	제공하다
clothing	옷, 의복	record	녹음하다
comfort	안락, 편안	suppress	참다, 억누르다
during	~ 동안	spouse	배우자
each of	~의 각각	travel	이동하다
expensive	비싼	voice	목소리

문장공식 25

bag	가방	problem	문제
bold	용감한, 대담한	reach	(손을 뻗어) ~에 닿다
carry	가지고 다니다, 나르다	save	구하다
enough	충분한	scoreboard	득점판
fat	지방, 기름	seat	자리, 좌석
feet	발	shelf	선반
get	구하다, 얻다	short	키가 작은
in danger	위험에 처한	smart	똑똑한
math	수학	solve	풀다, 해결하다
penguin	펭귄	thousands of	수천의

문장공식 26

attic	다락(방)	memorize	암기하다
clean out	깨끗이 치우다	natural	당연한
drop off	버리다	opportunity	기회
effectively	효과적으로	place	장소
experience	경험하다	protect *A* from *B*	A를 B로부터 보호하다
foolish	어리석은, 바보 같은	same	같은, 동일한
garbage	쓰레기	script	대본, 원고
idea	아이디어, 생각	speaker	발표자, 연설가
make a mistake	실수하다	twice	두 번
manage	관리하다	Zero Waste Day	쓰레기 없는 날

Vocabulary List

문장공식 27

active	활동적인	greet	인사하다, 환영하다
along	~을 따라	insect	곤충
brightness	밝음	leaf	(나뭇)잎
buy	사다	look for	~을 찾다
classical music	고전 음악	palace	궁전
early on	초기에, 일찍부터	private tutor	개인 교사
educate	교육하다	shine	빛나다
enjoy	즐기다	spring	봄
female	암컷의	surround	둘러싸다, 에워싸다
forest	숲	victory	승리

Unit Exercise

문장공식 24~27

achievement	성취, 달성, 업적	office	사무실
award	상	positive	긍정적인
cooking	요리	practice	연습하다
dance	춤	push ~ into …	~을 …로 밀다
effect	효과, 작용	relieve	완화하다, 줄이다
express	표현하다, 나타내다	scent	향기
famous	유명한	speed up	속도를 더 올리다
grass	풀, 잔디	stem	(식물의) 줄기
in front of	~ 앞에	trophy	트로피
month	달, 개월	wild flower	야생화

문장공식 28

activity	활동	risk	위험
chance	가능성, 기회	shark	상어
clean	청소하다	singer	가수
drink	음료수	skin	피부, 껍질
faithful	충실한	special	특별한
goal	목표	story	이야기
habit	습관	swim	수영하다
hope	희망	switch	스위치
injury	부상	toward	~로 향하여
menu	메뉴	turn on	~을 켜다

Vocabulary List

문장공식 29

ask	묻다, 물어 보다	late	늦은
be away	집을 비우다, 부재중이다	learn	배우다
be willing to	기꺼이 ~하다	matter	중요하다, 문제가 되다
celebrate	축하하다	microphone	마이크
country	시골	question	질문
face	직면하다	ride	놀이기구
failure	실패	shake	흔들리다
have a flat tire	타이어가 펑크 나다	stay	머물다
height	키	tired	지친, 싫증난
knee	무릎	winner	우승자, 승자

문장공식 30

animal	동물	interesting	흥미로운
boring	지루한	physically	신체적으로
charity	자선 단체	police officer	경찰관
commonly	흔히	remember	기억하다
complain	불평하다	skin	피부
cultural	문화의	strange	이상한
difference	차이	strong	강한
from country to country	나라마다	tool	도구
go around	주위를 돌다	use	사용하다
history	역사	worthless	가치 없는, 쓸모없는

Unit Exercise

문장공식 28~30

alone	혼자서	relationship	관계
always	언제나, 항상	report	알리다, 보고하다
back	등	research	연구
believe	믿다, 여기다	show	보여 주다
country	나라, 국가	study	연구
friendship	우정	the sun	태양
health	건강	train station	기차역
human	인간의	understand	이해하다
important	중요한	unusual	특이한, 색다른
law	법	warm	따뜻한

공식으로 통하는
문장독해 기본

Twin Workbook

TWIN WORKBOOK

문장공식으로 내신 서술형 완성

A 다음 우리말과 의미가 같도록 〈A〉와 〈B〉에서 각각 알맞은 말을 골라 빈칸을 완성하시오.

〈A〉	〈B〉
I	slept
is	good news
my grandmother	smiled

001 우리 할머니가 미소를 지으셨다.

_______ _______.

002 나는 베개 없이 잤다.

_______ _______ without a pillow.

003 음악 애호가들에게 좋은 소식이 있다.

There _______ _______ for music lovers.

B 다음 우리말과 의미가 같도록 괄호 안의 말을 바르게 배열하여 문장을 완성하시오.

004 그날 밤에 내 왼쪽 어깨의 통증이 시작되었다.

→ _______________.

(the pain, started, in my left shoulder, on that night)

005 전 세계 스마트폰 평균 가격은 2010년부터 2015년까지 하락했다.

→ _______________ from 2010 to 2015.

(decreased, the global smartphone average price)

006 그 행사는 학생 작품 전시와 함께 끝난다.

→ _______________ of student works.

(with, ends, the event, an exhibition)

C 다음 우리말과 의미가 같도록 제시된 말을 사용하여 영작하시오. (단, 필요시 형태를 바꿀 것)

007 기타 보관함이 벤치 위에 있고 모금함이 그 아래에 있다.

→ _______________

(on the bench, be, and, a donation box, a guitar case, under it, is)

008 Mary Cassatt과 그녀의 가족은 그녀의 어린 시절에 유럽 전역을 여행했다.

→ _______________

(and, Mary Cassatt, travel, throughout Europe, in her childhood, her family)

S(주어) + V(동사) + SC(주격보어) | S는 SC하게 V하다

▶ Answers p. 41

A 다음 우리말과 의미가 같도록 〈A〉, 〈B〉, 〈C〉에서 각각 알맞은 말을 골라 빈칸을 완성하시오.

〈A〉	〈B〉	〈C〉
the veterinarian your students the story	seemed sounds were	strange surprised a wonderful audience

009 그 이야기는 매우 이상하게 들린다.

__________ __________ very __________.

010 당신의 학생들은 훌륭한 청중이었다.

__________ __________ __________.

011 그 수의사는 그 로봇 동물에 놀란 것 같았다.

__________ __________ __________ at the robot animal.

B 다음 우리말과 의미가 같도록 괄호 안의 말을 바르게 배열하여 문장을 완성하시오.

012 교복은 야외 활동에 매우 편하지 않다.

→ ______________________________ for outdoor activities.

(comfortable, are, school uniforms, very, not)

013 그 원형 시계는 단순하고 현대적으로 보인다.

→ ______________________________.

(looks, the round clock, and, modern, simple)

014 아침 산책의 장점은 많다.

→ ______________________________.

(are, of a morning walk, numerous, the benefits)

C 다음 우리말과 의미가 같도록 제시된 말을 사용하여 영작하시오. (단, 필요시 형태를 바꿀 것)

015 많은 것들이 미래에는 잘못될 수 있다.

→ ______________________________

(wrongly, in the future, go, many things, can)

016 컴퓨터가 우리 일상생활의 중요한 부분이 될 수 있다.

→ ______________________________

(everyday lives, computers, of, becomes, our, an important part, can)

Answers p. 41

A 다음 우리말과 의미가 같도록 〈A〉, 〈B〉, 〈C〉에서 각각 알맞은 말을 골라 빈칸을 완성하시오.

〈A〉	〈B〉	〈C〉
many dog owners bad lighting the builders	have used can increase	stress problem building techniques

017 많은 개 주인들이 같은 문제점을 가지고 있다.

_______________ _______ the same _______.

018 그 건축업자들은 다수의 놀라운 건축 기술을 사용했다.

_______________ _______ many amazing _______________.

019 나쁜 조명은 당신의 눈에 스트레스를 증가시킬 수 있다.

_______________ _______________ _______ on your eyes.

B 다음 우리말과 의미가 같도록 괄호 안의 말을 바르게 배열하여 문장을 완성하시오.

020 우리는 여러 다른 나라들의 전통 음식에 대해 논의했다.

→ _______________________________ in different countries.

(discussed, foods, we, traditional)

021 그녀는 한 지역 농산물 직판장에서 건강에 좋은 간식을 팔았다.

→ _______________________________ at a local farmer's market.

(snacks, sold, she, healthy)

022 소리는 공기를 통해 귀에 도달한다.

→ _______________________________ through the air.

(the ear, reaches, sound)

C 다음 우리말과 의미가 같도록 제시된 말을 사용하여 영작하시오. (단, 필요시 형태를 바꿀 것)

023 오늘, 독일인 학생 30명이 우리 학교를 방문했다.

→ ____

(visit, today, thirty, our school, German students)

024 로봇은 미리 프로그램된 기능 이상으로는 자신의 성능을 절대 개선할 수 없다.

→ ____

(improves, never, beyond, can, their performance, robots, their pre-programmed functions)

 Answers p. 41

A 다음 우리말과 의미가 같도록 〈A〉, 〈B〉, 〈C〉, 〈D〉에서 각각 알맞은 말을 골라 빈칸을 완성하시오.

〈A〉	〈B〉	〈C〉	〈D〉
my dad I my grandfather	show told bought	us me you	a guitar a funny story a magic trick

025 할아버지는 우리에게 재미있는 이야기를 해 주셨다.

_______ _______ _______ _______.

026 아빠는 어제 나에게 기타를 사 주셨다.

_______ _______ _______ _______ yesterday.

027 내가 너에게 동전으로 하는 마술 묘기를 보여 줄게.

_______'ll _______ _______ _______ with coins.

B 다음 우리말과 의미가 같도록 괄호 안의 말을 바르게 배열하여 문장을 완성하시오.

028 엄마는 나에게 자신의 쿠키 12개용 조리법을 주셨다.

→ _______ for a dozen cookies.

(me, gave, her recipe, my mom)

029 그는 아들에게 수학과 여러 언어를 가르쳤다.

→ _______.

(taught, his son, and, various languages, he, mathematics)

030 2년 반 후에, 그는 그들에게 같은 질문을 했다.

→ Two and a half years later, _______.

(them, the same question, asked, he)

C 다음 우리말과 의미가 같도록 제시된 말을 사용하여 영작하시오. (단, 필요시 형태를 바꿀 것)

031 나무는 기후에 대한 몇 가지 정보를 과학자들에게 제공해 준다.

→ _______

(give, about the climate, scientist, trees, some information)

032 어머니는 나에게 자신의 고등학교 시절 사진첩을 보여 주셨다.

→ _______

(of, the photograph album, show, her high school days, me, my mother)

문장 공식 05 S(주어) + V(동사) + O(목적어) + OC(목적격보어) | S는 O를 OC하게(라고) V하다

Answers p. 42

A 다음 우리말과 의미가 같도록 〈A〉, 〈B〉, 〈C〉, 〈D〉에서 각각 알맞은 말을 골라 빈칸을 완성하시오.

〈A〉	〈B〉	〈C〉	〈D〉
he	called	the bathroom	hero
newspaper headlines	keeps	the young man	a better person
good manners	make	you	clean

033 그는 항상 화장실을 깨끗하게 유지한다.

__________ always __________ __________ __________.

034 훌륭한 예절은 당신을 더 나은 사람으로 만든다.

__________ __________ __________ __________.

035 신문 기사 제목들은 그 청년을 '단어 철자 맞히기 대회 영웅'이라고 불렀다.

__________ __________ __________ a "spelling bee __________."

B 다음 우리말과 의미가 같도록 괄호 안의 말을 바르게 배열하여 문장을 완성하시오.

036 차 안의 무거운 침묵이 차를 타고 가는 것을 고통스럽게 만들었다.

→ __________ in the car __________.

(painful, the dead silence, the drive, made)

037 네 미소는 이웃 동네를 더 밝은 장소로 만들어 준다.

→ __________.

(makes, the neighborhood, your smile, a brighter place)

038 곧, 각 그룹은 다른 그룹을 적으로 여겼다.

→ Soon, __________.

(group, the other, considered, each, an enemy)

C 다음 우리말과 의미가 같도록 제시된 말을 사용하여 영작하시오. (단, 필요시 형태를 바꿀 것)

039 유명 브랜드들은 그들을 유명하게 만들어 주지 않을 것이다.

→ __________

(will, celebrity brands, makes, them, not, popular)

040 Mark는 살아 있으며 그 혹독한 행성에서 자신이 혼자임을 깨닫는다.

→ __________

(is, alive, on the harsh planet, find, Mark, himself, and, alone)

Unit Exercise 문장공식 01~05

Answers p. 42

• 우리말과 일치하도록 주어진 단어를 사용하여 영작하시오.

041 세계의 물의 양은 언제나 같다.

→ ______________ (S) ______ (V) always ________ (SC).

(in the world, the amount, is, water, of, the same)

042 1969년에, 그 전시회는 그에게 국제적인 인정을 받게 했다.

→ ________, ________ (S) ______ (V) ______ (IO) ________ (DO).

(international, in 1969, brought, the exhibition, recognition, him)

043 물건이 더 적으면 우리의 캠핑이 더 즐거워진다.

→ ________ (S) ________ (V) ________ (O) ________ (OC).

(makes, enjoyable, less stuff, more, our camping)

044 우리는 한 달에 두 번 우리 회원들의 집에서 책에 대해 논의한다.

→ ______ (S) ______ (V) ______ (O) ____________ ________.

(books, at our members' homes, we, twice a month, discuss)

045 너무 많은 시험은 학생들을 피곤하게 만든다.

→ ____________ (S) ______ (V) ______ (O) ______ (OC).

(too many, students, make, tired, tests)

046 그 사탕 공장은 심지어 그에게 명함을 줬다.

→ ____________ (S) ______ ______ (V) ______ (IO) ________ (DO).

(gave, the candy factory, even, a business card, him)

047 전 세계 스마트폰 평균 가격과 중국의 스마트폰 평균 가격의 차이는 2015년에 가장 작았다.

→ The gap between ________________________________ (S)

______ (V) ____________ (SC) in 2015.

(the global smartphone average price, the smallest, and, the smartphone average price in China, was)

S(주어) + V(현재형/과거형) / will + v(동사원형)

| S는 V한다(이다)/V했다(이었다)/v할 것이다(일 것이다)

Answers p. 42

A 다음 우리말과 의미가 같도록 〈A〉, 〈B〉, 〈C〉에서 각각 알맞은 말을 골라 빈칸을 완성하시오.

〈A〉	〈B〉	〈C〉
your drink these umbrellas I	took are will be	available this photo ready

048 이 우산들은 온라인에서 구할 수 있다.

_______ _______ _______ online.

049 당신의 음료는 곧 준비될 것입니다.

_______ _______ _______ in a minute.

050 나는 어제 야구 경기장에서 이 사진을 찍었다.

_______ _______ _______ yesterday at the baseball stadium.

B 다음 우리말과 의미가 같도록 괄호 안의 말을 바르게 배열하여 문장을 완성하시오.

051 Kate는 자신의 유년기의 일부를 할머니와 함께 Barbados에서 보냈다.

→ ______________________ in Barbados with her grandmother.

(spent, Kate, part of her childhood)

052 학교는 목화를 따는 시기가 끝난 후에 시작할 것이다.

→ ______________________ after the cotton-picking season.

(begin, will, the school)

053 매해 여름, 왕은 인근의 숲으로 사냥을 하러 간다.

→ Every summer, ______________________ in the nearby forests.

(hunting, the king, goes)

C 다음 우리말과 의미가 같도록 제시된 말을 사용하여 영작하시오. (단, 필요시 형태를 바꿀 것)

054 약 2500년 전, 고대 그리스의 건축가들은 태양의 자유 에너지를 사용했다.

→ ______________________

(builders, about 2,500 years ago, the sun's free energy, use, in ancient Greece)

055 이 행사의 슬로건이 매년 바뀌며, 올해는 '우리와 함께 걸어요'이다!

→ ______________________

(change, this year, *Walk with Us*, the slogan, is, for the event, it, every year, and)

S(주어) + be v-ing | S는 v하는 중이다/v하는 중이었다/v하는 중일 것이다

Answers p. 42

A 다음 우리말과 의미가 같도록 〈A〉, 〈B〉, 〈C〉에서 각각 알맞은 말을 골라 빈칸을 완성하시오.

〈A〉	〈B〉	〈C〉
a violent storm people Jimin	were taking is copying was coming	a class the sketch

056 지민이는 벽에 그 스케치를 따라 그리고 있다.

______ ______ ______ onto the wall.

057 거센 폭풍우가 북소리와 함께 오고 있었다.

______ ______ with a sound of drums.

058 사람들은 시민 회관에서 수업을 수강하고 있었다.

______ ______ ______ in the community center.

B 다음 우리말과 의미가 같도록 괄호 안의 말을 바르게 배열하여 문장을 완성하시오.

059 나는 현재 올해 경연 전시회를 위한 장소를 찾고 있다.

→ ______ for this year's contest exhibition.

(currently, a place, looking for, am, I)

060 우리의 뇌는 끊임없이 문제를 해결하고 있다.

→ ______ problems.

(are, our brains, solving, constantly)

061 Wilkinson 박사는 각 졸업생에게 금메달을 수여하고 있었다.

→ ______ to each graduate.

(giving, a gold medal, Dr. Wilkinson, was)

C 다음 우리말과 의미가 같도록 제시된 말을 사용하여 영작하시오. (단, 필요시 형태를 바꿀 것)

062 깨끗한 종이 한 장이 당신 앞에 놓여 있다.

→ ______

(lie, a clean sheet of paper, in front of you, is)

063 그녀는 손에 카메라를 들고서 남편과 손자의 사진을 찍고 있었다.

→ ______

(was, a camera, she, take, and, pictures of, holding, in her hands, her husband and grandson)

문장 공식 08 S(주어) + have p.p. | S가 ~해 왔다/~해 본 적 있다/~(완료)했다

Answers p. 43

A 다음 우리말과 의미가 같도록 〈A〉, 〈B〉, 〈C〉에서 각각 알맞은 말을 골라 빈칸을 완성하시오.

〈A〉	〈B〉	〈C〉
I Kate and Dane have you	have just created have known felt	each other a great new recipe this kind of pain

064 나는 방금 멋진 새 조리법을 만들어냈다.

________ ________ ________.

065 당신은 전에 이런 종류의 고통을 느껴 본 적이 있나요?

________ ever ________ ________ before?

066 Kate와 Dane은 5년간 서로를 알고 지내 왔다.

________ ________ ________ for five years.

B 다음 우리말과 의미가 같도록 괄호 안의 말을 바르게 배열하여 문장을 완성하시오.

067 인터넷 또한 빠르게 매우 귀중한 도구가 되었다.

→ ________ as well.

(an invaluable tool, has, the Internet, quickly, become)

068 동물들 사이의 협동은 대중 매체에서 뜨거운 주제가 되어 왔다.

→ ________ in the mass media.

(among animals, become, a hot topic, cooperation, has)

069 많은 사람들이 이웃들과 대화조차 해 본 적이 없다.

→ ________ with their neighbors.

(a conversation, have, many people, never even, had)

C 다음 우리말과 의미가 같도록 제시된 말을 사용하여 영작하시오. (단, 필요시 형태를 바꿀 것)

070 City Park 동물원은 1965년부터 여러 다양한 동물들에게 집이 되어 왔다.

→ ________

(been, home, since 1965, to many different animals, the City Park Zoo, have)

071 심리학자들은 소음의 해로운 영향에 대해 오랫동안 알아 왔다.

→ ________

(know, psychologists, of noise, have, long, about the harmful effects)

Unit Exercise 문장공식 06~08

Answers p. 43

• 우리말과 일치하도록 주어진 단어를 사용하여 영작하시오.

072 어느 날 밤 그는 만화 제작에 관한 PBS-TV 프로그램을 보고 있었다.

→ ________ ________ ________ ________.
S V O

(about cartooning, watching, one night, a PBS-TV program, was, he)

073 그들 중 아무도 지금까지 칫솔을 사용해 본 적이 없다!

→ ________ ________ ________ ________!
S V O

(until now, ever, none of them, has, a toothbrush, used)

074 역사적으로, 춤은 단결시켜 주는 강한 영향력을 공동체 생활에 미쳐 왔다.

→ ________, ________ ________ ________
S V SC

________.

(dance, on community life, historically, has, a strong, binding influence, been)

075 당신은 밤에 뒤뜰에 나가 앉아서 불을 켜 본 적이 있는가?

→ ________ ________ ________ ________ ________
S V1

________ ________ ________ ________?
V2 O

(sat, a light, you, out in a backyard, turned on, and, have, at night, ever)

076 그들은 안 좋은 날을 보내고 있으며, 실망을 표현하고 있다.

→ ________ ________ ________, ________ ________
S1 V1 O1 S2

________ ________.
V2 O2

(their disappointment, are, they, and, expressing, having, are, a bad day, they)

077 그 프로그램은 국제 학생들 사이에서 항상 큰 인기를 끌어왔다.

→ ________ ________ ________ ________.
S V SC

(been, the program, always, among international students, has, very popular)

078 그는 여기에서 랜드마크 중 몇 군데를 방문했고 건축 구조에 흥미가 생겼다.

→ ________ ________ ________ ________ ________
S V1 O

________ ________ ________.
V2 SC

(in building structures, visited, here, he, interested, has, some of the landmarks, and, become)

S(주어) + 조동사 + v(동사원형)
| S가 v할 수 있다/v일지도 모른다/v해도 좋다/v해야 한다/v하는 것이 좋다/v하곤 했다

Answers p. 43

A 다음 우리말과 의미가 같도록 〈A〉, 〈B〉, 〈C〉에서 각각 알맞은 말을 골라 빈칸을 완성하시오.

〈A〉	〈B〉	〈C〉
you the volcano you	can join on the island should submit	your homework my philosophy discussion group may erupt

079 당신은 내 철학 토론 조에 참여해도 된다.

______ ______ ______.

080 당신은 제시간에 숙제를 제출하는 것이 좋다.

______ ______ ______ on time.

081 그 섬에 있는 화산은 가까운 미래에 분출할지도 모른다.

______ ______ ______ in the near future.

B 다음 우리말과 의미가 같도록 괄호 안의 말을 바르게 배열하여 문장을 완성하시오.

082 그 프로그램은 9월 중순부터 12월 말까지 계속될지도 모른다.

→ ______ from mid-September to late December.

(might, the program, run)

083 당신은 그 문제들의 지시 사항을 주의 깊게 읽는 것이 좋다.

→ ______ carefully.

(the directions, read, you, of the questions, should)

084 화학자들은 화학 방정식들을 정확하게 써야 한다.

→ ______ correctly.

(chemical equations, have to, chemists, write)

C 다음 우리말과 의미가 같도록 제시된 말을 사용하여 영작하시오. (단, 필요시 형태를 바꿀 것)

085 오래된 흑백텔레비전들은 각 팀의 유니폼 색깔을 보여 줄 수 없었다.

→ ______

(of each team's uniform, showed, could, the old black-and-white TVs, not, the colors)

086 이모는 나를 돌봐 주시고 나에게 마술을 보여 주시곤 하셨다.

→ ______

(me, would, magic tricks, me, show, and, babysits, my aunt)

문장 공식 10 S(주어) + 조동사 + have p.p.

| S가 ~했을지도 모른다/틀림없이 ~했을 것이다/~했을 리가 없다/~했어야 했다

Answers p. 43

A 다음 우리말과 의미가 같도록 〈A〉, 〈B〉, 〈C〉에서 각각 알맞은 말을 골라 빈칸을 완성하시오.

〈A〉	〈B〉	〈C〉
you the little boy you	must have seen should've gone cannot have done	such a foolish thing something scary to the lecture

087 너는 어제 그 강의에 갔어야 했다.

________ ________ ________ yesterday.

088 그 어린 소년은 무언가 무서운 것을 봤음이 틀림없다.

________ ________ ________.

089 네가 그런 어리석은 일을 했을 리가 없다.

________ ________ ________.

B 다음 우리말과 의미가 같도록 괄호 안의 말을 바르게 배열하여 문장을 완성하시오.

090 우리는 고대 선조들의 생존 기술 중 일부를 잃어버렸을지도 모른다.

→ ________ some of our ancient ancestors' survival skills.

(have, we, lost, may)

091 Daniel은 정직한 소년이다. 그가 거짓말을 했을 리가 없다.

→ Daniel is an honest boy. ________.

(a lie, cannot, he, told, have)

092 그들 중 몇몇은 해안을 따라서 작은 배로 이동했을지도 모르지만, 많은 이들이 걸었다.

→ ________ by small boat along the coast, but many walked.

(traveled, some of them, have, may)

C 다음 우리말과 의미가 같도록 제시된 말을 사용하여 영작하시오. (단, 필요시 형태를 바꿀 것)

093 그는 계단에서 넘어져서 다리를 다쳤다. 그는 더 조심했어야 했다.

→ ________

(he, his leg, should, more careful, fell down, have, the stairs, he, be, and, hurt)

094 Henry의 아버지는 가옥 페이트공이었다. 그는 수백 채의 집을 칠했음이 틀림없다.

→ ________

(a house painter, must, hundreds of houses, paint, Henry's father, have, was, he)

Answers p. 44

• 우리말과 일치하도록 주어진 단어를 사용하여 영작하시오. (단, 필요시 형태를 바꿀 것)

095 이 이어폰을 검은색 이어폰으로 바꿔도 될까요?

→ Can ______ ______ ______ ______?
S V O

(change, I, these earphones, to black ones)

096 학생들은 우리 프로그램에 반드시 미리 등록해야 한다.

→ ______ ______ ______ ______.
S V O

(in advance, students, must, our program, sign up for)

097 훌륭한 지도자는 긍정적인 태도를 가지는 게 좋다.

→ ______ ______ ______.
S V O

(a positive attitude, have, a great leader, should)

098 그녀는 버스 정류장에서 자신의 휴대 전화를 잃어버렸음이 틀림없다.

→ ______ ______ ______ ______.
S V O

(her phone, she, must, at the bus stop, lost, have)

099 시민 회관은 지금 이용 가능할지도 모른다.

→ ______ ______ ______ ______.
S V SC

(the community center, now, may, available, be)

100 어떤 사람은 새 스마트폰을 위해 추가로 돈을 벌 수 있다.

→ ______ ______ ______ ______.
S V O

(extra money, can, for a new smartphone, someone, earn)

101 너는 그 연설문을 스스로 썼어야 했다.

→ ______ ______ ______ ______.
S V O

(on your own, written, you, the speech, should've)

문장 공식 11 S(주어) + be p.p. + by | S가 (~에 의해) p.p.되다(받다)

Answers p. 44

A 다음 우리말과 의미가 같도록 〈A〉와 〈B〉에서 각각 알맞은 말을 골라 빈칸을 완성하시오.

〈A〉	〈B〉
the dirt those pictures I	is hidden was deeply touched were not painted

102 그 그림들은 그 화가가 그리지 않았다.

__________ __________ by the artist.

103 나는 당신의 친절한 말에 깊이 감동받았다.

__________ __________ by your kind words.

104 먼지는 교복의 어두운 색에 의해 숨겨져 있다.

__________ __________ by the dark colors of the uniforms.

B 다음 우리말과 의미가 같도록 괄호 안의 말을 바르게 배열하여 문장을 완성하시오.

105 그 장은 7월에 토요일마다 열린다.

→ ______________________ every Saturday in July.

(is, the market, held)

106 이 사진은 원숭이 우리 앞에서 찍혔다.

→ ______________________ in front of the monkey cage.

(taken, was, this picture)

107 그들의 일상생활의 세부 사항들이 인터넷에 게시되었다.

→ ______________________ on the Internet.

(the details, posted, of their everyday lives, were)

C 다음 우리말과 의미가 같도록 제시된 말을 사용하여 영작하시오. (단, 필요시 형태를 바꿀 것)

108 국경 없는 의사회는 1971년에 소수의 프랑스 의사들에 의해 설립되었다.

→ ______________________

(by a small group, in 1971, found, of French doctors, was, Doctors Without Borders)

109 2009년에서 2010년 동안, 지출의 거의 40%가 대출에 의해 자금이 충당되었다.

→ ______________________

(by borrowing, be, nearly, 40 percent of the expenditures, during 2009-2010, financed)

S(주어) + be p.p. + O/C(목적어/보어) | S가 ~로(라고/하게) p.p.되다(받다)

Answers p. 44

A 다음 우리말과 의미가 같도록 〈A〉, 〈B〉, 〈C〉에서 각각 알맞은 말을 골라 빈칸을 완성하시오.

〈A〉	〈B〉	〈C〉
identical twins the residents Mae	were asked was named are given	questions the same genes the first black woman astronaut

110 일란성 쌍둥이는 똑같은 유전자를 부여받는다.

______ ______ ______.

111 Mae는 1987년에 최초의 흑인 여성 우주 비행사로 임명되었다.

______ ______ ______ in 1987.

112 거주자들은 복지에 대한 질문들을 받았다.

______ ______ ______ about welfare.

B 다음 우리말과 의미가 같도록 괄호 안의 말을 바르게 배열하여 문장을 완성하시오.

113 18세기는 식물화의 황금기로 불린다.

→ ______ of botanical painting.

(the Golden Age, called, the 18th century, is)

114 어떤 문화에서는 슬픔이 불필요한 감정으로 여겨진다.

→ ______ in some cultures.

(considered, an unnecessary emotion, is, sadness)

115 선녀는 자녀들과 하늘나라로 돌아갔고, 나무꾼은 홀로 남겨졌다.

→ ______ to heaven with her children, and ______.

(returned, the woodcutter, was, alone, the fairy, left)

C 다음 우리말과 의미가 같도록 제시된 말을 사용하여 영작하시오. (단, 필요시 형태를 바꿀 것)

116 한 그룹은 그들이 보낸 시간에 대해 후하게 보수가 지급되었지만, 다른 그룹에는 단지 적은 액수의 현금이 지급되었다.

→ One group ______.

(for their time, very well, the other, give, a small amount of cash, was paid, only, was, but)

117 그들의 실험에서, 참가자들이 다큐멘터리를 보았고 그러고 나서 그 영상에 대한 일련의 질문을 받았다.

→ In their experiment, participants ______.

(ask, about the video, were shown, a series of questions, and then, a documentary film)

문장 공식 13 S(주어)+be동사+being p.p./have been p.p./조동사+be p.p.

| S는 ~되고 있는 중이(었)다/~되어 왔다(~된 적이 있다)/~될 것이다(~될 수 있다/~되어야 한다)

Answers p. 44

A 다음 우리말과 의미가 같도록 〈A〉와 〈B〉에서 각각 알맞은 말을 골라 빈칸을 완성하시오.

〈A〉	〈B〉
one hundred people special radar systems the impact of color	are being installed will be invited has been studied

118 백 명의 사람들이 그 행사에 초대될 것이다.

__________ __________ to the event.

119 색깔의 영향은 수십 년 동안 연구되어 왔다.

__________ __________ for decades.

120 특수 레이더 시스템이 주요 공항들에 설치되고 있다.

__________ __________ at major airports.

B 다음 우리말과 의미가 같도록 괄호 안의 말을 바르게 배열하여 문장을 완성하시오.

121 도서는 대출일로부터 2주 내에 반납되어야 한다.

→ ____________________ within 2 weeks from the check-out date.

(must, books, returned, be)

122 주머니고양이의 생존이 수수두꺼비에 의해 위협받고 있었다.

→ ____________________ by the cane toad.

(threatened, was, the quoll's survival, being)

123 언어 기능들은 다른 기능들과 마찬가지로 연습을 통해서만 습득될 수 있다.

→ __________, like any other skills, __________ only through practice.

(language skills, acquired, be, can)

C 다음 우리말과 의미가 같도록 제시된 말을 사용하여 영작하시오. (단, 필요시 형태를 바꿀 것)

124 그의 가족의 다른 구성원들은 이미 병원으로 실려갔다.

→ ____________________

(to the hospital, already, other members, have, of his family, taken, be)

125 그녀의 소설 중 한 권은 80개 이상의 언어로 번역되었다.

→ ____________________

(been, into more than eighty languages, have, one of her novels, translated)

• 우리말과 일치하도록 주어진 단어를 사용하여 영작하시오. (단, 필요시 형태를 바꿀 것)

126 그녀의 어린 시절은 아버지의 역사적 지식에 크게 영향을 받았다.

→ ______ (S) ______ (V) ______.

(strongly, her early life, by her father's historical knowledge, influenced, was)

127 1849년에 그는 Queen's College 최초의 수학 교수로 임명되었다.

→ ______, ______ (S) ______ (V) ______ (C)
______.

(in 1849, he, at Queen's College, the first professor, was, of mathematics, appointed)

128 예술은 우리 주위의 모든 낡은 것들로부터 만들어질 수 있다.

→ ______ (S) ______ (V) ______ ______.

(can, around us, made, art, out of all kinds of old things, be)

129 사실, 유아기의 발달 단계에 대해 많은 연구가 이뤄져 왔다.

→ ______, ______ (S) ______ (V) ______.

(of childhood, been, much research, on the developmental stages, done, in fact, has)

130 모든 메달 수상자는 메달과 함께 월계관을 받았다.

→ ______ (S) ______ (V) ______ (O)
______.

(was, along with their medal, every medal winner, an olive wreath, given)

131 아래의 주소로 등록 신청서를 11월 28일 오후 6시까지 이메일로 보내야 한다.

→ ______ (S) ______ (V) ______ ______
______.

(registration forms, sent, to the address below, must, by email, be, by 6:00 p.m., November 28)

132 쥐는 유럽과 북아메리카의 많은 지역에서 유해 동물로 여겨지고, 인도의 일부 지역에서는 매우 중시된다.

→ ______ (S) ______ (V_1) ______ (C) ______ ______
______ (V_2) ______.

(considered, rats, in some parts of India, pests, and, in much of Europe and North America, respected, are, greatly)

v-ing + V(동사) | v-ing하는 것은 V하다

Answers p. 45

A 다음 우리말과 의미가 같도록 〈A〉, 〈B〉, 〈C〉에서 각각 알맞은 말을 골라 빈칸을 완성하시오.

〈A〉
visiting a sunflower festival
drawing pictures
preparing and eating good food

〈B〉
would be
is
is

〈C〉
one of my hobbies
the pleasure of life
nice

133 그림을 그리는 것은 내 취미 중 하나이다.

______ ______ ______.

134 해바라기 축제에 방문하는 것은 좋을 것이다.

______ ______ ______.

135 좋은 음식을 준비해서 먹는 것은 삶의 기쁨이다.

______ ______ ______.

B 다음 우리말과 의미가 같도록 괄호 안의 말을 바르게 배열하여 문장을 완성하시오.

136 학교 공부를 잘하는 것은 대부분의 학생들에게 자신감을 준다.

→ ______ in school ______.

(most students, confidence, doing, gives, well)

137 배움은 모든 사람들에게 똑같은 방식으로 일어나지 않는다.

→ ______ in the same way for all people.

(not, learning, happen, does)

138 스마트폰 없이 사는 것은 요즘 많은 사람들에게 어렵다.

→ ______ for many people these days.

(is, without smartphones, living, difficult)

C 다음 우리말과 의미가 같도록 제시된 말을 사용하여 영작하시오. (단, 필요시 형태를 바꿀 것)

139 새로운 활동으로 당신의 두뇌에 도전 의식을 북돋우는 것은 뇌세포 사이의 연결을 강화할 수 있다.

→ ______

(your brain, between brain cells, challenge, the connections, can, with new activities, strengthen)

140 갈수록 더, 컴퓨터의 도움으로 읽기와 쓰기가 전자적으로 이루어질 수 있다.

→ ______

(do electronically, be, reading and writing, of a computer, increasingly, can, with the aid)

It + V(동사) + to-v | to-v하는 것은 V하다

Answers p. 45

A 다음 우리말과 의미가 같도록 〈A〉, 〈B〉, 〈C〉에서 각각 알맞은 말을 골라 빈칸을 완성하시오.

〈A〉	〈B〉	〈C〉
impossible easy quick and easy	to satisfy to post to choose	photos a wedding ring everyone around you

141 결혼 반지를 고르는 것은 쉽지 않다.

It is not ________ ________ ________.

142 온라인으로 사진을 게시하는 것은 빠르고 쉽다.

It is ________ ________ ________ online.

143 당신 주변의 모두를 만족시키는 것은 불가능하다.

It is ________ ________ ________.

B 다음 우리말과 의미가 같도록 괄호 안의 말을 바르게 배열하여 문장을 완성하시오.

144 어려운 상황에서는 우리의 잠재력을 실현하는 것이 힘들다.

→ ________________ in difficult situations.

(to, hard, our potential, is, it, realize)

145 여러분의 반려동물의 특별한 욕구를 인식하는 것은 중요하다.

→ ________________.

(important, it, recognize, to, your pet's particular needs, is)

146 요즘에는 손 글씨로 감정을 표현하는 것이 인기 있다.

→ Nowadays, ________________ through handwriting.

(it, feelings, is, popular, express, to)

C 다음 우리말과 의미가 같도록 제시된 말을 사용하여 영작하시오. (단, 필요시 형태를 바꿀 것)

147 울거나 모든 끔찍한 감정에 대해 네 일기장에 쓰는 것은 괜찮다.

→ ________________

(in your journal, be, to, about all the horrible emotions, it, okay, fill up, cry, or, pages)

148 모르는 출처로부터 온 이메일의 첨부 문서를 열지 않는 것이 현명하다.

→ ________________

(email attachments, wise, it, not, opens, is, from an unknown source, to)

문장 공식 16 S(주어) + V(동사) + v-ing | S는 v-ing하는 것을 V하다

Answers p. 45

A 다음 우리말과 의미가 같도록 ⟨A⟩와 ⟨B⟩에서 각각 알맞은 말을 골라 빈칸을 완성하시오.

⟨A⟩	⟨B⟩
in keep consider	adopting a pet protecting animals searching for answers

149 우리는 인터넷에서 계속 답을 검색한다.

We __________ __________________ on the Internet.

150 그들은 동물을 보호하는 것에 흥미를 가지게 될 것이다.

They will become interested __________ __________________.

151 의료적 또는 행동적인 도움이 필요한 반려동물을 입양하는 것을 고려해 주세요.

__________ __________________ with medical or behavioral needs.

B 다음 우리말과 의미가 같도록 괄호 안의 말을 바르게 배열하여 문장을 완성하시오.

152 공연 날 아침에 나는 대사를 잊을까봐 걱정했다.

→ On the morning of my performance, ______________________________________.

(about, was, forgetting, I, worried, my lines)

153 민화 화가들은 수컷과 암컷 새가 함께 있는 아름다운 꽃들을 그리는 것을 즐겼다.

→ ______________________________________ with a male and a female bird.

(enjoyed, Minhwa artists, beautiful flowers, painting)

154 이야기와 기록을 결합시킴으로써, 저자는 우리의 마음과 머리 모두에게 말할 수 있다.

→ __________________________, a writer can speak to both our hearts and our heads.

(story, by, and, combining, report)

C 다음 우리말과 의미가 같도록 제시된 말을 사용하여 영작하시오. (단, 필요시 형태를 바꿀 것)

155 우리는 당신이 새 부서에서 훌륭하게 일하는 것을 보기를 기대합니다.

→ ____

(excellent work, we, see, from you, are looking forward to, in your new department)

156 그 화산은 계속 자랐고, 마침내 1952년에 424미터에서 자라는 것을 멈췄다.

→ ____

(grow, at 424 meters, the volcano, finally, in 1952, stopped, kept, and, growing, it)

Answers p. 46

A 다음 우리말과 의미가 같도록 〈A〉, 〈B〉, 〈C〉에서 각각 알맞은 말을 골라 빈칸을 완성하시오.

〈A〉	〈B〉	〈C〉
he most young designers I	like decided want	to work to take a trip to open my own donut shop

157 그는 기차로 여행을 하기로 결정했다.

_______ _______ ______________ on a train.

158 나는 나만의 도넛 가게를 열고 싶다.

_______ _______ ______________.

159 대부분의 젊은 디자이너들은 대도시에서 일하는 것을 좋아한다.

______________ _______ __________ in big cities.

B 다음 우리말과 의미가 같도록 괄호 안의 말을 바르게 배열하여 문장을 완성하시오.

160 사람들은 그를 주인이라고 부르기 시작했다.

→ ____________________________________.

(a master, call, people, to, him, began)

161 나는 그들의 노래를 자막이나 번역 없이 이해하고 싶다.

→ ____________________________ without subtitles or translations.

(understand, want, their songs, I, to)

162 아이들은 시행착오를 겪으며 독립적으로 행동하는 것을 배운다.

→ ________________________________ by trial and error.

(independently, things, do, learn, children, to)

C 다음 우리말과 의미가 같도록 제시된 말을 사용하여 영작하시오. (단, 필요시 형태를 바꿀 것)

163 그 단체는 자신들의 다음번 아프리카 방문 때 그 티셔츠들을 수송하겠다고 동의했다.

→ ____

(to Africa, the organization, transports, on their next trip, agreed, the T-shirts, to)

164 모든 포유동물은 어느 시점에는 부모를 떠나서 스스로 자립해야 한다.

→ ____

(all mammals, on their own, left, their parents, set up, at some point, need, and, to)

Unit Exercise 문장공식 14~17

Answers p. 46

• 우리말과 일치하도록 주어진 단어를 사용하여 영작하시오.

165 여러 가지 일을 동시에 하는 것은 현명하지 않다.

→ ______ ______ ______ ____________.
S V SC S′

(at once, is, unwise, do, it, several things, to)

166 십 대가 되는 것은 당신의 삶에서 매우 스트레스를 받는 시기일 수 있다.

→ ____________ ____________ ____________
S V SC

____________.

(a teenager, being, in your life, can, a very stressful time, be)

167 왼쪽 엔진은 동력을 잃기 시작하고 오른쪽 엔진은 이제 거의 멈췄다.

→ ____________ ______ ____________ ______
S1 V1 O

____________ ______ nearly ______ now.
S2 V2 SC

(dead, the right engine, losing, and, is, starts, the left engine, power)

168 나는 사람들을 돕는 것을 좋아해서 나중에 구조대원을 직업으로 가지고 싶다.

→ ______ ______ ____________ ______ ______
S V1 O1 V2

____________.
O2

(I, to, get, a job, later, as a lifeguard, like, and, helping people, hope)

169 그녀의 다리는 후들거리기 시작했으며, 그녀는 몸이 굳어지는 것을 느꼈다.

→ ____________ ______ ____________ ______ ______ ______
S1 V1 O1 S2 V2

____________ ______.
O2 OC

(felt, her legs, she, stiffen, began, her body, to shake, and)

170 그녀는 아이들을 대상으로 하는 특별한 프로그램을 돕는 것에 흥미가 있다.

→ ______ ______ ______ ____________ ____________
S V SC

______.

(is, for kids, helping, she, with special programs, in, interested)

171 몸무게를 감량하는 것은 어려울 수 있지만, 그들의 외모를 바꾸는 것은 매우 간단하다.

→ ____________ ____________ ______, ______ ____________
S1 V1 SC1 S2

______ very ______.
V2 SC2

(difficult, but, their looks, is, simple, weight, losing, can be, changing)

S(주어) + be동사 + to-v / v-ing(주격보어) | S는 to-v/v-ing하는 것이다

Answers p. 46

A 다음 우리말과 의미가 같도록 〈A〉, 〈B〉, 〈C〉에서 각각 알맞은 말을 골라 빈칸을 완성하시오.

〈A〉	〈B〉	〈C〉
war	seems	to be the world chess champion
my habit	is	avoiding eye contact
my dream	is	to be part

172 나의 습관은 눈 맞춤을 피하는 것이다.

_____ _____ _____.

173 내 꿈은 세계 체스 챔피언이 되는 것이다.

_____ _____ _____.

174 전쟁은 인류 역사의 일부인 것 같다.

_____ _____ _____ of the history of humanity.

B 다음 우리말과 의미가 같도록 괄호 안의 말을 바르게 배열하여 문장을 완성하시오.

175 가장 중요한 학급 규칙은 서로를 존중하는 것이다.

→ _____.

(each other, is, the most important, respect, classroom rule, to)

176 나의 목표는 이 지역 사회에 있는 모든 개들을 돕는 것이다.

→ _____ in this community.

(to, all dogs, my goal, help, is)

177 가장 무례한 행동 중 하나는 공공장소에서 새치기하는 것이다.

→ _____ in public places.

(cutting in line, is, of the most impolite behaviors, one)

C 다음 우리말과 의미가 같도록 제시된 말을 사용하여 영작하시오. (단, 필요시 형태를 바꿀 것)

178 적을 멸망시키는 최선의 방법은 그를(적을) 당신의 친구로 만드는 것이다.

→ _____

(an enemy, is, him, destroy, your friend, of, the best means, make, to)

179 모방은 가치 있는 실천의 전달에 핵심인 듯하다.

→ _____

(of valuable practices, imitation, to, seem, to the transmission, a key, be)

Answers p. 46

A 다음 우리말과 의미가 같도록 〈A〉, 〈B〉, 〈C〉에서 각각 알맞은 말을 골라 빈칸을 완성하시오.

〈A〉	〈B〉	〈C〉
ordered	you	to participate
encourage	the boy	to be careful
told	the dog	to get the ball

180 그 여자는 소년에게 조심하라고 말했다.

The woman ________ ________ ________.

181 Jack은 그 개에게 공을 가져오라고 명령했다.

Jack ________ ________ ________.

182 나는 정말로 당신이 이 행사에 참여할 것을 권장한다.

I really ________ ________ ________ in this event.

B 다음 우리말과 의미가 같도록 괄호 안의 말을 바르게 배열하여 문장을 완성하시오.

183 Kevin은 그 회사에게 종이 빨대를 사용하라고 요청했다.

→ ________________________________.

(asked, to, Kevin, the company, paper straws, use)

184 우리는 소포가 더 일찍 도착하기를 기대했다.

→ ________________________________ earlier.

(arrive, we, the package, to, expected)

185 지배인은 손님들에게 식당에서 너무 시끄럽게 하지 말라고 요청했다.

→ ________________________________ in the restaurant.

(guests, too much noise, make, asked, not, the manager, to)

C 다음 우리말과 의미가 같도록 제시된 말을 사용하여 영작하시오. (단, 필요시 형태를 바꿀 것)

186 나의 자원봉사 경험은 내가 세상을 다른 관점에서 바라볼 수 있게 했다.

→ ________________________________

(to, the world, enabled, from a different point of view, my volunteer experience, me, saw)

187 스트레스를 주는 사건들은 때때로 사람들이 새로운 기술을 개발하게 한다.

→ ________________________________

(sometimes force, new skills, people, developing, to, stressful events)

S(주어) + V(동사) + O(목적어) + V(목적격보어) | S는 O가 v하도록(하는 것을) V하다

Answers p. 47

A 다음 우리말과 의미가 같도록 〈A〉, 〈B〉, 〈C〉에서 각각 알맞은 말을 골라 빈칸을 완성하시오.

〈A〉	〈B〉	〈C〉
made can watch lets	them people his dog	play music stay at home sleep

188 우리는 사람들이 음악을 연주하는 것을 볼 수 있다.

We ________ ________ ________.

189 Peter는 때때로 개가 자신의 침대에서 자게 해 준다.

Peter sometimes ________ ________ ________ on his bed.

190 궂은 날씨는 그들이 온종일 집에 머물도록 만들었다. (궂은 날씨 때문에 그들은 온종일 집에 머물렀다.)

The bad weather ________ ________ ________ all day.

B 다음 우리말과 의미가 같도록 괄호 안의 말을 바르게 배열하여 문장을 완성하시오.

191 우리는 당신이 우리 회사 건물에 있는 방을 사용하게 해 줄 수 있다.

→ ________________ in our company's building.

(a room, can, you, we, use, let)

192 그 곡예사들은 많은 접시들이 가는 막대들 위에서 회전하게 했다.

→ ________________ on thin sticks.

(many plates, made, the performers, spin around)

193 무기물과 비타민이 풍부한 그들의 식습관은 그들이 건강한 치아를 가지는 데 도움이 되었다.

→ ________________.

(helped, healthy teeth, their mineral and vitamin-rich diet, have, them)

C 다음 우리말과 의미가 같도록 제시된 말을 사용하여 영작하시오. (단, 필요시 형태를 바꿀 것)

194 나는 곧 회복할 것이고 완전히 건강한 상태에서 네가 언젠가 챔피언이 되는 것을 볼 것이다.

→ ________________

(recover soon, champion, in perfect health, see, one day, you, will, and, I, became)

195 20세기 초 대단한 경영인인 Andrew Carnegie가 한번은 자신의 누이가 두 아들에 대해 불평하는 것을 들었다.

→ ________________

(once heard, Andrew Carnegie, about her two sons, complains, the great early-twentieth-century businessman, his sister)

문장 공식 21 **S**(주어) + **V**(동사) + **O**(목적어) + **v-ing / p.p.**(목적격보어)

| S는 O가 v-ing하고 있는 것을(하도록)/p.p.되는 것을(되도록) V하다

Answers p. 47

A 다음 우리말과 의미가 같도록 〈A〉, 〈B〉, 〈C〉에서 각각 알맞은 말을 골라 빈칸을 완성하시오.

〈A〉	〈B〉
had felt heard	my name something her bike

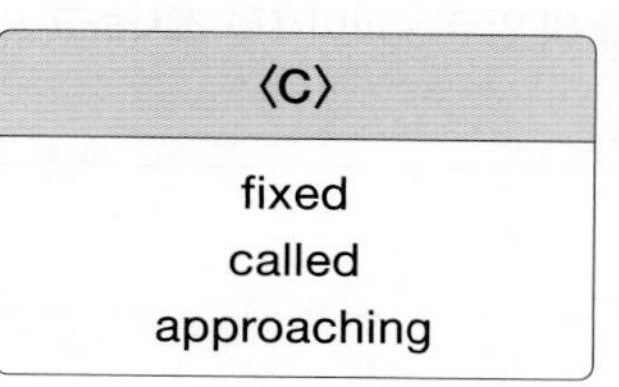

〈C〉
fixed called approaching

196 나는 무언가가 내 뒤에서 다가오고 있는 것을 느꼈다.

I ________ ________ ________ from my back.

197 Emily는 자신의 자전거를 그 가게에서 수리하게 했다.

Emily ________ ________ ________ at the shop.

198 나는 내 이름이 흥분에 찬 목소리로 불리는 것을 들었다.

I ________ ________ ________ in excitement.

B 다음 우리말과 의미가 같도록 괄호 안의 말을 바르게 배열하여 문장을 완성하시오.

199 Susan은 자신의 지갑이 식탁 위에 놓여 있는 것을 보았다.

→ ________________________________ on the table.

(her purse, saw, left, Susan)

200 Amy는 종이 지하실로부터 시끄럽게 울리고 있는 것을 들었다.

→ ________________________________ from the basement.

(noisily, Amy, the bell, heard, ringing)

201 경찰관은 한 어린 소년이 길에서 울고 있는 것을 보았다.

→ ________________________________ on the street.

(a police officer, a little boy, saw, crying)

C 다음 우리말과 의미가 같도록 제시된 말을 사용하여 영작하시오. (단, 필요시 형태를 바꿀 것)

202 나는 내 자신이 매일 적은 양의 음식을 먹고 사는 것을 상상할 수 없다.

→ ________________________________

(live on, cannot, every day, I, a small amount of food, myself, imagine)

203 내 여동생들은 자신들의 양말이 선물들로 채워져 있는 것을 알아챘다.

→ ________________________________

(noticed, with presents, my sisters, fill, their stockings)

Answers p. 47

• 우리말과 일치하도록 주어진 단어를 사용하여 영작하시오.

204 그들의 임무는 파이프를 조사하고 새는 곳을 고치는 것이었다.

→ ________ (S) ________ (V) ________ (SC1) ________

________ (SC2).

(into the pipe, their job, was, the leak, look, fix, and, to)

205 사냥꾼은 숲 속에서 누군가가 자신을 따라오는 것을 느꼈다.

→ ________ (S) ________ (V) ________ (O) ________ (OC) ________.

(someone, felt, in the woods, follow, the hunter, him)

206 바른 예의는 당신이 다른 사람들과 더 나은 관계를 갖도록 도울 수 있다.

→ ________ (S) ________ (V) ________ (O) ________ (OC)

________.

(can, with other people, help, better relationships, you, good manners, have)

207 지나친 운동은 Jenny가 피곤함을 느끼게 했다. (지나친 운동으로 Jenny는 피곤해졌다.)

→ ________ (S) ________ (V) ________ (O) ________ (OC).

(made, tired, Jenny, too much exercise, feel)

208 Baker 선생님은 종종 학생들을 집에 일찍 가게 하신다.

→ ________ (S) often ________ (V) ________ (O) ________ (OC)

________.

(early, Mr. Baker, home, lets, his students, go)

209 그는 군중 속에서 자신의 예전 별명이 불리는 것을 들었다.

→ ________ (S) ________ (V) ________ (O) ________ (OC) ________.

(he, called, among the crowd, his old nickname, heard)

210 미술관은 우리가 예술 작품을 다른 방식들로 보게 한다.

→ ________ (S) ________ (V) ________ (O) ________ (OC)

________.

(allow, art museums, in different ways, works of art, us, see, to)

문장 공식 22 S(주어) + V(동사) + N(명사) + to-v | S는 to-v할 N을 V하다

Answers p. 47

A 다음 우리말과 의미가 같도록 〈A〉, 〈B〉, 〈C〉에서 각각 알맞은 말을 골라 빈칸을 완성하시오.

〈A〉	〈B〉	〈C〉
is had didn't have	a chance the easiest way something important	to talk about to keep ourselves fit to watch the movie

211 그는 그 영화를 볼 기회가 없었다.

He ____________ ____________ ____________.

212 Joe에게는 뭔가 중요한 이야기가 있었다.

Joe ____________ ____________ ____________.

213 걷는 것이 건강을 유지하는 가장 수월한 방법이다.

Walking ____________ ____________ ____________.

B 다음 우리말과 의미가 같도록 괄호 안의 말을 바르게 배열하여 문장을 완성하시오.

214 세계 지도자들은 우리의 환경을 보호할 비전을 가져야 한다.

→ ____.

(the vision, our environment, have, to, world leaders, protect, should)

215 돈을 벌고자 하는 욕구는 우리에게 도전 정신을 심어 주고 영감을 준다.

→ ____.

(to, us, the desire, and, inspires, make, challenges, money)

216 소녀들과 소년들은 앉을 장소를 찾고 이야기를 나누기 시작했다.

→ ________________________________ and started chatting.

(found, to, the girls and boys, sit down, a place)

C 다음 우리말과 의미가 같도록 제시된 말을 사용하여 영작하시오. (단, 필요시 형태를 바꿀 것)

217 식품 라벨은 식품에 관한 정보를 알아내는 좋은 방법이다.

→ ____

(a good way, the information, finding, food labels, about the foods, to, are)

218 선물은 건전지 한 묶음이었고, 나에게는 그것과 함께 사용할 것이 아무것도 없었다!

→ ____

(used, was, a pack of batteries, with, nothing, and, to, the gift, had, them, I)

문장 공식 23 N(명사) + v-ing / p.p. + V(동사) | v-ing하는/p.p.되는 N은 V하다

Answers p. 48

A 다음 우리말과 의미가 같도록 〈A〉와 〈B〉에서 각각 알맞은 말을 골라 빈칸을 완성하시오.

〈A〉
the shop the amount of oil a present

〈B〉
wrapped in a colorful paper selling toy cars produced by this region

219 장난감 자동차를 파는 그 가게는 인기 있어졌다.

__________ __________ became popular.

220 나는 다채로운 색의 종이로 포장된 선물을 받았다.

I received __________ __________.

221 이 지역에서 생산되는 기름의 양은 감소하고 있다.

__________ __________ is decreasing.

B 다음 우리말과 의미가 같도록 괄호 안의 말을 바르게 배열하여 문장을 완성하시오.

222 고모는 오래된 사진들이 많이 들어 있는 무거운 상자를 치우셨다.

→ ____.

(a heavy box, removed, many old pictures, my aunt, containing)

223 머그잔 그림이 보이는 깃발을 단 자전거가 울타리에 기대어 세워져 있다.

→ ____ against the fence.

(leaning, with a flag, an image, a bicycle, of a mug, is, showing)

224 Park Avenue에서 발견된 작은 가방이 주인에게 반환되었다.

→ ____ to its owner.

(found, a small bag, was, in Park Avenue, returned)

C 다음 우리말과 의미가 같도록 제시된 말을 사용하여 영작하시오. (단, 필요시 형태를 바꿀 것)

225 매년 아프리카와 아시아에 사는 사람들의 수는 증가한다.

→ ____

(in Africa and Asia, every year, live, the number of people, increases)

226 최초의 수중 사진은 William Thompson이라는 한 영국인에 의해 촬영되었다.

→ ____

(William Thompson, naming, taken, the first underwater photographs, by an Englishman, were)

Unit Exercise 문장공식 22~23

Answers p. 48

• 우리말과 일치하도록 주어진 단어를 사용하여 영작하시오.

227 저녁 식사에 초대 받은 남자들은 정장과 넥타이를 착용해야 한다.

→ ________ (S) ________ ________ (V) ________ (O).

(suits and ties, wear, the men, invited, should, to dinner)

228 당신의 한국어 쓰기 실력을 향상시킬 수 있는 이 좋은 기회를 놓치지 마라.

→ ________ (V) ________ (O) ________.

(miss, improve, this great opportunity, to, don't, your Korean writing)

229 그 집은 흰 천으로 덮인 오래된 가구들로 가득 차 있었다.

→ ________ (S) ________ (V) ________ (SC) ________ ________.

(the house, with white cloths, of old furniture, was, covered, full)

230 숙제는 학생들에게 깊이 생각할 수 있는 많은 시간을 준다.

→ ________ (S) ________ (V) ________ (IO) ________ (DO) ________.

(gives, homework, to, plenty of time, think deeply, students)

231 Joe는 언덕 꼭대기에 위치한 아름다운 집을 방문했다.

→ ________ (S) ________ (V) ________ (O) ________.

(a beautiful house, located, Joe, at the top, of the hill, visited)

232 나는 나뭇가지 사이에서 움직이는 토종의 새들에게 매혹되었다.

→ ________ (S) ________ (V) ________ ________.

(I, among the branches, charmed, moving, was, by the native birds)

233 부모와 그들의 자녀는 어떤 식당도 자유롭게 들어갈 권리가 있다.

→ ________ (S) ________ (V) ________ (O) ________.

(have, any restaurant, the right, freely, enter, parents and their children, to)

S(주어) + V(동사) ~ + to-v | S가 to-v하기 위해(해서) (결국) V하다

Answers p. 48

A 다음 우리말과 의미가 같도록 〈A〉, 〈B〉, 〈C〉에서 각각 알맞은 말을 골라 빈칸을 완성하시오.

〈A〉	〈B〉	〈C〉
recorded had to travel was	happy her voice to find more food	to send each of them a gift to help the blind

234 그들은 더 많은 음식을 찾기 위해 이동해야 했다.

They ____________ ____________.

235 그는 그들 각자에게 선물을 보내서 기뻤다.

He ________ ________ ____________.

236 유빈이는 시각 장애인들을 돕기 위해 자신의 목소리를 녹음했다.

Yubin ________ ________ ____________.

B 다음 우리말과 의미가 같도록 괄호 안의 말을 바르게 배열하여 문장을 완성하시오.

237 우리는 서로를 더 잘 이해하기 위해 대화를 나눠야 한다.

→ ________________________________.

(to, need, one another, talk, we, to, better, understand)

238 Jessica는 고객을 태우기 위해 공항에 갔다.

→ ________________________________.

(a client, to the airport, pick up, Jessica, went, to)

239 운동하는 동안 편안함을 제공하기 위해 의류가 비쌀 필요는 없다.

→ ________________________ during exercise.

(expensive, provide, doesn't have to, be, comfort, clothing, to)

C 다음 우리말과 의미가 같도록 제시된 말을 사용하여 영작하시오. (단, 필요시 형태를 바꿀 것)

240 그는 사무실에서 감정을 억눌렀지만 결국 집에서 그의 배우자와 다퉜다.

→ ________________________________

(suppressed, his feelings, he, with his spouse, at the office, to, fighting, only, at home)

241 필요한 영양분을 얻으려면, 당신은 반드시 음식 선택의 균형을 맞춰야 한다.

→ ________________________________

(must, the necessary nutrients, getting, your food choices, you, to, balance)

Answers p. 48

A 다음 우리말과 의미가 같도록 〈A〉, 〈B〉, 〈C〉에서 각각 알맞은 말을 골라 빈칸을 완성하시오.

〈A〉	〈B〉	〈C〉
is was was	too short big enough easy	to see to carry ten books to reach the top shelf

242 그 득점판은 내 자리에서 잘 보였다.

The scoreboard __________ __________ ______________ from my seat.

243 나는 꼭대기 선반에 닿기엔 키가 너무 작았다.

I __________ __________ ______________.

244 이 가방은 열 권의 책을 가지고 다닐 수 있을 정도로 충분히 크다.

This bag __________ __________ ______________.

B 다음 우리말과 의미가 같도록 괄호 안의 말을 바르게 배열하여 문장을 완성하시오.

245 수천 년 동안 지방이 있는 음식은 구하기 어려웠다.

→ ______________________________ for thousands of years.

(was, to get, hard, with fat, food)

246 Eric은 어려운 수학 문제를 풀 수 있을 정도로 충분히 똑똑하다.

→ ______________________________.

(difficult math problems, is, enough, Eric, to, solve, smart)

247 책 한 권을 쓰는 것은 너무 오래 걸릴 것이다. (책 한 권을 쓰는 것은 너무 오래 걸려서 쓸 수 없을 것이다.)

→ ______________________________.

(take, write, it, too, would, long, to, a book)

C 다음 우리말과 의미가 같도록 제시된 말을 사용하여 영작하시오. (단, 필요시 형태를 바꿀 것)

248 그는 위험에 빠진 소녀를 구할 만큼 충분히 용감했다.

→ ______________________________

(a girl, enough, saving, he, in danger, bold, was, to)

249 그 아기 펭귄은 아빠의 발 위에 앉기에 너무 클 것이다. (그 아기 펭귄은 너무 커서 아빠의 발 위에 앉을 수 없을 것이다.)

→ ______________________________

(too, sits, the baby penguin, to, on its father's feet, be, big, will)

It + be동사 + 형용사 + for/of O' + to-v | O'가 to-v하는 (것은) ~이다

Answers p. 49

A 다음 우리말과 의미가 같도록 〈A〉, 〈B〉, 〈C〉에서 각각 알맞은 말을 골라 빈칸을 완성하시오.

〈A〉	〈B〉	〈C〉
important	for us	to drop off garbage
no place	for us	to manage time
easy	for you	to choose the best idea

250 우리가 최고의 아이디어를 고르는 것은 쉬웠다.

It was ________ ________ ________.

251 당신이 쓰레기를 버릴 장소는 없다.

There is ________ ________ ________.

252 우리가 시간을 효과적으로 관리하는 것은 중요하다.

It is ________ ________ ________ effectively.

B 다음 우리말과 의미가 같도록 괄호 안의 말을 바르게 배열하여 문장을 완성하시오.

253 그가 같은 실수를 두 번 하는 것은 어리석다.

→ ________ twice.

(to, make, foolish, the same mistake, is, it, of him)

254 발표자가 자신의 대본을 암기하는 것은 중요하다.

→ ________.

(is, to, memorize, important, for the speaker, it, his or her script)

255 '쓰레기 없는 날'은 네가 네 다락을 깨끗하게 치울 기회이다.

→ ________.

(an opportunity, Zero Waste Day, is, to, clean out, for you, your attic)

C 다음 우리말과 의미가 같도록 제시된 말을 사용하여 영작하시오. (단, 필요시 형태를 바꿀 것)

256 그 프로그램은 우리 학생들이 새로운 것을 경험할 훌륭한 기회가 될 것이다.

→ ________

(a great opportunity, experiencing, will, to, the program, for our students, something new, be)

257 부모가 자녀들을 위험한 것들로부터 보호하는 것은 당연하다.

→ ________

(natural, is, their children, it, from dangerous things, to, for parents, protected)

A 다음 우리말과 의미가 같도록 〈A〉, 〈B〉, 〈C〉에서 각각 알맞은 말을 골라 빈칸을 완성하시오.

〈A〉	〈B〉	〈C〉
walking along the street did having no money	can't buy saw my math homework	a man anything listening to classical music

258 그들은 돈이 없기 때문에 아무것도 살 수 없다.

________________, they __________ __________.

259 나는 고전 음악을 들으면서 수학 숙제를 했다.

I __________ ________________, ________________.

260 나는 길을 따라 걷다가 개 5마리와 있는 한 남자를 봤다.

________________, I __________ ________________ with five dogs.

B 다음 우리말과 의미가 같도록 괄호 안의 말을 바르게 배열하여 문장을 완성하시오.

261 봄이 되면 암컷 곤충들은 먹이를 찾아 날아 다니며 슬슬 활동을 시작한다.

→ In spring, ________________________________.

(become, the female insects, flying around, active, looking for food)

262 그녀는 친구들에게 둘러싸여 승리를 즐겼다.

→ ________________________________.

(her victory, she, by her friends, enjoyed, surrounded)

263 아침마다 왕은 궁에서 나와 자신의 국민들에게 인사를 했다.

→ Each morning, ________________________________.

(from the palace, came, his people, greeting, the king)

C 다음 우리말과 의미가 같도록 제시된 말을 사용하여 영작하시오. (단, 필요시 형태를 바꿀 것)

264 햇살은 숲을 밝게 채우며 나무들의 잎사귀를 통해 빛을 비춘다.

→ ________________________________

(through the leaves, filled, the forest, with brightness, shines, of the trees, the sunlight)

265 가정에서 개인 교사들에 의해 교육을 받은 그녀는 일찍이 독서와 글쓰기를 즐겼다.

→ ________________________________

(educating, reading and writing, at home, she, by private tutors, early on, enjoyed)

Answers p. 49

• 우리말과 일치하도록 주어진 단어를 사용하여 영작하시오.

266 우리는 요리에 속도를 내기 위해 더 열심히 연습해야 한다.

→ ______ ______ ______ ______ ______.
S V O

(we, our cooking, harder, speed up, need, to, practice, to)

267 그들은 나에게 자신들이 달성한 것에 대해 신이 나서 말했다.

→ ______ ______ ______ ______ ______
S V SC

______.

(they, about their achievements, were excited, me, to tell)

268 우리는 많은 상과 트로피를 받아서 학교에서 유명하다.

→ ______ ______ ______ ______, ______.
S V SC 분사구문

(famous, winning, are, in our school, a lot of awards and trophies, we)

269 전 세계 사람들은 자신들을 표현하기 위해 춤을 사용한다.

→ ______ ______ ______ ______.
S V O

(dance, use, people, themselves, to, around the world, express)

270 그녀가 줄기와 잎이 있는 꽃을 그리는 데 약 5개월이 걸렸다.

→ ______ ______ ______ ______
S V O 의미상 주어

______ ______.
S′

(for her, about five months, it, a flower, paint, took, with a stem and leaves, to)

271 그녀는 야생화의 향기를 맡으며 풀밭으로 얼굴을 내밀었다.

→ ______ ______ ______ ______,
S V O

______.
분사구문

(she, smelling, her face, pushed, from the wildflowers, into the grass, the scent)

272 사무실에 개를 데리고 있는 것은 스트레스를 경감시켰으며 주변의 모든 사람들을 더 행복하게 했기 때문에 긍정적인 효과가 있었다.

→ ______ ______ ______,
S V O

______.
분사구문

(a dog, happier, having, and, a positive effect, everyone around, relieving, making, in the office, stress, had)

문장 공식 28 S(주어) + V(동사) + N(명사) + 관계대명사절 | S가 ~하는 N을 V하다

Answers p. 49

A 다음 우리말과 의미가 같도록 〈A〉, 〈B〉, 〈C〉에서 각각 알맞은 말을 골라 빈칸을 완성하시오.

〈A〉	〈B〉	〈C〉
is	a singer	who my friends love
want	a great story	that gave hope to many people
is	a robot	which can clean my room

273 나는 내 방을 청소해 줄 수 있는 로봇을 원한다.

I ________ ______________ ____________________.

274 Max는 내 친구들이 사랑하는 가수이다.

Max ________ ______________ ____________________.

275 이것은 많은 사람들에게 희망을 준 멋진 이야기이다.

This ________ ______________ ____________________.

B 다음 우리말과 의미가 같도록 괄호 안의 말을 바르게 배열하여 문장을 완성하시오.

276 메뉴판에서 네가 원하는 음료수를 선택해라.

→ ____.

(the drink, from the menu, choose, want, you)

277 내가 켤 수 있는 전등 스위치가 있었다.

→ ____.

(was, that, a light switch, turn on, there, could, I)

278 상어는 수영을 빠르게 하도록 하는 특별한 피부를 가지고 있다.

→ ____.

(special skin, have, fast, sharks, them, makes, that, swim)

C 다음 우리말과 의미가 같도록 제시된 말을 사용하여 영작하시오. (단, 필요시 형태를 바꿀 것)

279 습관은 우리가 목표를 향하도록 도와주는 충실한 친구이다.

→ ____

(a faithful friend, help, toward our goal, is, us, a habit, who)

280 당신이 하는 어떤 활동도 위험이나 부상의 가능성이 조금은 있다.

→ ____

(have, any activity, you, some risk, which, or chance of injury, do)

문장 공식 29 S + V~ + 부사절 접속사 + S' + V'

| S'가 V'할 때/V'하기 때문에/V'하면/V'이지만, S는 V하다

Answers p. 50

A 다음 우리말과 의미가 같도록 〈A〉, 〈B〉, 〈C〉에서 각각 알맞은 말을 골라 빈칸을 완성하시오.

〈A〉	〈B〉	〈C〉
because	he	walked
as	his bike	are
while	we	had

281 그는 자신의 자전거 타이어가 펑크 났기 때문에 늦었다.

He was late ________ ________ ________ a flat tire.

282 우리가 집을 비운 동안 Billy는 우리 집에서 머물 것이다.

Billy is going to stay in our house ________ ________ ________ away.

283 그가 마이크로 걸어갔을 때 그의 무릎은 후들거리고 있었다.

His knees were shaking ________ ________ ________ to the microphone.

B 다음 우리말과 의미가 같도록 괄호 안의 말을 바르게 배열하여 문장을 완성하시오.

284 질문을 하지 않는다면 당신은 절대 매우 많이 배울 수 없다.

→ You can never learn very much ____________________.

(not, if, questions, you, do, ask)

285 그녀는 도시 생활에 지쳐서 시골로 다시 돌아갔다.

→ ____________________, she went back to the country.

(she, tired, from her city life, as, was)

286 그녀는 키가 120cm 미만이었기 때문에 그 놀이기구를 탈 수 없었다.

→ ____________________, she could not get on the ride.

(under 120 cm, was, since, her height)

C 다음 우리말과 의미가 같도록 제시된 말을 사용하여 영작하시오. (단, 필요시 형태를 바꿀 것)

287 당신이 실패에 기꺼이 맞서지 않는다면 승자가 될 수 없다.

→ ____________________

(a winner, unless, willing to, you, facing, be, can't, failure, you're)

288 나와 함께 축하할 사람이 주위에 아무도 없었지만, 그건 문제가 되지 않았다.

→ ____________________

(didn't matter, around, is, with me, it, even though, to, celebrate, no one)

S(주어) + V(동사) + that(명사절 접속사) + S′(주어) + V′(동사)

| S는 S′가 V′라는 것을 V하다

Answers p. 50

A 다음 우리말과 의미가 같도록 <A>, <B>, <C>에서 각각 알맞은 말을 골라 빈칸을 완성하시오.

<A>	<B>	<C>
some animals the Earth Susan	doesn't remember goes can use	around the sun tools me

289 모두가 지구가 태양의 주위를 돈다는 것을 알고 있다.

Everyone knows that ________ ________ ________.

290 어떤 동물들은 도구를 사용할 수 있다는 것은 흥미롭다.

It is interesting that ________ ________ ________.

291 Susan이 나를 기억하지 못하는 것은 이상하다.

It is strange that ________ ________ ________.

B 다음 우리말과 의미가 같도록 괄호 안의 말을 바르게 배열하여 문장을 완성하시오.

292 일부 학생들은 역사는 지루하고 쓸모없다고 불평한다.

→ ________________________.

(complain, is, some students, history, and worthless, that, boring)

293 사람들은 그녀가 자선 단체에 많은 돈을 줬다고 말했다.

→ ________________________ to charity.

(said, a lot of money, she, people, that, gave)

294 물을 많이 마시는 것이 피부에 좋다고 흔히 생각되어진다.

→ ________________________ for skin.

(commonly thought, is, lots of water, it, good, that, drinking, is)

C 다음 우리말과 의미가 같도록 제시된 말을 사용하여 영작하시오. (단, 필요시 형태를 바꿀 것)

295 경찰관이 되려면 신체적으로 강해야 한다고 나는 들었다.

→ ________________________

(that, hear, to, be, a police officer, physically, need, you, be, I, strong, to)

296 여러분은 나라마다 문화 차이가 있다는 것을 기억하는 것이 좋다.

→ ________________________

(cultural differences, be, that, from country to country, should, you, remember, there)

Unit Exercise 문장공식 28~30

Answers p. 50

• 우리말과 일치하도록 주어진 단어를 사용하여 영작하시오.

297 어떤 국가들은 매우 독특한 법을 가지고 있다.

→ ________ ________ ________ ________________.
S V O 관계대명사절

(laws, that, some countries, unusual, have, are, very)

298 Shakespeare가 언제나 혼자 집필한 것은 아니었다고 보통 여겨진다.

→ ________ ________________ ________________.
S V S′ (명사절)

(often believed, is, alone, always write, it, not, Shakespeare, did, that)

299 나는 기차역으로 걸어가면서 등에 따뜻한 햇살이 닿는 것을 느꼈다.

→ ________________, ________ ________ ________________
부사절 S V O

________________.

(on my back, I, to the train station, walked, the warm sun, felt, I, as)

300 그 연구는 개가 인간의 말을 이해할 수 있다고 보고한다.

→ ________ ________ ________________.
S V O (명사절)

(the human words, reports, can, that, the research, dogs, understand)

301 태양은 우리가 사물을 볼 수 있도록 도와주므로 정말 중요하다.

→ ________ ________ really ________ ________________.
S V SC 부사절

(things, important, see, the sun, helps, us, is, because, it, to)

302 학교에서 당신의 말을 들어 주는 누군가가 있는 것은 정말 도움이 될 수 있다.

→ ________ ________________ ________________.
S 관계대명사절 V

(really, listens, help, who, at school, someone, to you, can, having)

303 그녀의 연구는 우정과 건강 사이에 중요한 관계가 있다는 것을 보여 준다.

→ ________ ________ ________________.
S V O (명사절)

(her study, between friendships and health, is, there, shows, an important relationship, that)

공식으로 통하는
문장독해 기본

Twin Workbook

공식으로 통하는 문장독해

공식으로 통하는
문장독해 기본

문장공식
비법노트

문장공식
비법노트

실력 도약의 발판이 되는 구문 비법노트

PART 1 기본 문장과 동사

Unit 1 문장의 기본 구조

문장공식 01 주어와 동사로 이루어진 문장 (1형식) pp. 14~15

S가 V하다 (M)

✔ QUICK QUIZ

(1) The snow(S(주어)) stopped(V(동사)).
눈이 / 멈췄다

| 해석 | 눈이 그쳤다.

(2) John(S(주어)) speaks(V(동사)) (very slowly).
John은 / 말한다 / 매우 천천히

| 해석 | John은 매우 천천히 말한다.

기출로 Practice

A

001 My grandmother(S) smiled(V).
우리 할머니가 / 미소를 지으셨다

| 해석 | 우리 할머니가 미소를 지으셨다.

002 I(S) slept(V) (without a pillow).
나는 / 잤다 / 베개 없이

| 해석 | 나는 베개 없이 잤다.

| 해설 | without a pillow는 전치사구이다.

003 There is(V) good news(S) (for music lovers).
있다 / 좋은 소식이 / 음악 애호가들에게

| 해석 | 음악 애호가들에게 좋은 소식이 있다.

| 해설 | for music lovers는 전치사구이다.

004 (On that night), the pain(S) (in my left shoulder) started(V).
그날 밤에 / 통증이 / 내 왼쪽 어깨의 / 시작되었다

| 해석 | 그날 밤에 내 왼쪽 어깨의 통증이 시작되었다.

| 해설 | 주어와 동사 사이에 전치사구(in my left shoulder)가 들어가서 주어를 수식하는 문장이다. 동사는 주어의 핵심 명사(the pain)에 일치시킨다.

B

005 POP QUIZ! 아래 문장성분 표시 참고

The global smartphone average price(S) decreased(V) (from 2010 to 2015).
전 세계 스마트폰 평균 가격은 / 하락했다 / 2010년부터 2015년까지

| 해석 | 전 세계 스마트폰 평균 가격은 2010년부터 2015년까지 하락했다.

| 해설 | The global smartphone average price는 주어가 긴 경우이고 동사는 decreased이다. from 2010 to 2015는 시간을 나타내는 부사 역할을 하는 전치사구이다.

006 CHOOSE! event

The event(S) ends(V) (with an exhibition 〈of student works〉).
그 행사는 / 끝난다 / 전시와 함께 / 학생 작품의

| 해석 | 그 행사는 학생 작품 전시와 함께 끝난다.

| 해설 | 주어(The event)가 3인칭 단수이므로 동사원형에 -s를 붙인 형태를 쓴다. 전치사구 of student works는 명사(an exhibition)를 뒤에서 꾸며 주는 형용사 역할의 수식어구이고, with an exhibition 이하는 동사를 꾸며 주는 부사 역할을 한다.

007 A guitar case(S_1) is(V_1) (on the bench) // and a donation box(S_2) is(V_2) (under it).
기타 보관함이 / 있다 / 벤치 위에 / 그리고 / 모금함이 / 있다 / 그것 아래에

| 해석 | 기타 보관함이 벤치 위에 있고 모금함이 그 아래에 있다.

| 해설 | 「주어+동사+수식어구」로 이루어진 두 개의 문장이 등위접속사 and로 연결되어 있는 문장이다. 각 주어(A guitar case, a donation box)는 3인칭 단수이므로 be동사 is를 사용하는 것이 알맞다.

008 Mary Cassatt and her family(S) traveled(V) (throughout Europe) (in her childhood).
Mary Cassatt과 그녀의 가족은 / 여행했다 / 유럽 전역으로 / 그녀의 어린 시절에

| 해석 | Mary Cassatt과 그녀의 가족은 그녀의 어린 시절에 유럽 전역을 여행했다.

| 해설 | throughout Europe은 범위를 나타내는 전치사구, in her childhood는 시기를 나타내는 전치사구이며, 두 수식어구를 각각 괄호로 묶으면 주어와 동사로만 이루어진 문장임을 쉽게 파악할 수 있다.

문장공식 02 주격보어가 쓰인 문장 (2형식) pp. 16-17

S가 V하다 SC하게

✔ QUICK QUIZ

(1) I(S 주어, 나는) felt(V 동사, 느꼈다) happy(SC 주격보어, 행복하게). (V)

| 해석 | 나는 행복했다.

(2) He(S 주어, 그는) runs(V 동사, 달린다) (at the park)(공원에서).

| 해석 | 그는 공원에서 달린다.

기출로 Practice

A

009 The story(S, 그 이야기는) sounds(V, 들린다) very strange(SC, 매우 이상하게).

| 해석 | 그 이야기는 매우 이상하게 들린다.

| 해설 | 감각동사(sounds) 뒤에는 형용사(strange)가 주격보어로 쓰인다.

010 Your students(S, 당신의 학생들은) were(V, ~이었다) a wonderful audience(SC, 훌륭한 청중). (S = SC)

| 해석 | 당신의 학생들은 훌륭한 청중이었다.

| 해설 | be동사 뒤에 명사(a wonderful audience)가 주격보어로 쓰여 '당신의 학생들=훌륭한 청중'의 의미를 나타낸다.

011 The veterinarian(S, 그 수의사는) seemed(V, ~인 것 같았다) surprised(SC, 놀란) (at the robot animal)(그 로봇 동물에).

| 해석 | 그 수의사는 그 로봇 동물에 놀란 것 같았다.

| 해설 | 「seem+형용사」는 '~인 것 같다'라는 의미이다.

VOCA TIP vet(erinarian)

veterinarian은 '수의사'라는 뜻이고, vet도 같은 의미를 나타낸다. 이처럼 단어의 일부분을 제거함으로써 같은 의미를 지니는 새로운 단어가 만들어지기도 한다. 이러한 단어의 예시로는 app(lication), ad(vertisement), (in)flu(enza), math(ematics), lab(oratory) 등이 있다.

012 School uniforms(S, 교복은) are not(V, ~이 아니다) very comfortable(SC, 매우 편한) (for outdoor activities)(야외 활동에).

| 해석 | 교복은 야외 활동에 매우 편하지 않다.

| 해설 | be동사가 있는 문장의 부정형은 「be동사+not」으로 나타내며 '~가 아니다'라는 의미이다. for outdoor activities는 수식어로, '용도'를 나타내는 전치사구이다.

B

013 The round clock(S, 그 원형 시계는) looks(V, 보인다) simple and modern(SC, 단순하고 현대적인).

| 해석 | 그 원형 시계는 단순하고 현대적으로 보인다.

| 해설 | 「look+형용사」는 '~하게 보이다'라는 의미이다.
두 개의 형용사 simple과 modern이 등위접속사 and로 연결되어 주격보어 역할을 한다.

014 CHOOSE! are

The benefits(S, 장점들은) (of a morning walk)(아침 산책의) are(V, ~이다) numerous(SC, 많은).

| 해석 | 아침 산책의 장점은 많다.

| 해설 | of a morning walk는 주어의 '핵심 명사'인 The benefits를 뒤에서 수식하는 전치사구이며, 동사는 주어의 핵심 명사(The benefits)에 수를 일치시켜야 하므로 are가 쓰이는 것이 알맞다.

015 POP QUIZ! 아래 문장성분 표시 참고

Many things(S, 많은 것들이) can go(V, ~될 수 있다) wrong(SC, 잘못된) (in the future)(미래에는).

| 해석 | 많은 것들이 미래에는 잘못될 수 있다.

| 해설 | 「go+형용사 주격보어」는 '~해지다'라는 의미를 나타낸다. 보어 자리에는 부사가 올 수 없으며, 우리말 해석이 '~하게'로 된다고 하더라도 형용사를 써야 하는 것에 주의한다. in the future는 부사 역할을 하는 전치사구이다.

016 Computers(S, 컴퓨터가) can become(V, 될 수 있다) an important part(SC, 중요한 부분이) (of our everyday lives)(우리의 일상생활의).

| 해석 | 컴퓨터가 우리 일상생활의 중요한 부분이 될 수 있다.

| 해설 | 조동사 can이 become 앞에 쓰여 '~이 될 수 있다'라는 의미를 나타내며 뒤에 주격보어로 명사가 온다. of our everyday lives는 주격보어이자 명사구인 an important part를 뒤에서 수식하는 전치사구이다.

문장공식 03 주어, 동사, 목적어로 이루어진 문장 (3형식)

pp. 18-19

S가 V하다 O를

✓ QUICK QUIZ

(1) I know her family. (✓)
S(주어) V(동사) O(목적어)
나는 안다 그녀의 가족을

| 해석 | 나는 그녀의 가족을 안다.

(2) The people kept quiet.
S(주어) V(동사) SC(주격보어)
그 사람들은 있었다 조용히

| 해석 | 그 사람들은 조용히 있었다.

기출로 Practice

A

017 Many dog owners have the same problem.
S: 많은 개 주인들이 / V: 가지고 있다 / O: 같은 문제점을

| 해석 | 많은 개 주인들이 같은 문제점을 가지고 있다.

| 해설 | 대부분의 목적어는 '~을(를)'로 해석된다.

018 The builders used many amazing building techniques.
S: 그 건축업자들은 / V: 사용했다 / O: 다수의 놀라운 건축 기술들을

| 해석 | 그 건축업자들은 다수의 놀라운 건축 기술을 사용했다.

| 해설 | '사용했다'라는 의미의 동사(used)의 대상인 many amazing building techniques가 목적어이다.

019 Bad lighting can increase stress (on your eyes).
S: 나쁜 조명은 / V: 증가시킬 수 있다 / O: 스트레스를 / 당신의 눈에

| 해석 | 나쁜 조명은 당신의 눈에 스트레스를 증가시킬 수 있다.

| 해설 | on your eyes는 수식어로 쓰인 전치사구이다.

VOCA TIP stress

stress는 명사로 '스트레스' 또는 '강세'라는 의미이고, 동사로는 '강조하다'라는 의미이다. Stress is a major problem for many workers.(스트레스는 많은 근로자에게 중요한 문제이다.)에서는 '스트레스'라는 의미를, There is a stress on the first syllable.(첫 음절에 강세가 있다.)에서는 '강세'라는 의미를 나타낸다. 그리고 He stressed the importance of table manners.(그는 식사 예절의 중요성을 강조했다.)에서는 '강조하다'라는 의미로 쓰였다.

020 We discussed traditional foods (in different countries).
S: 우리는 / V: 논의했다 / O: 전통 음식에 대해 / 다른 나라들의

| 해석 | 우리는 여러 다른 나라들의 전통 음식에 대해 논의했다.

| 해설 | 동사 discuss는 '~에 대해 논의하다'로 해석된다고 해서 목적어 앞에 전치사 about을 함께 쓰지 않는 것에 유의한다.

B

021 She sold healthy snacks (at a local farmer's market).
S: 그녀는 / V: 팔았다 / O: 건강에 좋은 간식을 / 한 지역 농산물 직판장에서

| 해석 | 그녀는 한 지역 농산물 직판장에서 건강에 좋은 간식을 팔았다.

| 해설 | sold는 '팔았다'라는 의미로 healthy snacks라는 목적어를 취하는 동사이고, at a local farmer's market은 장소를 나타내는 전치사구이다.

022 CHOOSE! reaches

Sound reaches the ear (through the air).
S: 소리는 / V: 도달한다 / O: 귀에 / 공기를 통해

| 해석 | 소리는 공기를 통해 귀에 도달한다.

| 해설 | reach는 '~에 도달하다'라는 의미로 바로 뒤에 목적어를 취하는 동사이므로 전치사 to를 함께 쓰지 않는다. through the air는 동사를 수식하는 전치사구이다.

023 POP QUIZ! 아래 문장성분 표시 참고

(Today), thirty German students visited our school.
오늘 / S: 독일인 학생 30명이 / V: 방문했다 / O: 우리 학교를

| 해석 | 오늘, 독일인 학생 30명이 우리 학교를 방문했다.

| 해설 | visit은 바로 뒤에 목적어를 취하는 동사로, 전치사를 함께 쓰지 않는다.

024 Robots can never improve their performance (beyond their pre-programmed functions).
S: 로봇은 / V: 절대 개선할 수 없다 / O: 자신의 성능을 / 미리 프로그램된 기능 이상으로

| 해석 | 로봇은 미리 프로그램된 기능 이상으로는 자신의 성능을 절대 개선할 수 없다.

| 해설 | 조동사 can은 '가능'의 의미로 쓰였고, 뒤에 부정을 나타내는 never가 쓰여 '절대 ~할 수 없다'라는 의미를 나타내고 있다. 「beyond(전치사)+명사구」 형태의 전치사구가 부사 역할을 하는 수식어구로 쓰였다. 이 문장의 their는 모두 Robots의 소유격을 나타낸다.

문장공식 04 간접목적어와 직접목적어가 쓰인 문장 (4형식)

pp. 20-21

S가 V해 주다 IO에게 DO를

QUICK QUIZ

S(주어) V(동사) IO(간·목) DO(직·목)
(1) She bought me flowers.
그녀는 사 줬다 나에게 꽃을
| 해석 | 그녀는 나에게 꽃을 사 줬다.

S(주어) V(동사) IO(간·목) DO(직·목)
(2) Aunt Mary sent us a picture.
Mary 이모는 보냈다 우리에게 사진을
| 해석 | Mary 이모는 우리에게 사진을 보내셨다.

기출로 Practice

A

S V IO DO
025 My grandfather told us a funny story.
할아버지는 말씀해 주셨다 우리에게 재미있는 이야기를
| 해석 | 할아버지는 우리에게 재미있는 이야기를 해 주셨다.
| 해설 | 간접목적어는 '~에게', 직접목적어는 '~을(를)'로 해석한다.

S V IO DO
026 My dad bought me a guitar (yesterday).
아빠는 사 주셨다 나에게 기타를 어제
| 해석 | 아빠는 어제 나에게 기타를 사 주셨다.
| 해설 | 동사 buy는 '~에게(IO)', '~을(DO)'이라는 두 개의 목적어를 취할 수 있다.

S V IO DO
027 I'll show you a magic trick (with coins).
내가 보여 줄게 너에게 마술 묘기를 동전으로
| 해석 | 내가 너에게 동전으로 하는 마술 묘기를 보여 줄게.
| 해설 | 동사 show는 '~에게(IO)', '~을(DO)'이라는 두 개의 목적어를 취할 수 있으며, with는 '도구'를 나타내는 전치사로 쓰였다. I'll은 I will의 줄임말로, 조동사 will은 '~할 것이다'라는 의미를 나타낸다.

S V IO DO
028 My mom gave me her recipe (for a dozen cookies).
엄마는 주셨다 나에게 자신의 조리법을 쿠키 12개용
| 해석 | 엄마는 나에게 자신의 쿠키 12개용 조리법을 주셨다.
| 해설 | 동사 give는 '~에게(IO)', '~을(DO)'이라는 두 개의 목적어를 취할 수 있으며 전치사구인 for a dozen cookies는 '쿠키 12개당'이라는 의미이다.

B

029 POP QUIZ! 아래 문장성분 표시 참고
S V IO DO
He taught his son mathematics and various languages.
그는 가르쳤다 자신의 아들에게 수학과 여러 언어들을
| 해석 | 그는 아들에게 수학과 여러 언어를 가르쳤다.
| 해설 | teach는 '~에게(IO)', '~을(DO)'이라는 두 개의 목적어를 취할 수 있다. 두 개의 직접목적어 mathematics와 various languages는 등위접속사 and로 연결되어 있다.

S V IO DO
030 (Two and a half years later), he asked them the same question.
2년 반 후에 그는 물었다 그들에게 같은 질문을
| 해석 | 2년 반 후에, 그는 그들에게 같은 질문을 했다.
| 해설 | Two and a half years는 '2년 반'이라고 해석하며, 「ask+간접목적어(IO)+직접목적어(DO)」는 '~에게 …을 묻다'라고 해석한다.

031 CHOOSE! scientists
S V IO DO
Trees give scientists some information (about the climate).
나무는 준다 과학자들에게 몇 가지 정보를 기후에 대한
| 해석 | 나무는 기후에 대한 몇 가지 정보를 과학자들에게 제공해 준다.
| 해설 | 전치사구인 about the climate이 직접목적어 some information을 수식한다. give는 '~에게(IO)', '~을(DO)'에 해당하는 두 개의 목적어를 취할 수 있으며, 「give+간접목적어(IO)+직접목적어(DO)」의 순서로 쓰일 때는 간접목적어 앞에 전치사를 사용하지 않는다.

S V IO DO
032 My mother showed me the photograph album (of her high school days).
어머니는 보여 주셨다 나에게 사진첩을 자신의 고등학교 시절의
| 해석 | 어머니는 나에게 자신의 고등학교 시절 사진첩을 보여 주셨다.
| 해설 | show는 '~에게(IO)', '~을(DO)'이라는 두 개의 목적어를 취할 수 있으며, 「show+간접목적어(IO)+직접목적어(DO)」의 순서로 쓰일 때는 간접목적어 앞에 전치사를 사용하지 않는다. 전치사구인 of her high school days는 직접목적어인 the photograph album을 수식한다.

문장공식 05 목적격보어가 쓰인 문장 (5형식) pp. 22-23

S 가 V 하다 O 를 OC 하게/라고

✔ QUICK QUIZ

(1) We keep our students happy.
S(주어) V(동사) O(목적어) OC(목적격보어)
우리는 유지한다 우리 학생들을 기쁘게
| 해석 | 우리는 학생들을 기쁘게 한다.

(2) His friends called him a genius.
S(주어) V(동사) O(목적어) OC(목적격보어)
그의 친구들은 불렀다 그를 천재라고
| 해석 | 그의 친구들은 그를 천재라고 불렀다.

기출로 Practice

A

033 He (always) keeps the bathroom clean.
S V O OC
그는 항상 유지한다 화장실을 깨끗하게
| 해석 | 그는 항상 화장실을 깨끗하게 유지한다.
| 해설 | clean(깨끗한)은 the bathroom의 상태를 나타내는 목적격보어의 역할을 한다. 보어 자리에는 '부사'가 아닌 '형용사'를 사용한다.

034 Good manners make you a better person.
S V O OC
훌륭한 예절은 만든다 당신을 더 나은 사람으로
| 해석 | 훌륭한 예절은 당신을 더 나은 사람으로 만든다.
| 해설 | 「make+목적어+목적격보어(명사)」에서 목적격보어는 목적어와 같은 대상을 나타낸다.

035 Newspaper headlines called the young man a "spelling bee hero."
S V O OC
신문 기사 제목들은 불렀다 그 청년을 '단어 철자 맞히기 대회 영웅'이라고
| 해석 | 신문 기사 제목들은 그 청년을 '단어 철자 맞히기 대회 영웅'이라고 불렀다.
| 해설 | 「call+목적어+목적격보어(명사)」는 '~를 …라고 부르다'로 해석한다.

036 The dead silence (in the car) made the drive painful.
S V O OC
무거운 침묵이 차 안의 만들었다 차를 타고 가는 것을 고통스럽게
| 해석 | 차 안의 무거운 침묵이 차를 타고 가는 것을 고통스럽게 만들었다.
| 해설 | 「make+목적어+목적격보어(형용사)」는 '~가 …하게 만들다'로 해석한다. 목적어와 목적격보어는 의미상 '주어와 술어'의 관계이다.

B

037 POP QUIZ! 아래 문장성분 표시 참고

Your smile makes the neighborhood a brighter place.
S V O OC
네 미소는 만든다 이웃 동네를 더 밝은 장소로
| 해석 | 네 미소는 이웃 동네를 더 밝은 장소로 만들어 준다.
| 해설 | 「make+목적어+목적격보어(명사)」는 '~를 …로 만들다'로 해석하며, brighter(더 밝은)는 bright(밝은)의 비교급이다.

038 CHOOSE! an enemy

(Soon), each group considered the other an enemy.
S V O OC
곧 각 그룹은 여겼다 다른 그룹을 적으로
| 해석 | 곧, 각 그룹은 다른 그룹을 적으로 여겼다.
| 해설 | '~를 …로 여기다'라는 의미는 「consider+목적어+목적격보어(명사)」로 써야 하므로 명사인 an enemy가 알맞다. the other 뒤에는 group이 생략되어 있다.

039 CHOOSE! popular

Celebrity brands will not make them popular.
S V O OC
유명 브랜드들은 만들어 주지 않을 것이다 그들을 유명하게
| 해석 | 유명 브랜드들은 그들을 유명하게 만들어 주지 않을 것이다.
| 해설 | 목적격보어 자리에는 '부사'가 아닌 '형용사'를 사용하므로 popular가 쓰이는 것이 알맞다.

040 Mark is alive / and finds himself alone (on the harsh planet).
S V_1 SC V_2 O OC
Mark는 ~이다 살아 있는 그리고 깨닫는다 자신이 혼자임을 그 혹독한 행성에서
| 해석 | Mark는 살아 있으며 그 혹독한 행성에서 자신이 혼자임을 깨닫는다.
| 해설 | 「주어+동사+주격보어」로 이루어진 문장과 「(주어+)동사+목적어+목적격보어」로 이루어진 문장이 등위접속사 and로 연결되어 있다. 두 문장의 주어가 같으므로 and 뒤에는 주어가 생략되고 동사가 이어진다. 「find+목적어+목적격보어(형용사)」는 '~가 …하다고 깨닫다/느끼다'라는 의미이다.

Unit Exercise

p. 24

A

주어(S), 동사(V), 목적어(O/IO/DO), 보어(SC/OC)는 아래 문장성분 표시 참고

041 The amount of water (in the world) is (always) the same.

S: The amount of water (물의 양은) / (in the world) 세계의 / V: is ~이다 / (always) 언제나 / SC: the same 같은

| 해석 | 세계의 물의 양은 언제나 같다.

| 해설 | 「주어+동사+주격보어」로 이루어진 문장이다. 전치사구 in the world는 주어를 수식하는 형용사 역할을 하고, always는 '항상, 언제나'라는 의미를 나타내는 부사로 동사를 꾸며 준다.

042 (In 1969), the exhibition brought him international recognition.

(In 1969) 1969년에 / S: the exhibition 그 전시회는 / V: brought 가져다줬다 / IO: him 그에게 / DO: international recognition 국제적인 인정을

| 해석 | 1969년에, 그 전시회는 그에게 국제적인 인정을 받게 했다.

| 해설 | 「주어+동사+간접목적어+직접목적어」로 이루어진 문장으로, 「bring+간접목적어(IO)+직접목적어(DO)」는 'IO에게 DO를 가져다주다'라고 해석한다.

043 Less stuff makes our camping more enjoyable.

S: Less stuff 더 적은 물건이 / V: makes 만든다 / O: our camping 우리의 캠핑을 / OC: more enjoyable 더 즐겁게

| 해석 | 물건이 더 적으면 우리의 캠핑이 더 즐거워진다.

| 해설 | 「주어+동사+목적어+목적격보어」로 이루어진 문장으로, 물질명사 stuff는 단수 취급한다. 「make+목적어+목적격보어(형용사)」는 '~가 …하게 만들다'라고 해석한다.

044 We discuss books (at our members' homes) (twice a month).

S: We 우리는 / V: discuss 논의한다 / O: books 책들에 대해 / (at our members' homes) 우리 회원들의 집에서 / (twice a month) 한 달에 두 번

| 해석 | 우리는 한 달에 두 번 우리 회원들의 집에서 책에 대해 논의한다.

| 해설 | 「주어+동사+목적어」 형태의 문장이다. 전치사구 at our member's homes와 횟수를 나타내는 twice a month는 부사 역할의 수식어구이므로 괄호로 묶어 해석하면 편하다.

B

045 | 정답 | tiredly → tired

Too many tests make students tired.

S: Too many tests 너무 많은 시험은 / V: make 만든다 / O: students 학생들을 / OC: tired 피곤하게

| 해석 | 너무 많은 시험은 학생들을 피곤하게 만든다.

| 해설 | 「주어+동사+목적어+목적격보어」 형태의 문장으로, 목적격보어로는 부사가 아닌 형용사를 써야 한다.

046 | 정답 | a business card him → him a business card 또는 a business card to him

The candy factory (even) gave him a business card.

S: The candy factory 그 사탕 공장은 / (even) 심지어 / V: gave 줬다 / IO: him 그에게 / DO: a business card 명함을

| 해석 | 그 사탕 공장은 심지어 그에게 명함을 줬다.

| 해설 | give는 '~에게'에 해당하는 간접목적어와 '…을'에 해당하는 직접목적어를 모두 필요로 하는 동사이므로 「주어+동사+간접목적어+직접목적어」의 형태가 되어야 한다. 또한, 간접목적어와 직접목적어가 서로 자리를 바꾸는 문장의 경우에는 간접목적어 앞에 동사에 알맞은 전치사를 써야 한다. even은 '심지어'라는 의미의 부사로 쓰였다.

047 | 정답 | were → was

The gap (between the global smartphone average price and the smartphone average price in China) was the smallest (in 2015).

S: The gap 차이는 / (between the global smartphone average price and the smartphone average price in China) 전 세계 스마트폰 평균 가격과 중국의 스마트폰 평균 가격 사이의 / V: was ~이었다 / SC: the smallest 가장 작은 / (in 2015) 2015년에

| 해석 | 전 세계 스마트폰 평균 가격과 중국의 스마트폰 평균 가격의 차이는 2015년에 가장 작았다.

| 해설 | 「주어+동사+주격보어」로 이루어진 문장으로, 전치사구 between ~ in China가 주어인 The gap을 뒤에서 수식하고 있다. 주어와 동사 사이에 전치사구가 길게 들어가 있지만 주어의 핵심 명사(The gap)가 3인칭 단수이므로 동사의 수를 일치시켜 was를 사용해야 한다. the smallest는 '가장 작은'이라는 의미의 최상급 표현이다.

Grammar Check

041 주격보어	042 간접목적어	043 형용사
044 전치사 없이	045 형용사	046 간접목적어
047 ~이다		

Unit 2 동사를 통해 드러나는 시제

문장공식 06 현재/과거/미래 pp. 26-27

S가 V(현재형/과거형) 한다[이다]/했다[이었다]
will+V 할 것이다[일 것이다]

✔ QUICK QUIZ

| 정답 | (1) b. 과거 (2) c. 미래

S(주어) V(동사) O(목적어)
(1) We played basketball (last night).
우리는 했다 농구를 지난밤에
| 해석 | 우리는 지난밤에 농구를 했다.

S(주어) V(동사) O(목적어)
(2) The students will have dinner (together) (tonight).
학생들은 먹을 것이다 저녁을 함께 모여 오늘 밤에
| 해석 | 학생들은 오늘 밤에 함께 모여 저녁을 먹을 것이다.

기출로 Practice

A

S V SC
048 These umbrellas are available (online).
이 우산들은 ~이다 구할 수 있는 온라인에서
| 해석 | 이 우산들은 온라인에서 구할 수 있다.
| 해설 | be동사의 현재형인 are로 보아 현재 사실을 나타내는 문장이다. be available은 '~은 구할 수 있다'라고 해석한다.

S V SC
049 Your drink will be ready (in a minute).
당신의 음료는 ~일 것이다 준비가 된 곧
| 해석 | 당신의 음료는 곧 준비될 것입니다.
| 해설 | 「조동사 will+동사원형」이 사용된 미래를 나타내는 문장이다. in a minute는 '곧, 즉시'라는 뜻으로, 미래의 시점을 나타낸다.

S V O
050 I took this photo (yesterday) (at the baseball stadium).
나는 찍었다 이 사진을 어제 야구 경기장에서
| 해석 | 나는 어제 야구 경기장에서 이 사진을 찍었다.
| 해설 | took은 take의 과거형이며 과거를 나타내는 부사 yesterday가 함께 쓰였다.

S V O
051 Kate spent part of her childhood (in Barbados) (with her grandmother).
Kate는 보냈다 자신의 유년기의 일부를 Barbados에서 그녀의 할머니와 함께
| 해석 | Kate는 자신의 유년기의 일부를 할머니와 함께 Barbados에서 보냈다.
| 해설 | spent는 spend의 과거형이며 part of는 '~의 일부'라는 의미이다.

B

052 POP QUIZ! will begin

S V
The school will begin (after the cotton-picking season).
학교는 시작할 것이다 목화를 따는 시기가 끝난 후에
| 해석 | 학교는 목화를 따는 시기가 끝난 후에 시작할 것이다.
| 해설 | 「조동사 will+동사원형」은 '~할 것이다'라는 의미로 미래의 일을 나타낸다. after the cotton-picking season은 미래의 시점을 나타내는 부사구로 쓰였다.

S V
053 (Every summer), the king goes hunting (in the nearby forests).
매해 여름 왕은 사냥을 하러 간다 인근의 숲으로
| 해석 | 매해 여름, 왕은 인근의 숲으로 사냥을 하러 간다.
| 해설 | Every summer는 '매해 여름'을 뜻하는 부사구로서 반복되는 일을 나타낼 때 현재 시제와 함께 쓰인다. 주어(the king)가 3인칭 단수이므로 동사 go는 goes로 쓴다.

054 CHOOSE! used

S
(About 2,500 years ago), builders (in ancient Greece) used the sun's free energy.
약 2500년 전 건축가들은 고대 그리스의 사용했다 태양의 자유 에너지를
V O
| 해석 | 약 2500년 전, 고대 그리스의 건축가들은 태양의 자유 에너지를 사용했다.
| 해설 | About 2,500 years ago는 '약 2500년 전'이라는 의미로 과거를 나타내는 부사구이므로 동사의 과거형인 used를 쓴다.

S_1 V_1
055 The slogan (for the event) changes (every year), and (this year) it is *Walk with Us*!
슬로건이 이 행사의 바뀐다 매년 그리고 올해는 그것이 ~이다 '우리와 함께 걸어요'
S_2 V_2 SC
| 해석 | 이 행사의 슬로건이 매년 바뀌며, 올해는 '우리와 함께 걸어요'이다!
| 해설 | 두 개의 문장이 등위접속사 and로 연결된 문장이다. 첫 번째 문장은 '매년' 반복되는 일을 나타내므로 현재 시제(changes)를 사용했고, 두 번째 문장은 '올해'에 대한 내용이므로 현재 시제(is)를 사용했다. it은 앞에 나온 The slogan for the event를 가리킨다.

문장공식 07 진행형

pp. 28-29

S가 **be v-ing** 하는 중이다 / 하는 중이었다 / 하는 중일 것이다

✔ QUICK QUIZ

(1) I am making a table.
S(주어) 나는 / V(동사) 만드는 중이다 / O(목적어) 식탁을

| 해석 | 나는 식탁을 만드는 중이다.

(2) They are ordering some food.
S(주어) 그들은 / V(동사) 주문하는 중이다 / O(목적어) 음식을

| 해석 | 그들은 음식을 주문하는 중이다.

기출로 Practice

A

056 Jimin is copying the sketch (onto the wall).
S 지민이는 / V 따라 그리고 있다 / O 그 스케치를 / 벽에

| 해석 | 지민이는 벽에 그 스케치를 따라 그리고 있다.

| 해설 | 현재 시점에서 진행 중인 동작을 나타낼 때 「am/are/is+v-ing」 형태로 쓴다.

057 A violent storm was coming (with a sound of drums).
S 거센 폭풍우가 / V 오고 있었다 / 북소리와 함께

| 해석 | 거센 폭풍우가 북소리와 함께 오고 있었다.

| 해설 | 과거의 한 시점에서 한창 진행 중인 상황을 나타낼 때 「was/were+v-ing」 형태로 쓴다. with a sound of drums는 부사 역할을 하는 전치사구이다.

058 People were taking a class (in the community center).
S 사람들은 / V 수강하고 있었다 / O 수업을 / 시민 회관에서

| 해석 | 사람들은 시민 회관에서 수업을 수강하고 있었다.

| 해설 | 과거의 한 시점에서 '~하는 중이었다'라는 진행의 의미를 나타낼 때는 동사를 「was/were+v-ing」 형태의 과거진행형으로 쓴다.

059 I am (currently) looking for a place (for this year's contest exhibition).
S 나는 / V am … looking for 찾고 있다 / 현재 / O 장소를 / 올해 경연 전시회를 위한

| 해석 | 나는 현재 올해 경연 전시회를 위한 장소를 찾고 있다.

| 해설 | 부사인 currently는 현재진행형에서 be동사와 v-ing 사이에 위치할 수 있다. 전치사구 for this year's contest exhibition은 a place를 수식하고 있다.

B

060 Our brains are (constantly) solving problems.
S 우리의 뇌는 / V are … solving 해결하고 있다 / 끊임없이 / O 문제들을

| 해석 | 우리의 뇌는 끊임없이 문제를 해결하고 있다.

| 해설 | 현재의 시점에서 '문제를 해결하고 있는 중'이므로 현재진행형으로 나타내며, 주어(Our brains)가 복수이므로 be동사는 are로 쓴다. 부사인 constantly는 be동사와 v-ing 사이에 위치할 수 있다.

061 POP QUIZ! was giving

Dr. Wilkinson was giving a gold medal (to each graduate).
S Wilkinson 박사는 / V 수여하고 있었다 / O 금메달을 / 각 졸업생에게

| 해석 | Wilkinson 박사는 각 졸업생에게 금메달을 수여하고 있었다.

| 해설 | 과거의 시점에서 진행 중인 동작을 나타내고 있으므로 과거진행형(was giving)을 사용했다. to each graduate는 부사 역할을 하는 수식어구이며, each는 '각각의'라는 의미를 나타내며 뒤에 단수 명사가 온다.

062 CHOOSE! lying

A clean sheet of paper is lying (in front of you).
S 깨끗한 종이 한 장이 / V 놓여 있다 / 당신 앞에

| 해석 | 깨끗한 종이 한 장이 당신 앞에 놓여 있다.

| 해설 | a sheet of는 '한 장의 ~'라는 의미로 단위를 나타내는 표현이며 주어가 단수이므로 be동사는 is를 쓴다. '놓여 있다'라는 의미의 동사 lie의 v-ing형은 lying이며 laying은 동사 lay(~을 놓다)의 v-ing형이다.

063 CHOOSE! taking

She was holding a camera (in her hands) / and taking pictures (of her husband and grandson).
S 그녀는 / V1 들고 있었다 / O1 카메라를 / 그녀의 손에 / 그리고 / V2 찍고 있었다 / O2 사진을 / 자신의 남편과 손자의

| 해석 | 그녀는 손에 카메라를 들고서 남편과 손자의 사진을 찍고 있었다.

| 해설 | 과거진행형 was holding과 was taking이 등위접속사 and로 연결된 문장으로, 이때 반복으로 사용되는 be동사 was는 생략할 수 있다.

VOCA TIP hold

hold는 '들고 있다', '견디다', '개최하다' 등 여러 개의 뜻을 가지고 있다. She is holding her purse.(그녀는 지갑을 들고 있다.)에서는 '들고 있다'라는 의미로, The bench will not hold his weight.(벤치가 체중을 견디지 않을 것이다.)에서는 '견디다'라는 의미를 나타낸다.

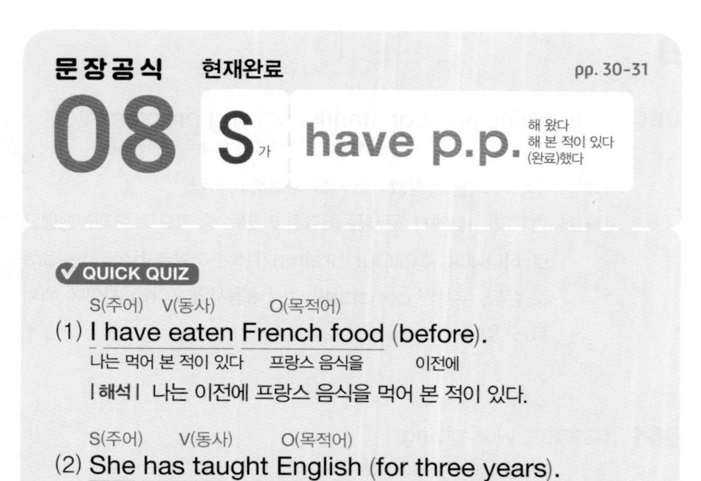

✔ QUICK QUIZ

(1) I have eaten French food (before).
S(주어) V(동사) O(목적어)
나는 먹어 본 적이 있다 프랑스 음식을 이전에

| 해석 | 나는 이전에 프랑스 음식을 먹어 본 적이 있다.

(2) She has taught English (for three years).
S(주어) V(동사) O(목적어)
그녀는 가르쳐 왔다 영어를 3년 동안

| 해석 | 그녀는 3년 동안 영어를 가르쳐 왔다.

기출로 Practice

A

064 I have (just) created a great new recipe.
S / V / O
나는 방금 만들어냈다 멋진 새 조리법을

| 해석 | 나는 방금 멋진 새 조리법을 만들어냈다.

| 해설 | 현재를 기준으로 이미 완료된 일을 나타내는 have p.p 형태의 현재완료(have created)가 쓰였다. just와 같은 부사는 have와 p.p. 사이에 위치할 수 있다.

065 Have you (ever) felt this kind of pain (before)?
V / S / O
당신은 느껴 본 적이 있나요 이런 종류의 고통을 이전에

| 해석 | 당신은 전에 이런 종류의 고통을 느껴 본 적이 있나요?

| 해설 | 현재완료의 의문형은 「Have(Has)+주어+과거분사(p.p.) ~?」이며, 경험 여부를 물을 때 ever와 before 같은 부사와 자주 함께 쓰인다.

066 Kate and Dane have known each other (for five years).
S / V / O
Kate와 Dane은 알고 지내 왔다 서로를 5년간

| 해석 | Kate와 Dane은 5년간 서로를 알고 지내 왔다.

| 해설 | 과거(5년 전)에 시작되어 현재까지 계속된 일을 나타내므로 현재완료인 have known이 쓰였다.

067 The Internet has (quickly) become an invaluable tool (as well).
S / V / SC
인터넷은 빠르게 되었다 매우 귀중한 도구가 또한

| 해석 | 인터넷 또한 빠르게 매우 귀중한 도구가 되었다.

| 해설 | 과거부터 현재까지 계속된 일을 나타내므로 현재완료인 has become이 쓰였다.

B

068 CHOOSE! has

Cooperation (among animals) has become a hot topic (in the mass media).
S / V / SC
협동은 동물들 사이의 되어 왔다 뜨거운 주제가 대중 매체에서

| 해석 | 동물들 사이의 협동은 대중 매체에서 뜨거운 주제가 되어 왔다.

| 해설 | 주어인 Cooperation among animals에서 전치사구인 among animals가 수식하는 핵심 명사인 Cooperation에 동사의 수를 일치시켜 has become으로 쓰는 것이 알맞다.

069 Many people have (never even) had a conversation (with their neighbors).
S / V / O
많은 사람들이 ~조차 결코 없다 가져본 적이 있다 대화를 자신의 이웃들과

| 해석 | 많은 사람들이 이웃들과 대화조차 해 본 적이 없다.

| 해설 | '~해 본 적이 있다'라는 의미로 과거에서 현재 사이에 경험한 일을 나타낼 때는 현재완료(have p.p.)를 쓴다. 현재완료의 부정형은 have나 has 뒤에 not 또는 never를 써서 나타낸다.

070 CHOOSE! since

The City Park Zoo has been home (to many different animals) (since 1965).
S / V / SC
City Park 동물원은 ~이어 왔다 집 여러 다양한 동물들에게 1965년부터

| 해석 | City Park 동물원은 1965년부터 여러 다양한 동물들에게 집이 되어 왔다.

| 해설 | '~이어 왔다'라는 의미로 과거부터 현재까지 계속되어 온 것을 나타낼 때는 현재완료를 쓴다. 이때, 「since+과거 시점」을 사용하여 구체적으로 '~부터 (지금까지)'라는 기간을 나타낼 수 있다. 전치사 for 뒤에는 기간이 와야 하므로 연도 앞에는 since가 오는 것이 알맞다.

071 POP QUIZ! have (long) known

Psychologists have (long) known (about the harmful effects 〈of noise〉).
S / V
심리학자들은 알아 왔다 오랫동안 해로운 영향에 대해 소음의

| 해석 | 심리학자들은 소음의 해로운 영향에 대해 오랫동안 알아 왔다.

| 해설 | 과거부터 현재까지 '알아 왔다'라는 의미를 현재완료(have known)로 나타낸 문장이다. long은 부사로 have와 p.p. 사이에 위치한다. 전치사구 of noise는 the harmful effects를 수식하며, about the harmful effects는 동사를 수식한다.

Unit Exercise

p. 32

A

072 (One night) he was watching a PBS-TV program (about cartooning).
(어느 날 밤 / 그는(S) / 보고 있었다(V) / PBS-TV 프로그램을(O) / 만화 제작에 관한)

| 해석 | 어느 날 밤 그는 만화 제작에 관한 PBS-TV 프로그램을 보고 있었다.

| 해설 | 과거의 특정 시점에 진행 중인 동작을 나타내고 있고, 주어가 3인칭 단수이므로 동사를 과거진행형(was watching)으로 나타낸 문장이다. 전치사구 about cartooning은 a PBS-TV program을 수식한다.

073 None of them has (ever) used a toothbrush (until now)!
(그들 중 아무도 ~않다(S) / 사용해 본 적이 있다(V) / 칫솔을(O) / 지금까지)

| 해석 | 그들 중 아무도 지금까지 칫솔을 사용해 본 적이 없다!

| 해설 | 주어에 사용된 None of는 '~ 중 아무도 … 않다'라는 뜻이다. 과거에서 현재 사이의 경험에 관해 나타내므로 현재완료(has used)가 사용되었다.

074 (Historically), dance has been a strong, binding influence (on community life).
(역사적으로 / 춤은(S) / ~이어 왔다(V) / 단결시켜주는 강한 영향력(SC) / 공동체 생활에)

| 해석 | 역사적으로, 춤은 단결시켜 주는 강한 영향력을 공동체 생활에 미쳐 왔다.

| 해설 | 춤이 역사적으로 과거부터 현재까지 계속 영향을 끼쳐 왔다는 내용이므로 현재완료를 사용하였으며, 주어인 dance가 3인칭 단수이므로 has been으로 썼다. 전치사구 on community life는 부사 역할을 하는 수식어구이다.

075 Have you (ever) sat (out in a backyard) (at night) / and turned on a light?
(당신은(S) / 앉아 본 적 있는가(V1) / 뒤뜰에 나가 / 밤에 / 그리고 / 켜 본 적 (있는가)(V2) / 불을(O))

| 해석 | 당신은 밤에 뒤뜰에 나가 앉아서 불을 켜 본 적이 있는가?

| 해설 | 과거에서 현재 사이에 경험해 본 적이 있는지 묻는 문장이므로 현재완료(Have ~ sat)가 사용되었다. 현재완료의 의문형은 「Have(Has)+주어+p.p. ~?」이다.

B

076 **| 정답 |** express → expressing

They are having a bad day, //and they are expressing their disappointment.
(그들은(S1) / 보내고 있다(V1) / 안 좋은 날을(O1) / 그리고 / 그들은(S2) / 표현하고 있다(V2) / 자신들의 실망을(O2))

| 해석 | 그들은 안 좋은 날을 보내고 있으며, 실망을 표현하고 있다.

| 해설 | 접속사 and로 두 개의 문장이 연결되어 있다. 문맥상 두 번째 문장의 동사도 첫 번째 문장처럼 현재진행형(be동사+v-ing)으로 쓰는 것이 알맞다.

077 **| 정답 |** being → been

The program has (always) been very popular (among international students).
(그 프로그램은(S) / 항상 / ~ 있어 왔다(V) / 매우 인기 있는(SC) / 국제 학생들 사이에서)

| 해석 | 그 프로그램은 국제 학생들 사이에서 항상 큰 인기를 끌어왔다.

| 해설 | 과거부터 현재까지 계속해서 인기가 있어 왔다는 내용이므로 현재완료 시제인 has been으로 쓰는 것이 적절하다. 빈도를 나타내는 부사인 always는 has와 been 사이에 위치할 수 있다.

078 **| 정답 |** have → has

He visited some of the landmarks (here) / and has become interested (in building structures).
(그는(S) / 방문했다(V1) / 랜드마크 중 몇 군데를(O) / 여기에서 / 그리고 / 되었다(V2) / 흥미로운(SC) / 건축 구조에)

| 해석 | 그는 여기에서 랜드마크 중 몇 군데를 방문했고 건축 구조에 흥미가 생겼다.

| 해설 | 두 개의 동사가 등위접속사 and로 연결된 문장으로, 두 번째 동사인 has become의 주어 역시 He이다. 주어가 3인칭 단수이므로 has p.p. 형태(has become)로 써 주는 것이 적절하다.

Grammar Check

072 과거진행	073 현재완료	074 현재
075 Have(Has), 과거분사(p.p.)	076 현재진행	
077 현재완료	078 has	

Unit 3 동사에 의미를 더하는 조동사

문장공식 09 다양한 조동사의 의미 pp. 34-35

S가 조동사+V 할 수 있다 / 일지도 모른다 / 해야 한다 / 하는 것이 좋다

QUICK QUIZ

(1) He(S(주어), 그는) can't choose(V(동사), 선택할 수 없다) the date(O(목적어), 날짜를).

| 해석 | 그는 날짜를 선택할 수 없다.

(2) You(S(주어), 너는) may borrow(V(동사), 빌려도 된다) my pen(O(목적어), 내 펜을).

| 해석 | 너는 내 펜을 빌려도 돼.

기출로 Practice

A

079 You(S, 당신은) can join(V, 참여해도 된다) my philosophy discussion group(O, 내 철학 토론 조에).

| 해석 | 당신은 내 철학 토론 조에 참여해도 된다.

| 해설 | 조동사 can이 동사에 '~해도 된다'라는 '허가'의 의미를 더해 준다.

080 You(S, 당신은) should submit(V, 제출하는 것이 좋다) your homework(O, 숙제를) (on time(제시간에)).

| 해석 | 당신은 제시간에 숙제를 제출하는 것이 좋다.

| 해설 | '~하는 것이 좋다'라는 '조언'의 의미를 나타내는 조동사 should가 쓰였다.

081 The volcano(S, 화산은) (on the island(그 섬에 있는)) may erupt(V, 분출할지도 모른다) (in the near future(가까운 미래에)).

| 해석 | 그 섬에 있는 화산은 가까운 미래에 분출할지도 모른다.

| 해설 | 전치사구 on the island는 명사 The volcano를 수식하는 형용사 역할을 하고, in the near future는 부사 역할을 한다.

082 The program(S, 그 프로그램은) might run(V, 계속될지도 모른다) (from mid-September to late December(9월 중순부터 12월 말까지)).

| 해석 | 그 프로그램은 9월 중순부터 12월 말까지 계속될지도 모른다.

| 해설 | 조동사 might는 may처럼 '약한 추측'을 나타내는 조동사이다. from *A* to *B*는 'A부터 B까지'라는 의미로, 여기서는 기간을 나타내는 표현으로 쓰였다.

B

083 You(S, 당신은) should read(V, 읽는 것이 좋다) the directions(O, 지시 사항을) (of the questions(그 문제들의)) (carefully(주의 깊게)).

| 해석 | 당신은 그 문제들의 지시 사항을 주의 깊게 읽는 것이 좋다.

| 해설 | 전치사구 of the questions가 명사 the directions를 수식하는 형용사 역할을 하며, carefully는 동사를 수식하는 부사로 쓰였다.

084 POP QUIZ! have to (write)

Chemists(S, 화학자들은) have to write(V, 써야 한다) chemical equations(O, 화학 방정식들을) (correctly(정확하게)).

| 해석 | 화학자들은 화학 방정식들을 정확하게 써야 한다.

| 해설 | 「have to+동사원형」은 '~해야 한다'라는 의무의 의미를 나타낸다.

BACKGROUND KNOWLEDGE 화학 방정식

화학 방정식이란 반응물과 생성물의 관계를 등호로 표현하여 화학 반응을 설명한 것이다. 왼쪽에는 반응물을 적고, 오른쪽에는 생성물을 적는다. 예를 들어 수소와 산소가 만나 물이 만들어지는 반응은 '$2H_2+O_2=2H_2O$'와 같이 나타낸다.

085 CHOOSE! show

The old black-and-white TVs(S, 오래된 흑백텔레비전들은) could not show(V, 보여줄 수 없었다) the colors(O, 색깔을) (of each team's uniform(각 팀의 유니폼의)).

| 해석 | 오래된 흑백텔레비전들은 각 팀의 유니폼 색깔을 보여줄 수 없었다.

| 해설 | 조동사의 부정은 「조동사+not+동사원형」으로 나타내므로 '보여줄 수 없었다'라는 의미로 could not 다음에 동사원형인 show가 쓰이는 것이 알맞다.

086 My aunt(S, 이모는) would babysit(V1, 돌봐 주시곤 하셨다) me(O, 나를) / and show(V2, 그리고 보여 주시곤 했다) me(IO, 나에게) magic tricks(DO, 마술을).

| 해석 | 이모는 나를 돌봐 주시고 나에게 마술을 보여 주시곤 하셨다.

| 해설 | 조동사 would는 '~하곤 했다'라는 의미로 과거의 반복된 행동을 나타내며, would babysit과 (would) show가 등위접속사 and로 연결된 구조의 문장이다.

문장공식 10 조동사+have p.p.

pp. 36-37

S가 조동사+have p.p. ~했을지도 모른다 / 틀림없이 ~했을 것이다 / ~했을 리가 없다 / ~했어야 했다

✔ QUICK QUIZ

(1) You(S(주어), 너는) must have seen(V(동사), 틀림없이 봤을 것이다) it(O(목적어), 그것을).

| 해석 | 너는 그것을 틀림없이 봤을 거야.

(2) He(S(주어), 그가) may have made(V(동사), 했을지도 모른다) a mistake(O(목적어), 실수를).

| 해석 | 그가 실수를 했을지도 몰라.

기출로 Practice

A

087 You(S, 너는) should've gone(V, 갔어야 했다) (to the lecture)(그 강의에) (yesterday)(어제).

| 해석 | 너는 어제 그 강의에 갔어야 했다.

| 해설 | '~했어야 했다 (그런데 하지 못했다)'라는 의미로 과거의 일에 대한 후회나 유감을 나타내는 표현인 should have p.p가 쓰였다.

088 The little boy(S, 그 어린 소년은) must have seen(V, 봤음이 틀림없다) something scary(O, 무언가 무서운 것을).

| 해석 | 그 어린 소년은 무언가 무서운 것을 봤음이 틀림없다.

| 해설 | '~했음이 틀림없다'의 의미로 과거의 일에 대한 강한 추측을 나타내는 표현인 must have p.p.가 쓰였다.

089 You(S, 네가) cannot have done(V, 했을 리가 없다) such a foolish thing(O, 그런 어리석은 일을).

| 해석 | 네가 그런 어리석은 일을 했을 리가 없다.

| 해설 | '~했을 리가 없다'라는 의미로 과거의 일에 대한 강한 부정적 추측을 나타내는 표현인 cannot have p.p.가 쓰였다. 「such a(n)+형용사+명사」는 '그런 (형용사)한 (명사)'로 해석한다.

090 We(S, 우리는) may have lost(V, 잃어버렸을지도 모른다) some(O, 일부를) (of our ancient ancestors' survival skills)(우리의 고대 선조들의 생존 기술 중).

| 해석 | 우리는 고대 선조들의 생존 기술 중 일부를 잃어버렸을지도 모른다.

| 해설 | '~했을지도 모른다'라는 의미로 과거의 일에 대한 약한 추측을 나타내는 표현인 may have p.p.가 쓰였다.

B

091 CHOOSE! cannot

Daniel(S, Daniel은) is(V, ~이다) an honest boy(SC, 정직한 소년). He(S, 그가) cannot have told(V, 말했을 리가 없다) a lie(O, 거짓말을).

| 해석 | Daniel은 정직한 소년이다. 그가 거짓말을 했을 리가 없다.

| 해설 | Daniel이 정직한 소년이라는 내용의 문장 뒤에 이어지는 말이므로 강한 부정의 추측을 나타내는 표현인 cannot have p.p.가 쓰이는 것이 적절하다. should have told a lie가 되면 '거짓말을 했어야 했다'라는 의미가 되어 문맥이 어색해진다.

092 Some of them(S_1, 그들 중 몇몇은) may have traveled(V_1, 이동했을지도 모른다) (by small boat)(작은 배로) (along the coast)(해안을 따라서), // but(하지만) many(S_2, 많은 이들이) walked(V_2, 걸었다).

| 해석 | 그들 중 몇몇은 해안을 따라서 작은 배로 이동했을지도 모르지만, 많은 이들이 걸었다.

| 해설 | '~했을지도 모른다'라는 의미로 과거의 일에 대한 약한 추측을 나타내는 표현인 may have p.p.가 쓰인 문장이다. many는 many of them을 의미한다.

093 CHOOSE! should

He(S, 그는) fell down(V_1, 넘어졌다) the stairs(O_1, 계단에서) / and hurt(V_2, 그리고 다쳤다) his leg(O_2, 다리를). He(S, 그는) should have been(V, ~이었어야 했다) more careful(SC, 더 조심하는).

| 해석 | 그는 계단에서 넘어져서 다리를 다쳤다. 그는 더 조심했어야 했다.

| 해설 | 첫 번째 문장이 넘어져서 다쳤다는 내용이므로 이어지는 문장으로는 '더 조심했어야 했다'라는 과거 일에 대한 유감을 나타내는 내용이 자연스러우므로 should have p.p. 형태가 알맞다.

094 POP QUIZ! must have painted

Henry's father(S, Henry의 아버지는) was(V, ~이었다) a house painter(SC, 가옥 페인트공). He(S, 그는) must have painted(V, 칠했음이 틀림없다) hundreds of houses(O, 수백 채의 집을).

| 해석 | Henry의 아버지는 가옥 페인트공이었다. 그는 수백 채의 집을 칠했음이 틀림없다.

| 해설 | Henry의 아버지가 페인트공이라는 문장에 이어지는 내용으로 '수백 채의 집을 칠했음이 틀림없다'라는 의미가 되도록 과거의 일에 대한 강한 추측을 나타내는 표현인 must have p.p.가 사용되었다.

Unit Exercise

p. 38

A

095 | 정답 | Can

Can I change these earphones (to black ones)?
될까요 제가 바꾸다 이 이어폰을 검은색 이어폰으로

| 해석 | 이 이어폰을 검은색 이어폰으로 바꿔도 될까요?

| 해설 | 조동사가 쓰인 의문문으로, 조동사 can이 '허가'의 의미를 나타내어 Can I ~?는 '~해도 되나요?'라고 해석할 수 있다. ones는 앞에 나온 earphones를 가리키는 대명사로, 이처럼 앞에 언급된 것과 종류는 같지만 정해지지 않은 것을 지칭할 때는 부정대명사 one을 사용한다.

096 | 정답 | must

Students must sign up for our program (in advance).
학생들은 반드시 등록해야 한다 우리 프로그램에 미리

| 해석 | 학생들은 우리 프로그램에 반드시 미리 등록해야 한다.

| 해설 | '의무'를 나타내는 조동사 must가 쓰인 문장으로, sign up for는 '~에 등록하다'라는 의미로 해석하며 in advance는 '미리'를 의미한다.

097 | 정답 | should

A great leader should have a positive attitude.
훌륭한 지도자는 가지는 게 좋다 긍정적인 태도를

| 해석 | 훌륭한 지도자는 긍정적인 태도를 가지는 게 좋다.

| 해설 | '~하는 것이 좋다'라는 의미로 '조언'을 할 때 자주 사용하는 조동사 should가 사용된 문장이다.

098 | 정답 | must have

She must have lost her phone (at the bus stop).
그녀는 잃어버렸음이 틀림없다 자신의 휴대 전화를 버스 정류장에서

| 해석 | 그녀는 버스 정류장에서 자신의 휴대 전화를 잃어버렸음이 틀림없다.

| 해설 | must have p.p.는 '틀림없이 ~했을 것이다'라는 의미로 과거의 일에 대한 강한 추측을 나타내는 표현이다. at the bus stop은 장소를 나타내는 부사 역할을 하는 전치사구이다.

B

099 | 정답 | is → be

The community center may be available (now).
시민 회관은 ~일지도 모른다 이용 가능한 지금

| 해석 | 시민 회관은 지금 이용 가능할지도 모른다.

| 해설 | '~일지도 모른다'라는 의미로 약한 추측을 나타내는 조동사 may가 쓰인 문장으로, 조동사 뒤에는 동사원형이 와야 하므로 be가 쓰이는 것이 어법상 알맞다.

100 | 정답 | earns → earn

Someone can earn extra money (for a new smartphone).
어떤 사람은 벌 수 있다 추가의 돈을 새 스마트폰을 위해

| 해석 | 어떤 사람은 새 스마트폰을 위해 추가로 돈을 벌 수 있다.

| 해설 | '~할 수 있다'라는 의미를 나타내는 조동사 can이 쓰인 문장으로, 조동사 뒤에는 동사원형이 와야 하므로 earn이 쓰이는 것이 알맞다. 전치사구 for a new smartphone은 수식어구이다.

101 | 정답 | write → written

You should've written the speech (on your own).
너는 썼어야 했다 그 연설문을 스스로

| 해석 | 너는 그 연설문을 스스로 썼어야 했다.

| 해설 | '~했어야 했다'라는 의미로 과거의 일에 대한 후회나 유감을 나타내는 표현인 should have p.p.가 사용된 문장으로, write의 p.p.(과거분사)형인 written이 쓰이는 것이 알맞다.

Grammar Check

095 can 096 must 097 should 098 must
099 동사원형 100 능력 101 should have p.p.

Unit 4 주어와 동사의 관계를 보여 주는 태

문장공식 11 수동태 (3형식 문장의 수동태) pp. 40-41

S가 | be p.p. 되다/받다 | by(~에 의해)

✔ QUICK QUIZ

(1) Spain is loved (by lots of tourists).
S(주어) 스페인은 / V(동사) 사랑받는다 / 많은 관광객들에게
|해석| 스페인은 많은 관광객들에게 사랑받는다.

(2) *The Mona Lisa* was painted (by Leonardo da Vinci) (in 1506).
S(주어) '모나리자'는 / V(동사) 그려졌다 / 레오나르도 다빈치에 의해 / 1506년에
|해석| '모나리자'는 1506년에 레오나르도 다빈치가 그렸다.

기출로 Practice

A

102 Those pictures were not painted (by the artist).
S 그 그림들은 / V 그려지지 않았다 / 그 화가에 의해
|해석| 그 그림들은 그 화가가 그리지 않았다.
|해설| 수동태의 부정 표현은 be동사와 p.p.사이에 not을 써서 나타낸다.

103 I was (deeply) touched (by your kind words).
S 나는 / V 감동받았다 / 깊이 / 당신의 친절한 말에 의해
|해석| 나는 당신의 친절한 말에 깊이 감동받았다.
|해설| 부사 deeply가 be동사와 p.p.사이에 위치한 수동태 문장이다.

104 The dirt is hidden (by the dark colors 〈of the uniforms〉).
S 먼지는 / V 숨겨져 있다 / 어두운 색에 의해 / 교복의
|해석| 먼지는 교복의 어두운 색에 의해 숨겨져 있다.
|해설| 전치사구인 of the uniforms는 the dark colors를 수식한다.

105 The market is held (every Saturday) (in July).
S 그 장은 / V 열린다 / 토요일마다 / 7월에
|해석| 그 장은 7월에 토요일마다 열린다.
|해설| 「by+행위자」가 생략된 수동태 문장으로, 매주 반복되는 일을 나타내므로 현재 시제(is)를 사용하였다.

B

106 CHOOSE! taken

This picture was taken (in front of the monkey cage).
S 이 사진은 / V 찍혔다 / 원숭이 우리 앞에서
|해석| 이 사진은 원숭이 우리 앞에서 찍혔다.
|해설| 사진은 '찍히는' 대상이므로 「be동사+p.p.」 형태의 수동태가 사용되는 것이 알맞다. 행위자를 밝힐 필요가 없을 때는 「by+행위자」를 생략할 수 있다.

107 POP QUIZ! 아래 문장성분 표시 참고

The details (of their everyday lives) were posted (on the Internet).
S 세부 사항들이 / 그들의 일상생활의 / V 게시되었다 / 인터넷에
|해석| 그들의 일상생활의 세부 사항들이 인터넷에 게시되었다.
|해설| 전치사구 of their everyday lives가 수식하는 핵심 주어(The details)가 복수명사이므로 수동태의 be동사는 were로 쓴다. 「by+행위자」는 생략되었다.

108 CHOOSE! founded

Doctors Without Borders was founded (in 1971) (by a small group 〈of French doctors〉).
S 국경 없는 의사회는 / V 설립되었다 / 1971년에 / 소수의 무리에 의해 / 프랑스 의사들의
|해석| 국경 없는 의사회는 1971년에 소수의 프랑스 의사들에 의해 설립되었다.
|해설| found는 find의 과거형이자 과거분사형이기도 하지만 '설립하다'라는 의미의 동사로도 쓰인다. 이 문장에서는 문맥상 '설립되었다'라는 의미이므로 was 뒤에 found의 과거분사형인 founded가 오는 것이 알맞다.

109 (During 2009-2010), (nearly) 40 percent of the expenditures were financed (by borrowing).
2009년에서 2010년 동안 / 거의 / S 지출의 40%가 / V 자금이 공급되었다 / 대출에 의해
|해석| 2009년에서 2010년 동안, 지출의 거의 40%가 대출에 의해 자금이 충당되었다.
|해설| 「during+명사(구)」는 '~ 동안'이라는 의미로 기간을 나타내는 전치사구이다. 「부분을 나타내는 표현(40 percent of)+복수명사」는 복수 취급하므로 be동사는 were가 쓰였다.

문장공식 12 동사 뒤에 목적어나 보어가 남는 수동태 (4·5형식 문장의 수동태)

pp. 42-43

S가 be p.p.되다 O/C로(라고/하게)

✔ QUICK QUIZ

(1) I was shown a picture (by him).
S(주어) 나는 / V(동사) 보여졌다 / O(목적어) 사진이 / 그에 의해서

| 해석 | 그에 의해서 나는 사진을 보았다.

(2) He is considered an expert (by us).
S(주어) 그는 / V(동사) 여겨진다 / C(보어) 전문가로 / 우리에 의해

| 해석 | 그는 우리에 의해 전문가로 여겨진다.

기출로 Practice

A

110 Identical twins are given the same genes.
S 일란성 쌍둥이는 / V 부여받다 / O 똑같은 유전자를

| 해석 | 일란성 쌍둥이는 똑같은 유전자를 부여받는다.

| 해설 | 동사 give의 간접목적어(Identical twins)가 주어로 쓰인 수동태 문장으로, 수동태(be동사+p.p.) 뒤에는 직접목적어(the same genes)가 온다.

111 Mae was named the first black woman astronaut (in 1987).
S Mae는 / V 임명되었다 / C 최초의 흑인 여성 우주 비행사로 / 1987년에

| 해석 | Mae는 1987년에 최초의 흑인 여성 우주 비행사로 임명되었다.

| 해설 | 「name+목적어+목적격보어」(~을 …로 임명하다)의 5형식 문장을 수동태로 나타낸 문장이다.

112 The residents were asked questions (about welfare).
S 거주자들은 / V 질문받았다 / O 질문들을 / 복지에 대한

| 해석 | 거주자들은 복지에 대한 질문들을 받았다.

| 해설 | 동사 ask의 간접목적어가 주어로 쓰인 수동태 문장으로, 수동태 뒤에 직접목적어(questions about welfare)가 온다.

113 The 18th century is called the Golden Age (of botanical painting).
S 18세기는 / V 불린다 / C 황금기라고 / 식물화의

| 해석 | 18세기는 식물화의 황금기로 불린다.

| 해설 | 「call+목적어+목적격보어」(~을 …라고 부르다)의 5형식 문장을 수동태로 나타낸 문장이다.

B

114 POP QUIZ! is considered

Sadness is considered an unnecessary emotion (in some cultures).
S 슬픔이 / V 여겨진다 / C 불필요한 감정으로 / 어떤 문화에서는

| 해석 | 어떤 문화에서는 슬픔이 불필요한 감정으로 여겨진다.

| 해설 | 「consider+목적어+목적격보어」(~을 …로 여기다)의 5형식 문장을 수동태로 나타낸 문장으로, 수동태 뒤에 보어가 온다.

115 CHOOSE! was left

The fairy returned (to heaven) (with her children), // and the woodcutter was left alone.
S_1 선녀는 / V_1 돌아갔다 / 하늘나라로 / 자신의 아이들과 함께 // 그리고 / S_2 나무꾼은 / V_2 남겨졌다 / C 홀로

| 해석 | 선녀는 자녀들과 하늘나라로 돌아갔고, 나무꾼은 홀로 남겨졌다.

| 해설 | 문맥상 나무꾼이 홀로 '남겨졌다'는 내용이므로 was left가 알맞다. 「leave+목적어+목적격보어」(~를 …(상태)로 남겨두다)의 5형식 문장을 수동태로 나타낸 것이므로, 수동태 뒤에는 보어(alone)가 이어진다.

116 One group was paid (very well) (for their time), // but the other was (only) given a small amount of cash.
S_1 한 그룹은 / V_1 보수가 지급되었다 / 후하게 / 그들의 시간에 대해 // 하지만 / S_2 다른 그룹은 / V_2 단지 지급되었다 / O 적은 액수의 현금이

| 해석 | 한 그룹은 그들이 보낸 시간에 대해 후하게 보수가 지급되었지만, 다른 그룹에는 단지 적은 액수의 현금이 지급되었다.

| 해설 | the other는 둘 중 나머지 남은 대상을 가리킬 때 사용하는 표현으로, 여기서는 the other group을 나타낸다. but 뒤에 이어지는 문장은 동사 give의 간접목적어(the other)가 주어로 쓰인 수동태 문장이므로 수동태 뒤에는 직접목적어(a small amount of cash)가 남는다.

117 CHOOSE! asked

(In their experiment), participants were shown a documentary film / and then asked a series of questions (about the video).
그들의 실험에서 / S 참가자들은 / V_1 보여졌다 / O_1 다큐멘터리가 / 그러고 나서 / V_2 질문 받았다 / O_2 일련의 질문들을 / 그 영상에 대한

| 해석 | 그들의 실험에서, 참가자들이 다큐멘터리를 보았고 그리고 나서 그 영상에 대한 일련의 질문을 받았다.

| 해설 | '다큐멘터리가 보여지고 나서 질문을 받았다'라는 의미가 되려면 수동태 두 개가 and then으로 연결되는 것이 자연스럽다. 「be동사+p.p. and then (be동사)+p.p.」의 구조에서 반복적으로 사용되는 두 번째 be동사는 생략 가능하다.

문장공식 13 시제나 조동사가 결합된 수동태 pp. 44-45

S가 | be동사+being p.p. 되고 있는 중이(었)다
have been p.p. 되어 왔다/된 적이 있다
조동사+be p.p. 될 것이다/될 수 있다/되어야 한다

✔ QUICK QUIZ

(1) All data(S(주어): 모든 데이터가) have been deleted(V(동사): 지워졌다).

| 해석 | 모든 데이터가 지워졌다.

(2) The foot(S(주어): 발은) has been called(V(동사): 불려 왔다) the second heart(C(보어): 두 번째 심장이라고).

| 해석 | 발은 두 번째 심장이라고 불려 왔다.

기출로 Practice

A

118 One hundred people(S: 백 명의 사람들이) will be invited(V: 초대될 것이다) (to the event)(그 행사에).

| 해석 | 백 명의 사람들이 그 행사에 초대될 것이다.

| 해설 | 미래 시제 수동태는 will be p.p.로 나타낼 수 있다.

119 The impact(S: 영향은) (of color)(색깔의) has been studied(V: 연구되어 왔다) (for decades)(수십 년 동안).

| 해석 | 색깔의 영향은 수십 년 동안 연구되어 왔다.

| 해설 | 기간을 나타내는 전치사구(for decades)가 있으므로 '연구되어 왔다'라는 '계속'의 의미로 현재완료 수동태가 사용되었음을 알 수 있다.

120 Special radar systems(S: 특수한 레이더 시스템들이) are being installed(V: 설치되고 있다) (at major airports)(주요 공항들에).

| 해석 | 특수 레이더 시스템이 주요 공항들에 설치되고 있다.

| 해설 | '~되고 있다'라는 의미의 진행형 수동태는 「be동사+being p.p.」로 나타낸다.

121 Books(S: 책들은) must be returned(V: 반납되어야 한다) (within 2 weeks)(2주 내에) (from the check-out date)(대출일로부터).

| 해석 | 도서는 대출일로부터 2주 내에 반납되어야 한다.

| 해설 | 「조동사 must+be p.p.」는 '~되어야 한다'라고 해석한다.

B

122 The quoll's survival(S: 주머니고양이의 생존이) was being threatened(V: 위협받고 있었다) (by the cane toad)(수수두꺼비에 의해).

| 해석 | 주머니고양이의 생존이 수수두꺼비에 의해 위협받고 있었다.

| 해설 | '~되고 있었다'라는 의미는 과거진행형 수동태(was/were being p.p.)로 나타낸다.

123 CHOOSE! be acquired

Language skills(S: 언어 기능들은), (like any other skills)(다른 기능들처럼), can be acquired(V: 습득될 수 있다) (only through practice)(오직 연습을 통해서만).

| 해석 | 언어 기능들은 다른 기능들과 마찬가지로 연습을 통해서만 습득될 수 있다.

| 해설 | 언어 기능은 '습득될' 수 있는 대상이므로 조동사가 사용된 수동태인 「조동사 can+be p.p.」 형태가 되어야 한다. like any other skills는 '~처럼'이라는 의미의 전치사 like가 이끄는 전치사구로 부사 역할을 한다.

124 POP QUIZ! have (already) been taken

Other members(S: 다른 구성원들은) (of his family)(그의 가족의) have (already)(이미) been taken(V: 실려갔다) (to the hospital)(병원으로).

| 해석 | 그의 가족의 다른 구성원들은 이미 병원으로 실려갔다.

| 해설 | 전치사구 of his family가 핵심 주어인 Other members를 수식하고 있으므로, 동사는 핵심 주어에 수를 일치시켜야 한다. 어떤 일이 이미 '완료'된 상태를 나타내는 현재완료 수동태 문장이다.

125 CHOOSE! has

One of her novels(S: 그녀의 소설 중 한 권은) has been translated(V: 번역되었다) (into more than eighty languages)(80개 이상의 언어로).

| 해석 | 그녀의 소설 중 한 권은 80개 이상의 언어로 번역되었다.

| 해설 | 「one of+복수명사」는 '~ 중 하나'라는 의미로, 주어로 쓰일 때 단수 취급하므로 has been translated가 되어야 한다. be translated into는 '~으로 번역되다'라고 해석한다.

Unit Exercise
p. 46

A

126 | 정답 | influenced

Her early life (S) was (strongly) influenced (V) (by her father's historical knowledge).
그녀의 어린 시절은 / 강하게 / 영향을 받았다 / 자신의 아버지의 역사적 지식에 의해

| 해석 | 그녀의 어린 시절은 아버지의 역사적 지식에 크게 영향을 받았다.

| 해설 | '어린 시절'이 영향을 '받았다'는 내용으로 수동태가 사용되었다. 수동태의 be동사와 p.p 사이에 strongly와 같은 부사가 쓰여 내용을 강조할 수도 있다.

127 | 정답 | appointed

(In 1849), he (S) was appointed (V) the first professor (C) (of mathematics) (at Queen's College).
1849년에 / 그는 / 임명되었다 / 최초의 교수로 / 수학의 / Queen's College에서

| 해석 | 1849년에 그는 Queen's College 최초의 수학 교수로 임명되었다.

| 해설 | 「appoint+목적어+목적격보어」(~를 …로 임명하다)의 5형식 문장에서 목적어가 주어로 사용된 수동태 문장으로, 수동태 뒤에는 보어(the first professor of mathematics)가 온다.

128 | 정답 | be made

Art (S) can be made (V) (out of all kinds of old things ⟨around us⟩).
예술은 / 만들어질 수 있다 / 모든 종류의 낡은 것들로부터 / 우리 주위의

| 해석 | 예술은 우리 주위의 모든 낡은 것들로부터 만들어질 수 있다.

| 해설 | 예술은 '만들어질 수 있는 것'이므로 조동사가 있는 수동태(조동사 can+be p.p.)로 쓰였다. be made out of는 '~으로 만들어지다'라고 해석한다.

129 | 정답 | been done

(In fact), much research (S) has been done (V) (on the developmental stages ⟨of childhood⟩).
사실 / 많은 연구가 / 이뤄져 왔다 / 발달 단계에 대해 / 유아기의

| 해석 | 사실, 유아기의 발달 단계에 대해 많은 연구들이 이뤄져 왔다.

| 해설 | research는 셀 수 없는 명사이므로 단수 취급하며, '이뤄져 왔다'라는 계속의 의미를 나타내는 현재완료 수동태가 사용되었다. of childhood는 the developmental stages를 수식하는 전치사구이다.

B

130 | 정답 | gave → given

Every medal winner (S) was given (V) an olive wreath (O) (along with their medal).
모든 메달 수상자는 / 주어졌다 / 월계관이 / 그들의 메달과 함께

| 해석 | 모든 메달 수상자는 메달과 함께 월계관을 받았다.

| 해설 | 「give+간접목적어(Every medal winner)+직접목적어(an olive wreath)」에서 간접목적어가 주어로 쓰인 수동태(be동사+p.p.)문장이므로 gave는 p.p. 형태인 given이 되어야 한다. Every가 사용된 주어는 단수 취급하므로 be동사로 was가 쓰였다. 수동태 뒤에는 능동태 문장에서 직접목적어였던 an olive wreath가 남는다.

131 | 정답 | send → be sent

Registration forms (S) must be sent (V) (by email) (to the address below) (by 6:00 p.m., November 28).
등록 신청서는 / 보내져야 한다 / 이메일로 / 아래에 있는 주소로 / 11월 28일 오후 6시까지

| 해석 | 아래의 주소로 등록 신청서를 11월 28일 오후 6시까지 이메일로 보내야 한다.

| 해설 | 신청서는 '보내지는' 것이므로 조동사 뒤에 수동태가 이어지는 것이 알맞다. 전치사 by가 by email에서는 '~으로'의 의미로 쓰였고, by 6:00 p.m.에서는 '~까지'의 의미로 쓰였다.

132 | 정답 | respect → respected

Rats (S) are considered (V_1) pests (C) (in much ⟨of Europe and North America⟩) /and (greatly) respected (V_2) (in some parts of India).
쥐는 / 여겨진다 / 유해 동물로 / 많은 지역에서 / 유럽과 / 북아메리카의 / 그리고 / 대단히 / 존경받는다 / 인도의 일부 지역에서는

| 해석 | 쥐는 유럽과 북아메리카의 많은 지역에서 유해 동물로 여겨지고, 인도의 일부 지역에서는 매우 중시된다.

| 해설 | 쥐가 유해 동물로 '여겨지고', '존경을 받는' 대상이므로 동사는 모두 수동태(be동사+p.p.)가 되어야 한다. 수동태가 등위접속사 and로 연결될 경우, and 뒤에 이어지는 be동사는 생략되어 과거분사(p.p.)만 남을 수 있다.

Grammar Check

126 p.p.(과거분사), by　127 보어　128 be
129 been　130 목적어　131 be p.p.　132 be동사

PART 2 주어, 목적어, 보어의 확장

Unit 5 주어, 목적어로 쓰이는 to부정사와 동명사

문장공식 14 주어로 쓰이는 동명사 pp. 50-51

v-ing 하는 것은 V 하다

✔ QUICK QUIZ

(1) Losing weight can be difficult.
S(주어): Losing weight 살을 빼는 것은 / V(동사): can be ~일 수 있다 / SC(주격보어): difficult 어려운

| 해석 | 살을 빼는 것은 어려울 수 있다.

(2) Buying things (on sale) is good.
S(주어): Buying things 물건을 사는 것은 / (on sale) 할인 중인 / V(동사): is ~이다 / SC(주격보어): good 좋은

| 해석 | 할인 중인 물건을 사는 것은 좋다.

기출로 Practice

A

133 Drawing pictures is one of my hobbies.
S: Drawing pictures 그림을 그리는 것은 / V: is ~이다 / SC: one of my hobbies 내 취미 중 하나

| 해석 | 그림을 그리는 것은 내 취미 중 하나이다.

| 해설 | 주어로 쓰인 동명사구는 단수 취급하므로 동사로 is가 쓰였다.

134 Visiting a sunflower festival would be nice.
S: Visiting a sunflower festival 해바라기 축제에 방문하는 것은 / V: would be ~일 것이다 / SC: nice 좋은

| 해석 | 해바라기 축제에 방문하는 것은 좋을 것이다.

135 Preparing and eating good food is the pleasure (of life).
S: Preparing and eating good food 좋은 음식을 준비하고 먹는 것은 / V: is ~이다 / SC: the pleasure 기쁨 / (of life) 삶의

| 해석 | 좋은 음식을 준비해서 먹는 것은 삶의 기쁨이다.

136 Doing (well) (in school) gives most students confidence.
S: Doing (well) (in school) 학교 공부를 잘하는 것은 / V: gives 준다 / IO: most students 대부분의 학생들에게 / DO: confidence 자신감을

| 해석 | 학교 공부를 잘하는 것은 대부분의 학생들에게 자신감을 준다.

| 해설 | 동명사구 주어는 단수 취급하므로 동사원형에 -s를 붙였다.

B

137 CHOOSE! Learning

Learning does not happen (in the same way) (for all people).
S: Learning 배움은 / V: does not happen 일어나지 않는다 / (in the same way) 똑같은 방식으로 / (for all people) 모든 사람들에게

| 해석 | 배움은 모든 사람들에게 똑같은 방식으로 일어나지 않는다.

| 해설 | 동사가 명사의 역할을 하여 주어로 쓰였으므로 동명사로 쓰는 것이 알맞다.

138 CHOOSE! is

Living (without smartphones) is difficult (for many people) (these days).
S: Living (without smartphones) 사는 것은 / 스마트폰 없이 / V: is ~이다 / SC: difficult 어려운 / (for many people) 많은 사람들에게 / (these days) 요즘

| 해석 | 스마트폰 없이 사는 것은 요즘 많은 사람들에게 어렵다.

| 해설 | 주어로 쓰인 동명사구(Living without smartphones)는 단수 취급하므로 is가 알맞다. 전치사구 for many people은 앞에 있는 형용사(difficult)를 꾸며 준다.

139 POP QUIZ! Challenging your brain with new activities

Challenging your brain (with new activities) can strengthen the connections (between brain cells).
S: Challenging your brain 당신의 두뇌에 도전 의식을 북돋우는 것은 / (with new activities) 새로운 활동들로 / V: can strengthen 강화할 수 있다 / O: the connections 연결을 / (between brain cells) 뇌세포들 사이의

| 해석 | 새로운 활동으로 당신의 두뇌에 도전 의식을 북돋우는 것은 뇌세포 사이의 연결을 강화할 수 있다.

| 해설 | 동사 can strengthen 앞까지가 주어로 쓰인 동명사구이다. 전치사구 between brain cells는 the connections를 뒤에서 수식하는 형용사 역할을 한다.

140 (Increasingly), reading and writing can be done (electronically) (with the aid 〈of a computer〉).
(Increasingly) 갈수록 더 / S: reading and writing 읽는 것과 쓰는 것은 / V: can be done 될 수 있다 / (electronically) 전자적으로 / (with the aid) 도움으로 / 〈of a computer〉 컴퓨터의

| 해석 | 갈수록 더, 컴퓨터의 도움으로 읽기와 쓰기가 전자적으로 이루어질 수 있다.

| 해설 | 동명사 두 개가 and로 연결되어 주어로 사용되었다. can be done은 조동사가 있는 수동태로 '될 수 있다'로 해석한다.

문장공식 15 주어로 쓰이는 to부정사와 가주어 it pp. 52-53

It V하다 to-v하는 것은

✔ QUICK QUIZ

(1) It(S(가주어)) is(V(동사)) fun(SC(주격보어)) to ride bicycles(S′(진주어)).
~이다 / 재미있는 / 자전거를 타는 것은

| 해석 | 자전거를 타는 것은 재미있다.

(2) It(S(가주어)) was(V(동사)) hard(SC(주격보어)) to find enough food(S′(진주어)).
~이었다 / 힘든 / 충분한 음식을 찾는 것은

| 해석 | 충분한 음식을 찾는 것은 힘들었다.

기출로 Practice

A

141 It(S) is not(V) easy(SC) to choose a wedding ring(S′).
~이 아니다 / 쉬운 / 결혼 반지를 고르는 것은

| 해석 | 결혼 반지를 고르는 것은 쉽지 않다.

| 해설 | 주어로 쓰인 to부정사구는 문장 뒤로 보내고 주어 자리에 가주어 It을 쓰는 경우가 많다.

142 It(S) is(V) quick and easy(SC) to post photos(S′) (online).
~이다 / 빠르고 쉬운 / 사진을 게시하는 것은 / 온라인으로

| 해석 | 온라인으로 사진을 게시하는 것은 빠르고 쉽다.

| 해설 | 가주어로 쓰인 It은 해석하지 않고 to부정사구를 주어로 해석하도록 한다.

VOCA TIP post

post는 명사로 '우편' 또는 '직책'이라는 의미이고, 동사로는 '발송하다' 또는 '게시하다'라는 의미이다. He sent me a letter by post.에서는 '우편'이라는 의미를, She was offered a post at her own university.에서는 '직책'이라는 의미를 나타낸다. 그리고 I will post this package tomorrow.에서는 '발송하다'라는 의미로, The rumor was already posted on the Internet.에서는 '게시하다'라는 의미로 쓰였다.

143 It(S) is(V) impossible(SC) to satisfy everyone(S′) (around you).
~이다 / 불가능한 / 모두를 만족시키는 것은 / 당신 주변의

| 해석 | 당신 주변의 모두를 만족시키는 것은 불가능하다.

| 해설 | 전치사구 around you가 to부정사의 목적어인 everyone을 수식한다.

144 It(S) is(V) hard(SC) to realize our potential(S′) (in difficult situations).
~이다 / 힘든 / 우리의 잠재력을 실현하는 것은 / 어려운 상황에서

| 해석 | 어려운 상황에서는 우리의 잠재력을 실현하는 것이 힘들다.

| 해설 | 전치사구 in difficult situations가 부사의 역할을 한다.

B

145 POP QUIZ! to recognize your pet's particular needs

It(S) is(V) important(SC) to recognize your pet's particular needs(S′).
~이다 / 중요한 / 여러분의 반려동물의 특별한 욕구를 인식하는 것은

| 해석 | 여러분의 반려동물의 특별한 욕구를 인식하는 것은 중요하다.

| 해설 | to recognize ~ needs가 진주어로, 가주어 It을 주어 자리에 쓰고 진주어를 문장 뒤로 보낸 형태이다.

146 CHOOSE! to express

(Nowadays), it(S) is(V) popular(SC) to express feelings(S′) (through handwriting).
요즘에는 / ~이다 / 인기 있는 / 감정을 표현하는 것이 / 손 글씨로

| 해석 | 요즘에는 손 글씨로 감정을 표현하는 것이 인기 있다.

| 해설 | 가주어 it이 주어 자리에 쓰였으므로 문장 뒤에 진주어인 to부정사구가 쓰이는 것이 알맞다.

147 It(S) is(V) okay(SC) to cry or fill up pages(S′) (in your journal) (about all the horrible emotions).
~이다 / 괜찮은 / 우는 것 또는 페이지를 채우는 것은 / 네 일기장에 / 모든 끔찍한 감정에 대해

| 해석 | 울거나 모든 끔찍한 감정에 대해 네 일기장에 쓰는(채우는) 것은 괜찮다.

| 해설 | to부정사 to cry와 to부정사구 to fill up ~이 등위접속사 or로 연결된 경우로, 이때 to는 공통으로 한 번만 사용할 수 있다.

148 CHOOSE! not to

It(S) is(V) wise(SC) not to open email attachments(S′) (from an unknown source).
~이다 / 현명한 / 이메일 첨부 문서를 열지 않는 것은 / 모르는 출처로부터 온

| 해석 | 모르는 출처로부터 온 이메일의 첨부 문서를 열지 않는 것이 현명하다.

| 해설 | to부정사(구)의 부정은 to부정사 앞에 not이나 never를 써서 나타내며 '~하지 않는 것'으로 해석한다. 전치사구 from an unknown source는 앞의 email attachments를 수식한다.

문장공식 16 목적어로 쓰이는 동명사

pp. 54-55

S는 **V**하다 **v-ing**하는 것을

✔ QUICK QUIZ

(1) She enjoys making delicious food.
S(주어) 그녀는 / V(동사) 즐긴다 / O(목적어) 맛있는 음식을 만드는 것을

|해석| 그녀는 맛있는 음식을 만드는 것을 즐긴다.

(2) Many ideas come (from observing nature).
S(주어) 많은 아이디어가 / V(동사) 온다 / 자연을 관찰하는 것으로부터

|해석| 많은 아이디어가 자연을 관찰하는 것으로부터 온다.

기출로 Practice

A

149 We keep searching for answers (on the Internet).
S 우리는 / V 계속한다 / O 답을 검색하는 것을 / 인터넷에서

|해석| 우리는 인터넷에서 계속 답을 검색한다.

|해설| keep은 주로 동명사를 목적어로 취하는 동사로, keep v-ing는 '계속해서 ~하다'라고 해석한다.

150 They will become interested (in protecting animals).
S 그들은 / V ~될 것이다 / SC 흥미가 있는 / 동물을 보호하는 것에

|해석| 그들은 동물을 보호하는 것에 흥미를 가지게 될 것이다.

|해설| 「become+형용사」는 '~하게 되다'라고 해석하며, 동명사 protecting이 전치사(in)의 목적어로 쓰였다.

151 Consider adopting a pet (with medical or behavioral needs).
V 고려해 주세요 / O 반려동물을 입양하는 것을 / 의료적 또는 행동적 도움이 필요한

|해석| 의료적 또는 행동적인 도움이 필요한 반려동물을 입양하는 것을 고려해 주세요.

|해설| consider는 주로 동명사를 목적어로 취하는 동사이다. with medical or behavioral needs는 명사 a pet을 수식한다.

152 (On the morning 〈of my performance〉), I was worried (about forgetting my lines).
아침에 / 내 공연의 / S 나는 / V ~이었다 / SC 걱정스러운 / 내 대사를 잊는 것에 대해

|해석| 공연 날 아침에 나는 대사를 잊을까봐 걱정했다.

|해설| be worried about은 '~에 대해 걱정하다'라는 의미로, 전치사 about의 목적어로 동명사구가 쓰였다.

B

153 POP QUIZ! painting beautiful flowers (with a male and a female bird)

Minhwa artists enjoyed painting beautiful flowers (with a male and a female bird).
S 민화 화가들은 / V 즐겼다 / O 아름다운 꽃들을 그리는 것을 / 수컷과 암컷 새가 함께 있는

|해석| 민화 화가들은 수컷과 암컷 새가 함께 있는 아름다운 꽃들을 그리는 것을 즐겼다.

|해설| enjoy는 주로 동명사를 목적어로 취하는 동사로, enjoy v-ing는 '~하는 것을 즐기다'라고 해석한다.

154 (By combining story and report), a writer can speak (to both our hearts and our heads).
이야기와 기록을 결합시킴으로써 / S 저자는 / V 말할 수 있다 / 우리의 마음과 머리 모두에게

|해석| 이야기와 기록을 결합시킴으로써, 저자는 우리의 마음과 머리 모두에게 말할 수 있다.

|해설| 전치사 by의 목적어로 동명사가 쓰이면 '~함으로써'라는 의미를 나타낸다. combine *A* and *B*는 'A와 B를 결합하다'라는 의미이고, both *A* and *B*는 'A와 B 모두'를 의미한다.

155 CHOOSE! seeing

We are looking forward to seeing excellent work (from you) (in your new department).
S 우리는 / V 기대하고 있다 / O 훌륭한 작업물을 볼 것을 / 당신으로부터 / 당신의 새 부서에서

|해석| 우리는 당신이 새 부서에서 훌륭하게 일하는 것을 보기를 기대합니다.

|해설| '~하는 것을 기대하다'라는 의미로 look forward to를 사용할 경우, 전치사 to 뒤에는 동명사가 와야 하므로 seeing이 알맞다. look forward to v-ing는 관용 표현처럼 알아 두면 해석하기 편하다.

156 CHOOSE! growing

The volcano kept growing, // and it (finally) stopped growing (at 424 meters) (in 1952).
S_1 그 화산은 / V_1 계속했다 / O_1 자라는 것을 / 그리고 S_2 그것은 / 마침내 / V_2 멈췄다 / O_2 자라는 것을 / 424미터에서 / 1952년에

|해석| 그 화산은 계속 자랐고, 마침내 1952년에 424미터에서 자라는 것을 멈췄다.

|해설| 「stop+동명사」는 '~하는 것을 멈추다'라는 의미이고 「stop+to부정사」는 '~하기 위해 멈추다'라는 의미이므로, 이 문장은 문맥상 stopped의 목적어로 동명사(growing) 형태가 쓰여 '자라는 것을 멈췄다'라고 해석하는 것이 알맞다. at 424 meters와 in 1952 모두 부사 역할을 하는 전치사구이다.

문장공식 17 목적어로 쓰이는 to부정사

pp. 56-57

S는 **V**하다 **to-v**하는 것을

✔ QUICK QUIZ

S(주어) V(동사) O(목적어)
(1) I plan to leave (tomorrow).
나는 계획한다 떠날 것을 내일

| 해석 | 나는 내일 떠날 계획이다.

S(주어) V(동사) O(목적어)
(2) He wanted to finish his work.
그는 원했다 그의 일을 끝내기를

| 해석 | 그는 일을 끝내고 싶었다.

기출로 Practice

A

S V O
157 He decided to take a trip (on a train).
그는 결정했다 여행을 하기로 기차로

| 해석 | 그는 기차로 여행을 하기로 결정했다.

| 해설 | decide는 주로 to부정사를 목적어로 취하는 동사로, '~하기로 결정하다'라고 해석한다.

S V O
158 I want to open my own donut shop.
나는 원한다 나만의 도넛 가게를 여는 것을

| 해석 | 나는 나만의 도넛 가게를 열고 싶다.

| 해설 | want는 주로 to부정사를 목적어로 취하는 동사로, '~하고 싶다'라고 해석한다.

S V O
159 Most young designers like to work (in big cities).
대부분의 젊은 디자이너들은 좋아한다 일하는 것을 대도시에서

| 해석 | 대부분의 젊은 디자이너들은 대도시에서 일하는 것을 좋아한다.

| 해설 | like는 동명사와 to부정사를 모두 목적어로 취할 수 있으며, '~하는 것을 좋아하다'라고 해석한다.

S V O
160 People began to call him a master.
사람들은 시작했다 그를 주인이라고 부르는 것을

| 해석 | 사람들은 그를 주인이라고 부르기 시작했다.

| 해설 | begin은 동명사와 to부정사를 모두 목적어로 취할 수 있으며, '~하기 시작하다'라고 해석한다. call *A* *B*는 'A를 B라고 부르다'라는 의미이다.

B

S V O
161 I want to understand their songs (without subtitles or translations).
나는 원한다 그들의 노래를 이해하는 것을 자막이나 번역 없이

| 해석 | 나는 그들의 노래를 자막이나 번역 없이 이해하고 싶다.

| 해설 | 「without+명사(구)」는 '~ 없이'라는 의미의 전치사구로, 이 문장에서는 목적어 역할을 하는 to부정사구를 수식한다.

162 POP QUIZ! to do things (independently)

S V O
Children learn to do things (independently) (by trial and error).
아이들은 배운다 행동하는 것을 독립적으로 시행착오를 겪으며

| 해석 | 아이들은 시행착오를 겪으며 독립적으로 행동하는 것을 배운다.

| 해설 | learn은 주로 to부정사를 목적어로 취하여 '~하는 것을 배우다'라는 의미를 나타낸다. 전치사구 by trial and error는 부사 역할을 한다.

S V O
163 The organization agreed to transport the T-shirts (on their next trip 〈to Africa〉).
그 단체는 동의했다 그 티셔츠들을 수송하는 것을 자신들의 다음 방문 때 아프리카로 가는

| 해석 | 그 단체는 자신들의 다음번 아프리카 방문 때 그 티셔츠들을 수송하겠다고 동의했다.

| 해설 | agree는 to부정사를 목적어로 취하여 '~하기로 동의하다'라는 의미를 나타낸다.

164 CHOOSE! set

S V O1 O2
All mammals need to leave their parents / and set up (on their own) (at some point).
모든 포유동물은 필요로 한다 자신들의 부모를 떠나는 것을 그리고 자립하는 것을 그들 스스로 어느 시점에

| 해석 | 모든 포유동물은 어느 시점에는 부모를 떠나서 스스로 자립해야 한다.

| 해설 | to부정사구가 and와 같은 등위접속사로 연결될 경우, to는 공통으로 한 번만 사용하여 두 번째 to부정사구에서는 to가 생략될 수 있다. 따라서 앞에 to가 생략된 set이 알맞다. need는 to부정사를 목적어로 취하여 '~할 필요가 있다, ~해야 한다'라는 의미를 나타낸다.

Unit Exercise

p. 58

A

165 | 정답 | to do

S V SC S′

It is unwise to do several things (at once).

~이다 현명하지 않은 여러 가지 일을 하는 것은 동시에

| 해석 | 여러 가지 일을 동시에 하는 것은 현명하지 않다.

| 해설 | 가주어 It이 주어 자리에 쓰이고, 진주어인 to부정사구가 문장의 뒤로 간 형태이므로 to do가 쓰이는 것이 알맞다.

166 | 정답 | Being 또는 To be

S V SC

Being(To be) a teenager can be a very stressful time (in your life).

십 대가 되는 것은 ~일 수 있다 매우 스트레스를 받는 시기 당신의 삶에서

| 해석 | 십 대가 되는 것은 당신의 삶에서 매우 스트레스를 받는 시기일 수 있다.

| 해설 | 주어 자리이므로 동명사나 to부정사 형태가 쓰여야 한다.

167 | 정답 | losing 또는 to lose

S_1 V_1 O

The left engine starts losing(to lose) power // and

왼쪽 엔진은 시작한다 힘을 잃는 것을 그리고

S_2 V_2 SC

the right engine is (nearly) dead (now).

오른쪽 엔진은 ~이다 거의 작동을 하지 않는 지금

| 해석 | 왼쪽 엔진은 동력을 잃기 시작하고 오른쪽 엔진은 이제 거의 멈췄다.

| 해설 | start는 동명사와 to부정사를 모두 목적어로 취하는 동사이며 '~하기 시작하다'로 해석한다.

B

168 | 정답 | get → to get

S V_1 O_1 V_2 O_2

I like helping people / and hope to get a job (as a lifeguard) (later).

나는 좋아한다 사람들을 돕는 것을 그리고 바란다 직업을 얻기를 구조대원으로 나중에

| 해석 | 나는 사람들을 돕는 것을 좋아해서 나중에 구조대원을 직업으로 가지고 싶다.

| 해설 | hope는 to부정사를 목적어로 취하는 동사이므로 to get이 알맞다. 전치사구 as a lifeguard는 부사 역할을 한다.

169 | 정답 | shake → to shake 또는 shaking

S_1 V_1 O_1 S_2 V_2

Her legs began to shake(shaking) // and she felt

그녀의 다리는 시작했다 후들거리기를 그리고 그녀는 느꼈다

O_2 OC

her body stiffen.

자신의 몸이 뻣뻣해지는 것을

| 해석 | 그녀의 다리는 후들거리기 시작했으며, 그녀는 몸이 굳어지는 것을 느꼈다.

| 해설 | begin은 동명사와 to부정사를 모두 목적어로 취하며 '~하기 시작하다'로 해석한다. feel은 지각동사로, 「feel+목적어+동사원형/현재분사」 형태로 '(목적어)가 ~하는 것을 느끼다'라는 의미를 나타낸다.

170 | 정답 | helped → helping

S V SC

She is interested (in helping ⟨with special programs {for kids}⟩).

그녀는 ~이다 흥미가 있는 돕는 것에 특별한 프로그램을 아이들을 위한

| 해석 | 그녀는 아이들을 대상으로 하는 특별한 프로그램을 돕는 것에 흥미가 있다.

| 해설 | be interested in은 '~에 흥미가 있다'라는 의미이며, 전치사 (in)의 목적어로는 동명사 형태가 쓰여야 하므로 helping이 알맞다.

171 | 정답 | are → is

S_1 V_1 SC_1 S_2

Losing weight can be difficult, // but changing

몸무게를 감량하는 것은 ~일 수 있다 어려운 하지만 그들의

V_2 SC_2

their looks is (very) simple.

외모를 바꾸는 것은 ~이다 매우 간단한

| 해석 | 몸무게를 감량하는 것은 어려울 수 있지만, 그들의 외모를 바꾸는 것은 매우 간단하다.

| 해설 | 동명사구가 주어인 문장 두 개가 등위접속사 but으로 연결된 문장이다. 주어로 사용된 동명사(구)는 단수 취급하므로 is가 쓰여야 한다.

Grammar Check

165 it(It) **166** 주어 **167** '~하는 것을'
168 to부정사 **169** to부정사, 동명사 **170** 동명사
171 단수

Unit 6 보어로 쓰이는 to부정사와 동명사, 원형부정사, 분사

문장공식 18 주어를 보충 설명하는 to부정사와 동명사 pp. 60-61

S는 be이다 to-v / v-ing하는 것

✔ QUICK QUIZ

(1) Her hobby(S(주어)) is(V(동사)) playing tennis(SC(주격보어)).
그녀의 취미는 ~이다 테니스 치는 것
| 해석 | 그녀의 취미는 테니스 치는 것이다.

(2) His job(S(주어)) is(V(동사)) to save people(SC(주격보어)) (from danger).
그의 직업은 ~이다 사람들을 구하는 것 위험으로부터
| 해석 | 그의 직업은 위험으로부터 사람들을 구하는 것이다.

기출로 Practice

A

172 My habit(S) is(V) avoiding eye contact(SC).
나의 습관은 ~이다 눈 맞춤을 피하는 것
| 해석 | 나의 습관은 눈 맞춤을 피하는 것이다.
| 해설 | be동사 뒤에서 동명사(구)가 주격보어로 쓰이면 '~하는 것이다'로 해석한다. is avoiding을 현재진행형으로 해석하지 않도록 주의한다.

173 My dream(S) is(V) to be the world chess champion(SC).
내 꿈은 ~이다 세계 체스 챔피언이 되는 것
| 해석 | 내 꿈은 세계 체스 챔피언이 되는 것이다.
| 해설 | to부정사구 to be the world chess champion은 주격보어의 역할을 한다.

174 War(S) seems(V) to be part(SC) (of the history 〈of humanity〉).
전쟁은 ~인 것 같다 일부인 것 역사의 인류의
| 해석 | 전쟁은 인류 역사의 일부인 것 같다.
| 해설 | 「seem+to부정사(구)」는 '~인 것 같다'의 의미로 해석하며, 이때 to부정사(구)는 주격보어의 역할을 한다.

175 The most important classroom rule(S) is(V) to respect each other(SC).
가장 중요한 학급 규칙은 ~이다 서로를 존중하는 것
| 해석 | 가장 중요한 학급 규칙은 서로를 존중하는 것이다.
| 해설 | the most는 '가장 ~한'의 의미로 최상급을 나타내며, be동사 뒤에서 to부정사(구)가 주격보어로 쓰이면 '~하는 것이다'로 해석한다. each other는 '서로'라는 의미로 동사나 전치사의 목적어로 쓰이는 대명사이다.

B

176 POP QUIZ! My goal

My goal(S) is(V) to help all dogs(SC) (in this community).
나의 목표는 ~이다 모든 개들을 돕는 것 이 지역 사회에 있는
| 해석 | 나의 목표는 이 지역 사회에 있는 모든 개들을 돕는 것이다.
| 해설 | be동사 뒤에서 to부정사(구)는 주어를 보충 설명하는 주격보어로 쓰일 수 있으며, '~하는 것'으로 해석한다.

177 One(S) (of the most impolite behaviors) is(V) cutting in line(SC) (in public places).
하나는 가장 무례한 행동 중 ~이다 새치기하는 것 공공장소에서
| 해석 | 가장 무례한 행동 중 하나는 공공장소에서 새치기하는 것이다.
| 해설 | 「one of+복수명사」는 '~중 하나'의 의미이며, one이 제시된 문장 전체의 주어이므로 be동사로 is가 쓰였다.

178 The best means(S) (of destroying an enemy) is(V) to make him your friend(SC).
최선의 방법은 적을 멸망시키는 ~이다 그를 당신의 친구로 만드는 것
| 해석 | 적을 멸망시키는 최선의 방법은 그를(적을) 당신의 친구로 만드는 것이다.
| 해설 | 「make+목적어(him)+목적격보어(your friend)」는 '~를 …로 만들다'라는 의미이다. 주어를 수식하는 전치사구 of destroying an enemy에서 destroying은 전치사 of의 목적어로 쓰인 동명사이다.

179 CHOOSE! to be

Imitation(S) seems(V) to be a key(SC) (to the transmission 〈of valuable practices〉).
모방은 ~인 듯하다 핵심인 것 전달에 가치 있는 실천의
| 해석 | 모방은 가치 있는 실천의 전달에 핵심인 듯하다.
| 해설 | 동사 seem은 '~인 것 같다'라는 의미로 to부정사를 주격보어로 취할 수 있다. to the transmission of valuable practices는 바로 앞에 위치한 명사 a key를 수식하는 형용사 역할을 하는 전치사구이다.

문장공식 19 목적어를 보충 설명하는 to부정사 pp. 62-63

S는 V하다 O가 to-v하기를/하라고

QUICK QUIZ

S(주어) V(동사) O(목적어) OC(목적격보어)
(1) I advised her to take a rest.
나는 충고했다 그녀에게 휴식을 취하라고
| 해석 | 나는 그녀에게 휴식을 취하라고 충고했다.

S(주어) V(동사) O(목적어) OC(목적격보어)
(2) We want him to come back (soon).
우리는 원한다 그가 돌아오기를 곧
| 해석 | 우리는 그가 곧 돌아오기를 원한다.

기출로 Practice

A

180 The woman told the boy to be careful.
S: 그 여자는 / V: 말했다 / O: 소년에게 / OC: 조심하라고
| 해석 | 그 여자는 소년에게 조심하라고 말했다.
| 해설 | to부정사(구)는 목적어 뒤에서 목적어를 보충 설명해 주는 목적격보어로 쓰일 수 있으며, 「tell+목적어+to부정사」는 '~에게 …하라고 말하다'라는 의미이다.

181 Jack ordered the dog to get the ball.
S: Jack은 / V: 명령했다 / O: 그 개에게 / OC: 공을 가져오라고
| 해석 | Jack은 그 개에게 공을 가져오라고 명령했다.
| 해설 | 「order+목적어+to부정사」는 '~에게 …하라고 명령하다'라는 의미이다. to get the ball의 행동 주체는 주어인 Jack이 아니라 목적어인 the dog임에 유의한다.

182 I (really) encourage you to participate in this event.
S: 나는 / 정말로 / V: 권장한다 / O: 당신이 / OC: 이 행사에 참여할 것을
| 해석 | 나는 정말로 당신이 이 행사에 참여할 것을 권장한다.
| 해설 | 「encourage+목적어+to부정사」는 '~에게 …할 것을 권장하다/격려하다'라는 의미이다.

183 Kevin asked the company to use paper straws.
S: Kevin은 / V: 요구했다 / O: 그 회사가 / OC: 종이 빨대를 사용할 것을
| 해석 | Kevin은 그 회사에게 종이 빨대를 사용하라고 요청했다.
| 해설 | 「ask+목적어+to부정사」는 '~에게 …할 것을 요구하다/요청하다'라는 의미이다.

B

184 CHOOSE! to arrive
We expected the package to arrive (earlier).
S: 우리는 / V: 기대했다 / O: 소포가 / OC: 도착하기를 / 더 일찍
| 해석 | 우리는 소포가 더 일찍 도착하기를 기대했다.
| 해설 | expect는 「expect+목적어+목적격보어(to arrive)」로 '(목적어)가 (목적격보어)하는 것을 기대하다'의 의미를 나타내므로 to arrive가 알맞다. earlier는 '더 빨리'의 의미로 부사 early의 비교급 표현이다.

185 The manager asked guests not to make too much noise (in the restaurant).
S: 지배인은 / V: 요청했다 / O: 손님들에게 / OC: 너무 시끄럽게 하지 말라고 / 식당에서
| 해석 | 지배인은 손님들에게 식당에서 너무 시끄럽게 하지 말라고 요청했다.
| 해설 | 「ask+목적어+목적격보어(to부정사)」는 '~가 …하는 것을 요청하다'의 의미이다. not to make too much noise와 같이 to부정사의 부정형은 to부정사 앞에 not이나 never를 넣어서 나타낸다.

186 POP QUIZ! me
My volunteer experience enabled me to see the world (from a different point of view).
S: 나의 자원봉사 경험은 / V: 가능하게 했다 / O: 내가 / OC: 세상을 바라보는 것을 / 다른 관점에서
| 해석 | 나의 자원봉사 경험은 내가 세상을 다른 관점에서 바라볼 수 있게 했다.
| 해설 | enable은 「enable+목적어+목적격보어(to부정사)」 형태로 '(목적어)가 (목적격보어)하는 것을 가능하게 하다'의 의미를 나타내며, 목적격보어인 to부정사(구)가 목적어를 보충 설명해 준다.

187 Stressful events (sometimes) force people to develop new skills.
S: 스트레스를 주는 사건들은 / 때때로 / V: ~하게 한다 / O: 사람들이 / OC: 새로운 기술을 개발하도록
| 해석 | 스트레스를 주는 사건들은 때때로 사람들이 새로운 기술을 개발하게 한다.
| 해설 | 「force+목적어+목적격보어(to부정사)」는 '(목적어)가 어쩔 수 없이 (목적격보어)하게 하다'라는 의미를 나타낸다.

문장공식 20 목적어를 보충 설명하는 원형부정사

pp. 64-65

S는 V하다  O가 V하도록/하는 것을

✔ QUICK QUIZ

(1) The manager had us meet (at 9 a.m).
S(주어) V(동사) O(목적어) OC(목적격보어)
그 관리자는 ~하게 했다 우리가 만나도록 오전 9시에

| 해석 | 그 관리자는 우리가 오전 9시에 만나도록 했다.

(2) Music can make us feel happy or sad.
S(주어) V(동사) O(목적어) OC(목적격보어)
음악은 만들 수 있다 우리를 행복하거나 슬프게 느끼도록

| 해석 | 음악은 우리가 행복하거나 슬프게 느끼게 할 수 있다.

기출로 Practice

A

188 We can watch people play music.
S V O OC
우리는 볼 수 있다 사람들이 음악을 연주하는 것을

| 해석 | 우리는 사람들이 음악을 연주하는 것을 볼 수 있다.

| 해설 | watch는 감각을 나타내는 지각동사이므로 목적격보어로 원형부정사를 사용한다.

189 Peter (sometimes) lets his dog sleep (on his bed).
S V O OC
Peter는 때때로 ~하게 해 준다 그의 개가 자도록 자신의 침대에서

| 해석 | Peter는 때때로 개가 자신의 침대에서 자게 해 준다.

| 해설 | let은 어떤 행동을 하게 하는 사역동사로 목적격보어로 원형부정사가 쓰이며, '~가 …하게 하다'의 의미로 해석한다.

190 The bad weather made them stay (at home) (all day).
S V O OC
궂은 날씨는 ~하게 만들었다 그들이 머물도록 집에 온종일

| 해석 | 궂은 날씨는 그들이 온종일 집에 머물도록 만들었다.
(궂은 날씨 때문에 그들은 온종일 집에 머물렀다.)

| 해설 | 사역동사 make는 「make+목적어+원형부정사」의 형태로 '~가 …하도록 시키다'의 의미를 나타낸다.

191 We can let you use a room (in our company's building).
S V O OC
우리는 ~하게 할 수 있다 당신이 방을 사용하도록 우리 회사의 건물에 있는

| 해석 | 우리는 당신이 우리 회사 건물에 있는 방을 사용하게 해 줄 수 있다.

| 해설 | 사역동사 let은 「let+목적어+원형부정사」의 형태로 '~가 …하게 해 주다'의 의미를 나타낸다.

B

192 CHOOSE! spin

The performers made many plates spin arour (on thin sticks).
S V O OC
그 곡예사들은 ~하게 했다 많은 접시들이 회전하도록 가는 막대들 위에서

| 해석 | 그 곡예사들은 많은 접시들이 가는 막대들 위에서 회전하게 했

| 해설 | make와 같은 사역동사는 목적어와 목적격보어의 관계가 '능 일 때 목적격보어로 원형부정사를 쓴다. 이 문장의 목적격보어 spin around on thin sticks의 행동 주체는 목적어 many plates임에 유의한다.

193 Their mineral and vitamin-rich diet helped the have healthy teeth.
S V O OC
그들의 무기물과 비타민이 풍부한 식습관은 도왔다 그들 건강한 치아를 가지도록

| 해석 | 무기물과 비타민이 풍부한 그들의 식습관은 그들이 건강한 치 를 가지는 데 도움이 되었다.

| 해설 | 준사역동사 help는 목적격보어로 to부정사와 원형부정사를 두 취할 수 있다.

194 POP QUIZ! you

I will recover (soon) / and see you become champic (one day) (in perfect health).
S V1 V2 O OC
나는 회복할 것이다 곧 그리고 볼 것이다 네가 챔피언이 되는 것을 언젠가 완전히 건강한 상태에서

| 해석 | 나는 곧 회복할 것이고 완전히 건강한 상태에서 네가 언젠가 챔 피언이 되는 것을 볼 것이다.

| 해설 | 지각동사 see는 목적격보어로 원형부정사나 현재분사를 취 며, '(목적어)가 (목적격보어)하는 것을 보다'로 해석한다. see 에는 조동사 will이 생략되어 있다.

195 Andrew Carnegie, (the great early-twentieth century businessman), (once) heard his siste complain (about her two sons).
S V O OC
Andrew Carnegie는 20세기 초 대단한 경영인인 한번은 들었다 자신의 누이가 불평하는 것을 그녀의 두 아들에 대해

| 해석 | 20세기 초 대단한 경영인인 Andrew Carnegie가 한번은 신의 누이가 두 아들에 대해 불평하는 것을 들었다.

| 해설 | 지각동사 hear는 목적격보어로 원형부정사나 현재분사를 취 며, '(목적어)가 (목적격보어)하는 것을 듣다'로 해석한다. Andre Carnegie와 the great ~ businessman 부분은 콤마 사용한 동격 표현이다.

문장공식 21 목적어를 보충 설명하는 분사

pp. 66-67

S는 V하다 O가 v-ing 하고 있는 것을/하도록 p.p. 되는 것을/되도록

✔ QUICK QUIZ

(1) I smell something burning.
S(주어) V(동사) O(목적어) OC(목적격보어)
나는 냄새를 맡는다 뭔가가 타고 있는

| 해석 | 나는 뭔가가 타고 있는 냄새가 난다.

(2) The news made us surprised.
S(주어) V(동사) O(목적어) OC(목적격보어)
그 소식은 만들었다 우리가 놀라게

| 해석 | 그 소식은 우리를 놀라게 했다.

기출로 Practice

A

196 I felt something approaching (from my back).
S V O OC
나는 느꼈다 무언가가 다가오고 있는 것을 내 뒤에서

| 해석 | 나는 무언가가 내 뒤에서 다가오고 있는 것을 느꼈다.

| 해설 | 지각동사 feel은 목적어와 목적격보어의 관계가 능동일 때 목적격보어로 원형부정사나 현재분사(v-ing)를 취하며 '~가 …하는 것을 느끼다'의 의미를 나타낸다.

197 Emily had her bike fixed (at the shop).
S V O OC
Emily는 ~하게 했다 자신의 자전거가 수리되도록 그 가게에서

| 해석 | Emily는 자신의 자전거를 그 가게에서 수리하게 했다.

| 해설 | 사역동사 have의 목적어와 목적격보어의 관계가 '수동'이므로 목적격보어로 과거분사(fixed)가 쓰였다.

198 I heard my name called (in excitement).
S V O OC
나는 들었다 내 이름이 불리는 것을 흥분하여

| 해석 | 나는 내 이름이 흥분에 찬 목소리로 불리는 것을 들었다.

| 해설 | hear의 목적어인 my name은 '불리는' 대상이므로 목적격보어로 과거분사(called)가 쓰였다.

199 Susan saw her purse left (on the table).
S V O OC
Susan은 보았다 자신의 지갑이 놓여 있는 것을 식탁 위에

| 해석 | Susan은 자신의 지갑이 식탁 위에 놓여 있는 것을 보았다.

| 해설 | 지각동사 see는 목적어와 목적격보어가 '능동' 관계일 때는 목적격보어로 현재분사나 원형부정사를, '수동' 관계일 때는 과거분사를 사용하며 '~가 …하는/되는 것을 보다'로 해석한다. 목적어인 her purse가 동사 leave의 '능동'의 주체가 될 수 없으므로 목적격보어는 과거분사(left)로 나타내야 한다.

B

200 Amy heard the bell ringing (noisily) (from the basement).
S V O OC
Amy는 들었다 종이 울리고 있는 것을 시끄럽게 지하실로부터

| 해석 | Amy는 종이 지하실로부터 시끄럽게 울리고 있는 것을 들었다.

| 해설 | heard의 목적어와 목적격보어의 관계가 '능동'이고 진행의 의미를 나타내므로 목적격보어로 현재분사(ringing)가 쓰였다.

201 CHOOSE! crying

A police officer saw a little boy crying (on the street).
S V O OC
경찰관은 보았다 한 어린 소년이 울고 있는 것을 길에서

| 해석 | 경찰관은 한 어린 소년이 길에서 울고 있는 것을 보았다.

| 해설 | 지각동사 see는 '~가 …하는 것을 보다'로 해석한다. 목적어와 목적격보어가 '능동'의 관계일 때 목적격보어로 원형부정사나 현재분사(v-ing)를 취한다.

202 I cannot imagine myself living on a small amount of food (every day).
S V O OC
나는 상상할 수 없다 내 자신이 적은 양의 음식을 먹고 사는 것을 매일

| 해석 | 나는 내 자신이 매일 적은 양의 음식을 먹고 사는 것을 상상할 수 없다.

| 해설 | imagine의 목적어인 myself와 목적격보어가 '능동'의 관계이므로 목적격보어로 현재분사(living)가 쓰였고, '(목적어)가 (목적격보어)하는 것을 상상하다'로 해석한다.

203 POP QUIZ! their stockings

My sisters noticed their stockings filled (with presents).
S V O OC
내 여동생들은 알아챘다 자신들의 양말이 채워져 있는 것을 선물들로

| 해석 | 내 여동생들은 자신들의 양말이 선물들로 채워져 있는 것을 알아챘다.

| 해설 | notice의 목적어 their stockings가 동사 fill의 '대상'인 '수동'의 관계이므로 목적격보어로 과거분사(filled)가 쓰였고, '(목적어)가 (목적격보어)된 것을 알아채다'로 해석한다.

Unit Exercise
p. 68

A

204 | 정답 | to look

S V SC_1 SC_2

Their job was to look into the pipe / and fix the leak.

그들의 임무는 ~이었다 파이프를 조사하는 것 그리고 새는 곳을 고치는 것

| 해석 | 그들의 임무는 파이프를 조사하고 새는 곳을 고치는 것이었다.

| 해설 | be동사 뒤에는 동명사(구)나 to부정사(구)가 주격보어로 쓰일 수 있으며, '~하는 것'으로 해석한다. 이 문장에서는 주격보어 두 개가 등위접속사 and로 연결되어 있는데, and 뒤에 to부정사의 to가 생략된 형태(fix)가 이어지는 것으로 보아 빈칸에는 to부정사 주격보어가 적절하다.

205 | 정답 | follow 또는 following

S V O OC

The hunter felt someone follow(following) him (in the woods).

사냥꾼은 느꼈다 누군가가 그를 따라오는(따라오고 있는) 것을 숲 속에서

| 해석 | 사냥꾼은 숲 속에서 누군가가 자신을 따라오는(따라오고 있는) 것을 느꼈다.

| 해설 | 지각동사 feel은 목적어와 목적격보어의 관계가 '능동'일 경우 목적격보어로 원형부정사나 현재분사(v-ing)를 취하며, '~가 …하는 것을 느끼다'로 해석한다.

206 | 정답 | have 또는 to have

S V O OC

Good manners can help you have(to have) better relationships (with other people).

바른 예의는 도울 수 있다 당신이 더 나은 관계를 갖도록 다른 사람들과

| 해석 | 바른 예의는 당신이 다른 사람들과 더 나은 관계를 갖도록 도울 수 있다.

| 해설 | help는 준사역동사로서 목적어와 목적격보어의 관계가 '능동'일 때 목적격보어로 to부정사와 원형부정사를 모두 취할 수 있으며, '~가 …하는 것을 돕다'의 의미로 해석한다. 목적어인 you와 목적격보어인 have better relationships의 관계가 '능동'이므로, 목적격보어 자리에 have 또는 to have가 쓰여야 한다.

B

207 | 정답 | felt → feel

S V O OC

Too much exercise made Jenny feel tired.

지나친 운동은 만들었다 Jenny가 피곤함을 느끼도록

| 해석 | 지나친 운동은 Jenny가 피곤함을 느끼게 했다.
(지나친 운동으로 Jenny는 피곤해졌다.)

| 해설 | 사역동사 make의 목적어(Jenny)가 목적격보어(feel tired)의 주체가 되는 '능동'의 관계이므로 목적격보어는 원형부정사가 쓰여야 한다.

208 | 정답 | going → go

S V O OC

Mr. Baker (often) lets his students go home (early).

Baker 선생님은 종종 ~하게 한다 자신의 학생들이 집에 가도록 일찍

| 해석 | Baker 선생님은 종종 학생들을 집에 일찍 가게 하신다.

| 해설 | 사역동사 let의 목적어(his students)가 목적격보어(go home)의 주체가 되는 '능동'의 관계이므로 목적격보어로 원형부정사를 써야 한다.

209 | 정답 | calling → called

S V O OC

He heard his old nickname called (among the crowd).

그는 들었다 그의 예전 별명이 불리는 것을 군중 속에서

| 해석 | 그는 군중 속에서 자신의 예전 별명이 불리는 것을 들었다.

| 해설 | 지각동사 hear의 목적어(his old nickname)가 목적격보어(call)의 대상이 되는 '수동'의 관계이므로 목적격보어는 과거분사인 called로 나타내야 한다.

210 | 정답 | see → to see

S V O OC

Art museums allow us to see works of art (in different ways).

미술관은 허용한다 우리가 예술 작품을 보도록 다른 방식들로

| 해석 | 미술관은 우리가 예술 작품을 다른 방식들로 보게 한다.

| 해설 | 동사 allow는 목적어 뒤에 to부정사 형태의 목적격보어를 사용하여 '~가 …하는 것을 허용하다'라는 의미를 나타낸다.

Grammar Check

204 주격보어 205 현재분사 206 원형부정사, to부정사
207 사역동사 208 원형부정사 209 과거분사
210 to부정사

PART 3 형용사 및 부사 역할을 하는 준동사

Unit 7 명사를 수식하는 to부정사와 분사

문장공식 22 명사를 수식하는 to부정사 pp. 72-73

S가 V하다 N을 to-v할

QUICK QUIZ

S(주어) V(동사) O(목적어)
(1) He knows many fun activities (to do).
그는 알고 있다 많은 재미있는 활동들을 할 수 있는
| 해석 | 그는 할 수 있는 재미있는 활동을 많이 알고 있다.

S(주어) V(동사) O(목적어)
(2) I need a friend (to help me).
나는 필요하다 친구가 나를 도와줄
| 해석 | 나는 나를 도와줄 친구가 필요하다.

기출로 Practice

A

S V O
211 He didn't have a chance (to watch the movie).
그는 없었다 기회가 그 영화를 볼
| 해석 | 그는 그 영화를 볼 기회가 없었다.
| 해설 | 명사를 뒤에서 수식하는 to부정사(구)는 '~할'이라고 해석한다.

S V O
212 Joe had something (important) (to talk about).
Joe에게 있었다 무언가가 중요한 ~에 관해 이야기할
| 해석 | Joe에게는 뭔가 중요한 이야기가 있었다.
| 해설 | -thing으로 끝나는 대명사를 「대명사+형용사+to부정사구」의 순서로 형용사와 to부정사구가 수식하고 있다. 수식받는 대명사가 전치사 about의 목적어이다.

S V SC
213 Walking is the easiest way (to keep ourselves fit).
걷는 것은 ~이다 가장 쉬운 방법 우리 자신을 건강하게 유지하는
| 해석 | 걷는 것이 건강을 유지하는 가장 수월한 방법이다.
| 해설 | easiest(가장 쉬운)는 형용사 easy의 최상급 표현이다.

S V O
214 World leaders should have the vision (to protect our environment).
세계 지도자들은 가져야 한다 비전을 우리의 환경을 보호할
| 해석 | 세계 지도자들은 우리의 환경을 보호할 비전을 가져야 한다.
| 해설 | should는 조언의 의미를 나타내는 조동사이다.

B

215 CHOOSE! challenges

S V_1
The desire (to make money) challenges / and
욕구는 돈을 벌려는 도전 정신을 심어 준다 그리고
V_2 O
inspires us.
영감을 준다 우리에게
| 해석 | 돈을 벌고자 하는 욕구는 우리에게 도전 정신을 심어 주고 영감을 준다.
| 해설 | to부정사구가 명사 The desire를 뒤에서 수식하고 있고, The desire는 문장의 주어이므로 동사는 -s가 붙은 형태여야 한다. 동사 challenges와 inspires가 등위접속사 and로 연결되어 있다.

216 POP QUIZ! to sit down

S V_1 O_1
The girls and boys found a place (to sit down) / and
소녀들과 소년들은 찾았다 장소를 앉을 그리고
V_2 O_2
started chatting.
시작했다 이야기를 나누는 것을
| 해석 | 소녀들과 소년들은 앉을 장소를 찾고 이야기를 나누기 시작했다.
| 해설 | to부정사구가 목적어인 명사 a place를 뒤에서 수식하고 있다. and 뒤에는 주어(The girls and boys)가 생략되어 있으며, chatting은 목적어 역할을 하는 동명사이다.

S V SC
217 Food labels are a good way (to find the information 〈about the foods〉).
식품 라벨은 ~이다 좋은 방법 정보를 알아내는 식품에 관한
| 해석 | 식품 라벨은 식품에 관한 정보를 알아내는 좋은 방법이다.
| 해설 | to부정사구인 to find the information about the foods가 a good way를 수식하는 형용사구 역할을 한다.

S_1 V_1 SC S_2 V_2
218 The gift was a pack (of batteries), // and I had
선물은 ~이었다 한 묶음 건전지의 그리고 나는 있었다
O
nothing (to use them with)!
아무것도 그것들을 함께 사용할
| 해석 | 선물은 건전지 한 묶음이었고, 나에게는 그것과 함께 사용할 것이 아무것도 없었다!
| 해설 | to부정사구인 to use them with가 대명사 nothing을 수식한다. nothing은 to부정사구에 쓰인 전치사 with의 목적어이기도 하다.

문장공식 23 명사를 수식하는 분사

pp. 74-75

N은 v-ing 하는 / p.p. 되는 V이다

✓ QUICK QUIZ

(1) People (living in the cities) don't like the factory.
S(주어) V(동사) O(목적어)
사람들은 그 도시에 사는 좋아하지 않는다 그 공장을

| 해석 | 그 도시에 사는 사람들은 그 공장을 좋아하지 않는다.

(2) Who is the girl (carrying a basket)?
V(동사) S(주어)
누구 ~이다 그 소녀는 바구니를 옮기는

| 해석 | 바구니를 옮기는 그 소녀는 누구니?

기출로 Practice

A

219 The shop (selling toy cars) became popular.
S V SC
그 가게는 장난감 자동차를 파는 ~되었다 인기 있는

| 해석 | 장난감 자동차를 파는 그 가게는 인기 있어졌다.

| 해설 | 현재분사구인 selling toy cars가 명사 The shop을 수식하고 있다. 명사를 수식하는 현재분사는 능동이나 진행의 의미를 나타내며 '~하는', '~하고 있는'으로 해석한다.

220 I received a present (wrapped in a colorful paper).
S V O
나는 받았다 선물을 다채로운 색의 종이로 포장된

| 해석 | 나는 다채로운 색의 종이로 포장된 선물을 받았다.

| 해설 | 명사를 수식하는 과거분사는 수동이나 완료의 의미를 나타내며 '~된'으로 해석한다. 과거분사구 wrapped in a colorful paper가 a present를 뒤에서 수식하고 있다.

221 The amount of oil (produced by this region) is decreasing.
S V
기름의 양은 이 지역에서 생산된 감소하고 있다

| 해석 | 이 지역에서 생산되는 기름의 양은 감소하고 있다.

| 해설 | 과거분사구가 바로 앞의 명사 oil을 수식하고 있다. oil은 '생산되는' 대상이므로 수동의 의미를 나타내는 과거분사구(produced by this region)의 수식을 받는다.

222 My aunt removed a heavy box (containing many old pictures).
S V O
고모는 치우셨다 무거운 상자를 여러 오래된 사진들이 들어 있는

| 해석 | 고모는 오래된 사진들이 많이 들어 있는 무거운 상자를 치우셨

| 해설 | 분사구가 목적어인 명사 a heavy box를 뒤에서 수식하고 다. 명사와 분사구의 의미 관계가 '상자가 여러 오래된 사진들 담고 있다'라는 '능동'의 관계이므로 현재분사가 쓰였다.

B

223 A bicycle (with a flag ⟨showing an image of a mug is leaning (against the fence).
S V
자전거가 깃발을 단 머그잔 그림을 보여 주는 기대어 있다 울타리에

| 해석 | 머그잔 그림이 보이는 깃발을 단 자전거가 울타리에 기대어 세져 있다.

| 해설 | 분사구가 전치사구의 명사 a flag를 수식하고, 전치사구(with flag ~ a mug)는 주어인 A bicycle을 수식하고 있다. 수식는 명사와 분사구의 관계가 능동이므로 현재분사가 쓰였다.

224 CHOOSE! found

A small bag (found in Park Avenue) was returne (to its owner).
S V
작은 가방은 Park Avenue에서 발견된 반환되었다 그것의 주인에게

| 해석 | Park Avenue에서 발견된 작은 가방이 주인에게 반환되었다

| 해설 | 분사구의 수식을 받는 명사 A small bag이 '발견되는' 대상므로 수동의 의미를 나타내는 과거분사가 쓰이는 것이 알맞 its는 a small bag's의 의미이다.

225 CHOOSE! increases

(Every year) the number (of people ⟨living in Afric and Asia⟩) increases.
S V
매년 숫자는 사람들의 아프리카와 아시아에 사는 증가한다

| 해석 | 매년 아프리카와 아시아에 사는 사람들의 수는 증가한다.

| 해설 | 현재분사구인 living in Africa and Asia가 people을 수 하고 있다. 「the number of+복수명사」는 '~의 숫자(개수)' 는 의미로 단수 취급하므로, 동사는 -s를 붙인 형태가 알맞다.

226 POP QUIZ! named William Thompson

The first underwater photographs were taken (b an Englishman ⟨named William Thompson⟩).
S V
최초의 수중 사진들은 찍혔다 한 영국인에 의해 William Thompson이라는 이름의

| 해석 | 최초의 수중 사진은 William Thompson이라는 한 영국인 의해 촬영되었다.

| 해설 | 「주어+be동사+과거분사+by+행위자」 형식의 수동태 문장며, 행위자를 나타내는 by 뒤의 an Englishman은 name William Thompson이라는 과거분사구의 수식을 받고 있다

Unit Exercise

p. 76

A

227 | 정답 | invited

The men (invited to dinner) should wear suits and ties.
(S: The men / V: should wear / O: suits and ties)
남자들은 / 저녁 식사에 초대 받은 / 착용해야 한다 / 정장과 넥타이를

| 해석 | 저녁 식사에 초대 받은 남자들은 정장과 넥타이를 착용해야 한다.

| 해설 | 분사구가 주어 The men을 뒤에서 수식하고 있는 문장이다. 현재분사는 능동이나 진행의 의미를 나타내고 과거분사는 수동이나 완료의 의미를 나타내므로, The men 뒤에는 '(저녁식사에) 초대한'의 능동의 의미가 아닌 '(저녁식사에) 초대된'이라는 수동의 의미인 invited가 쓰여야 문맥상 어색하지 않다.

228 | 정답 | to improve

Don't miss this great opportunity (to improve your Korean writing).
(V: Don't miss / O: this great opportunity)
놓치지 마라 / 이 좋은 기회를 / 당신의 한국어 쓰기 실력을 향상시킬

| 해석 | 당신의 한국어 쓰기 실력을 향상시킬 수 있는 이 좋은 기회를 놓치지 마라.

| 해설 | 문장의 목적어인 명사구 this great opportunity를 뒤에서 수식하는 표현으로 '~할'의 의미를 나타내는 to부정사구(to improve your Korean writing)가 되는 것이 알맞다.

229 | 정답 | covered

The house was full (of old furniture 〈covered with white cloths〉).
(S: The house / V: was / SC: full)
그 집은 / ~이었다 / 가득 찬 / 오래된 가구들로 / 흰 천으로 덮인

| 해석 | 그 집은 흰 천으로 덮인 오래된 가구들로 가득 차 있었다.

| 해설 | 전치사구의 명사 old furniture가 분사구의 수식을 받고 있다. old furniture는 '오래된 가구가 덮이다'라는 의미로 분사구와 수동의 관계이므로 과거분사인 covered가 이끄는 분사구의 수식을 받아야 한다.

B

230 | 정답 | X / thinks → to think

Homework gives students plenty of time (to think deeply).
(S: Homework / V: gives / IO: students / DO: plenty of time)
숙제는 / 준다 / 학생들에게 / 많은 시간을 / 깊이 생각할

| 해석 | 숙제는 학생들에게 깊이 생각할 수 있는 많은 시간을 준다.

| 해설 | plenty of time을 수식하려면 thinks는 명사를 수식하는 to부정사인 to think가 되는 것이 알맞다. 이때의 to부정사는 형용사 역할을 한다.

231 | 정답 | X / locating → located

Joe visited a beautiful house (located at the top of the hill).
(S: Joe / V: visited / O: a beautiful house)
Joe는 / 방문했다 / 아름다운 집을 / 언덕의 꼭대기에 위치한

| 해석 | Joe는 언덕 꼭대기에 위치한 아름다운 집을 방문했다.

| 해설 | 수식을 받는 명사 a beautiful house와 분사구의 관계가 수동이므로 locating이 아닌 located가 되어 '언덕 꼭대기에 위치한'의 의미를 나타내는 것이 자연스럽다.

232 | 정답 | O

I was charmed (by the native birds 〈moving among the branches〉).
(S: I / V: was charmed)
나는 / 매혹되었다 / 토종의 새들에게 / 나뭇가지 사이에서 움직이는

| 해석 | 나는 나뭇가지 사이에서 움직이는 토종의 새들에게 매혹되었다.

| 해설 | 수동태 문장에서 행위자에 해당하는 the native birds를 '이동하는'의 의미로 현재분사구(moving among the branches)가 뒤에서 수식하고 있다.

233 | 정답 | X / entering → enter

Parents and their children have the right (to enter any restaurant freely).
(S: Parents and their children / V: have / O: the right)
부모와 그들의 자녀는 / 가지고 있다 / 권리를 / 어떠한 식당도 자유롭게 들어갈

| 해석 | 부모와 그들의 자녀는 어떤 식당도 자유롭게 들어갈 권리가 있다.

| 해설 | 문맥상 목적어인 the right는 '~할'의 의미로 형용사구 역할을 하는 to부정사구의 수식을 받는 것이 적절하다.

Grammar Check

227 형용사 228 뒤 229 과거분사 230 ~할, ~하는
231 과거분사 232 진행 233 형용사구

Unit 8 부사 역할을 하는 to부정사와 분사 구문

문장공식 24 목적·원인·결과를 나타내는 to부정사 pp. 78-79

S 가 V 하다 to-v 하기 위해/해서 (결국)

✔ QUICK QUIZ

(1) I go (to the cafeteria) (to have lunch).
S(주어) V(동사)
나는 간다 구내식당에 점심을 먹기 위해
| 정답 | 동작의 목적
| 해석 | 나는 점심을 먹기 위해 식당에 간다.

(2) (To stay healthy), I exercise (every day).
S(주어) V(동사)
건강하게 지내기 위해서 나는 운동한다 매일
| 정답 | 동작의 목적
| 해석 | 건강하게 지내기 위해 나는 매일 운동한다.

기출로 Practice

A

234 They had to travel (to find more food).
S: They / V: had to travel
그들은 이동해야 했다 더 많은 음식을 찾기 위해
| 해석 | 그들은 더 많은 음식을 찾기 위해 이동해야 했다.
| 해설 | to부정사(구)가 동사의 '목적'을 나타낼 때는 '~하기 위해'라고 해석한다. 「had to+동사원형」은 '~해야 했다'라는 뜻을 나타낸다.

235 He was happy (to send each of them a gift).
S: He / V: was / SC: happy
그는 ~이었다 기쁜 그들 각자에게 선물을 보내서
| 해석 | 그는 그들 각자에게 선물을 보내서 기뻤다.
| 해설 | 감정(happy)을 나타내는 형용사 뒤에서 to부정사(구)는 그런 감정을 들게 한 '원인'을 나타내며, '~해서'로 해석한다. send는 두 개의 목적어를 취할 수 있는 동사이며 'each of them(간접목적어)에게 a gift(직접목적어)를 보내다'라는 의미를 나타낸다.

236 Yubin recorded her voice (to help the blind).
S: Yubin / V: recorded / O: her voice
유빈이는 녹음했다 자신의 목소리를 시각 장애인들을 돕기 위해
| 해석 | 유빈이는 시각 장애인들을 돕기 위해 자신의 목소리를 녹음했다.
| 해설 | to부정사구(to help the blind)가 동작의 '목적'을 나타내고 있다. 「the+형용사」는 '~하는 사람들'이라는 뜻으로 복수명사의 의미를 가진다.

237 We need to talk (to understand one another better).
S: We / V: need / O: to talk
우리는 ~해야 한다 대화를 나누는 것을 서로를 더 잘 이해하기 위해
| 해석 | 우리는 서로를 더 잘 이해하기 위해 대화를 나눠야 한다.
| 해설 | to부정사구가 부사구의 역할을 하며 대화를 나누는 '목적'을 나타낸다. need는 목적어로 to부정사를 취한다.

B

238 POP QUIZ! to pick up a client

Jessica went (to the airport) (to pick up a client).
S: Jessica / V: went
Jessica는 갔다 공항에 고객을 태우기 위해
| 해석 | Jessica는 고객을 태우기 위해 공항에 갔다.
| 해설 | to부정사구(to pick up a client)가 공항에 간 '목적'을 나타내는 부사구 역할을 하고 있다. to the airport는 방향을 나타내는 전치사구이다.

239 Clothing doesn't have to be expensive (to provide comfort 〈during exercise〉).
S: Clothing / V: doesn't have to be / SC: expensive
의류는 ~일 필요가 없다 비싼 편안함을 제공하기 위해서 운동을 하는 동안
| 해석 | 운동하는 동안 편안함을 제공하기 위해 의류가 비쌀 필요는 없다.
| 해설 | to부정사구(to provide comfort ~)가 '목적'의 의미를 나타낸다. 「doesn't have to+동사원형」은 '~할 필요가 없다'라는 뜻이며, 「during+명사」는 '~하는 동안'을 나타낸다.

240 He suppressed his feelings (at the office) (only to fight with his spouse at home).
S: He / V: suppressed / O: his feelings
그는 억눌렀다 그의 감정을 사무실에서 결국 집에서 그의 배우자와 다퉜다
| 해석 | 그는 사무실에서 감정을 억눌렀지만 결국 집에서 그의 배우자와 다퉜다.
| 해설 | to부정사구가 동작의 '결과'를 나타내어 '~해서 (결국) …하다'라는 의미를 나타낸다. to부정사 앞에 only가 붙으면 부정적인 '결과'를 표현할 수 있다.

241 CHOOSE! To get

(To get the necessary nutrients), you must balance your food choices.
S: you / V: must balance / O: your food choices
필요한 영양분을 얻기 위해서는 당신은 균형을 맞춰야 한다 당신의 음식 선택을
| 해석 | 필요한 영양분을 얻으려면, 당신은 반드시 음식 선택의 균형을 맞춰야 한다.
| 해설 | 문맥상 '얻기 위해서'라는 '목적'의 의미를 나타내는 to부정사인 To get을 쓰는 것이 적절하다. 조동사 must는 '의무'를 나타내며 '~해야 한다'라는 뜻으로 사용되었다.

문장공식 25 형용사·부사를 수식하는 to부정사 pp. 80-81

S는 V이다/하다 형용사하는/부사하게 to-v하기에

QUICK QUIZ

(1) Our songs are easy (to sing).
S(주어) V(동사) 형용사+to부정사
우리의 노래들은 ~이다 쉬운 부르기에
| 해석 | 우리의 노래는 부르기 쉽다.

(2) I was (too) tired (to do my homework).
S(주어) V(동사) too+형용사+to부정사
나는 ~였다 너무 피곤한 내 숙제를 하기에
| 해석 | 나는 숙제를 하기에 너무 피곤했다.
(나는 너무 피곤해서 숙제를 할 수 없었다.)

기출로 Practice

A

242 The scoreboard was easy (to see) (from my seat).
S V 형용사+to부정사
그 득점판은 ~이었다 쉬운 보기에 내 자리에서
| 해석 | 그 득점판은 내 자리에서 잘 보였다.
| 해설 | to부정사구는 형용사를 수식하여 '부사(구)'의 역할을 할 수 있으며 easy to see는 '보기에 쉬운'이라고 해석할 수 있다.

243 I was (too) short (to reach the top shelf).
S V too+형용사+to부정사구
나는 ~이었다 너무 키가 작은 꼭대기 선반에 닿기에
| 해석 | 나는 꼭대기 선반에 닿기엔 키가 너무 작았다.
(나는 키가 너무 작아서 꼭대기 선반에 닿을 수 없었다.)
| 해설 | 「too+형용사+to-v」는 'to-v하기에 너무 ~한(너무 ~해서 to-v할 수 없는)'의 의미를 나타내며, to부정사구가 형용사(short)를 수식하고 있다.

244 This bag is big (enough) (to carry ten books).
S V 형용사+enough+to부정사구
이 가방은 ~이다 큰 충분히 열 권의 책을 가지고 다니기에
| 해석 | 이 가방은 열 권의 책을 가지고 다닐 수 있을 정도로 충분히 크다.
| 해설 | 「형용사·부사+enough+to-v」는 'to-v할 만큼 충분히 ~하는/하게'의 의미이며, enough는 형용사나 부사를 뒤에서 수식한다.

245 Food (with fat) was hard (to get) (for thousands of years).
S V 형용사+to부정사
음식은 지방이 있는 ~이었다 어려운 구하기에 수천 년 동안
| 해석 | 수천 년 동안 지방이 있는 음식은 구하기 어려웠다.
| 해설 | to부정사 to get이 형용사 hard를 뒤에서 수식하여 '구하기에 어려운'이라는 뜻을 나타낸다. for thousands of years는 '수천 년 동안'이라는 시간을 나타내는 전치사구이다.

B

246 POP QUIZ! to solve difficult math problems

Eric is smart (enough) (to solve difficult math problems).
S V 형용사+enough+to부정사구
Eric은 ~이다 똑똑한 충분히 어려운 수학 문제들을 풀기에
| 해석 | Eric은 어려운 수학 문제를 풀 수 있을 정도로 충분히 똑똑하다.
| 해설 | 「형용사·부사+enough+to-v」는 'to-v할 만큼 충분히 ~하는/하게'의 의미로 smart enough to solve는 '해결할 만큼 충분히 똑똑한'으로 해석한다.

247 CHOOSE! to write

It would take (too) long (to write a book).
S V too+부사+to부정사구
~걸릴 것이다 너무 오래 책 한 권을 쓰기에
| 해석 | 책 한 권을 쓰는 것은 너무 오래 걸릴 것이다.
(책 한 권을 쓰는 것은 너무 오래 걸려서 쓸 수 없을 것이다.)
| 해설 | 「too+부사+to-v」는 'to-v하기에 너무 ~하게(너무 ~해서 to-v할 수 없는)'이라는 의미이므로 '쓰기에 너무 오래 걸리는'이라는 뜻이 되도록 to부정사(to write)가 too long 뒤에 쓰이는 것이 알맞다.

248 CHOOSE! bold enough

He was bold (enough) (to save a girl in danger).
S V 형용사+enough+to부정사구
그는 ~이었다 용감한 충분히 위험에 빠진 소녀를 구할 만큼
| 해석 | 그는 위험에 빠진 소녀를 구할 만큼 충분히 용감했다.
| 해설 | enough가 '충분히'라는 뜻의 부사로 쓰이면 형용사나 부사를 뒤에서 수식하므로, bold enough로 써야 알맞다. 전치사구 in danger는 앞의 명사 a girl을 수식한다.

249 The baby penguin will be (too) big (to sit on its father's feet).
S V too+형용사+to부정사구
그 아기 펭귄은 ~일 것이다 너무 큰 자신의 아빠의 발 위에 앉기에는
| 해석 | 그 아기 펭귄은 아빠의 발 위에 앉기에 너무 클 것이다.
(그 아기 펭귄은 너무 커서 아빠의 발 위에 앉을 수 없을 것이다.)
| 해설 | to부정사구(to sit on its father's feet)가 형용사 big을 뒤에서 수식하고 있다. 「too+형용사+to-v」는 'to-v하기에 너무 ~한' 또는 '너무 ~해서 to-v할 수 없는'의 의미를 나타낸다.

BACKGROUND KNOWLEDGE 황제펭귄의 부성

황제펭귄은 현존하는 펭귄 중에서 가장 몸집이 큰 동물로, 암컷과 수컷이 공동 육아를 한다. 암컷이 알을 낳은 후 먹이를 구하러 떠난 사이, 수컷은 자신의 발 위에 있는 주머니 안에서 알이 부화되기 전까지 움직이지 않고 알을 품는다.

문장공식 26 to부정사의 의미상 주어

pp. 82-83

It	be	형용사	for O' / of O'가	to-v 하는 (것은)

✔ QUICK QUIZ

(1) It is impossible (for him) to do it.
S(가주어) ~이다 / V(동사) / SC(주격보어) 불가능한 / 의미상 주어 그가 / S'(진주어) 그것을 하는 것은

| 해석 | 그가 그것을 하는 것은 불가능하다.

(2) It was difficult (for her) to learn yoga.
S(가주어) / V(동사) ~이었다 / SC(주격보어) 어려운 / 의미상 주어 그녀가 / S'(진주어) 요가를 배우는 것은

| 해석 | 그녀가 요가를 배우는 것은 어려웠다.

기출로 Practice

A

250 It was easy (for us) to choose the best idea.
S It / V was ~이었다 / SC easy 쉬운 / 의미상 주어 for us 우리가 / S' 최고의 아이디어를 고르는 것은

| 해석 | 우리가 최고의 아이디어를 고르는 것은 쉬웠다.

| 해설 | 진주어인 to부정사구의 행위의 주체를 나타내는 의미상 주어가 「for+목적격」 형태로 to부정사 앞에 쓰였다.

251 There is no place (for you) (to drop off garbage).
V is / S no place 장소는 없다 / 의미상 주어 for you 당신이 / 쓰레기를 버릴

| 해석 | 당신이 쓰레기를 버릴 장소는 없다.

| 해설 | 「There is+주어」(~가 있다) 형태의 문장으로, to부정사구(to drop off garbage)는 주어인 no place를 수식하는 형용사 역할을 하며 의미상 주어로 for you가 쓰였다.

252 It is important (for us) to manage time (effectively).
S It / V is ~이다 / SC important 중요한 / 의미상 주어 for us 우리가 / S' 시간을 관리하는 것은 / 효과적으로

| 해석 | 우리가 시간을 효과적으로 관리하는 것은 중요하다.

| 해설 | 진주어인 to부정사구의 행위의 주체를 나타내는 의미상 주어(for us)가 to부정사 앞에 쓰였다.

253 It is foolish (of him) to make the same mistake (twice).
S It / V is ~이다 / SC foolish 어리석은 / 의미상 주어 of him 그가 / S' 같은 실수를 하는 것은 / 두 번

| 해석 | 그가 같은 실수를 두 번 하는 것은 어리석다.

| 해설 | 진주어인 to부정사구의 행위의 주체를 나타내는 의미상 주어(of him)가 to부정사 앞에 쓰였다. 사람에 대한 주관적인 평가를 나타내는 형용사 foolish가 쓰였으므로 의미상 주어로 「of+목적격」이 쓰였다.

B

254 It is important (for the speaker) to memorize his or her script.
S It / V is ~이다 / SC important 중요한 / 의미상 주어 for the speaker 발표자가 / S' 자신의 대본을 암기하는 것은

| 해석 | 발표자가 자신의 대본을 암기하는 것은 중요하다.

| 해설 | 가주어 It이 주어 자리에 쓰였고, 진주어인 to부정사구가 문장의 뒤에 위치하였다. to부정사의 행위의 주체는 의미상 주어인 for the speaker이다.

255 Zero Waste Day is an opportunity (for you) (to clean out your attic).
S '쓰레기 없는 날'은 / V is ~이다 / SC an opportunity 기회 / 의미상 주어 for you 네가 / 네 다락을 깨끗하게 치울

| 해석 | '쓰레기 없는 날'은 네가 네 다락을 깨끗하게 치울 기회이다.

| 해설 | 문장의 주어와 to부정사구의 행위의 주체가 다르므로 의미상 주어(for you)가 to부정사 앞에 쓰였다.

256 CHOOSE! for

The program will be a great opportunity (for our students) (to experience something new).
S 그 프로그램은 / V will be ~될 것이다 / SC a great opportunity 훌륭한 기회 / 의미상 주어 for our students 우리 학생들이 / 새로운 것을 경험할

| 해석 | 그 프로그램은 우리 학생들이 새로운 것을 경험할 훌륭한 기회가 될 것이다.

| 해설 | to부정사구 to experience something new가 명사구 a great opportunity를 수식하며, to부정사구의 행위의 주체인 의미상 주어가 to부정사 앞에 쓰였다. 의미상 주어는 명사구 a great opportunity와 함께 쓰였으므로 「for+목적격」 형태로 쓰는 것이 알맞다.

257 POP QUIZ! for parents

It is natural (for parents) to protect their children (from dangerous things).
S It / V is ~이다 / SC natural 당연한 / 의미상 주어 for parents 부모가 / S' 자신의 아이들을 보호하는 것은 / 위험한 것들로부터

| 해석 | 부모가 자녀들을 위험한 것들로부터 보호하는 것은 당연하다.

| 해설 | to부정사구의 행위의 주체는 의미상 주어인 for parents이며 to부정사구 앞에 쓰였다. protect *A* from *B*는 'A를 B로부터 보호하다'를 의미한다.

문장공식 27 분사구문

pp. 84-85

v-ing, 할 때/때문에/하면서 **S**는 **V**하다

✔ QUICK QUIZ

(1) (Having no car), I had to walk.
S(주어) V(동사)
차가 없기 때문에 / 나는 / 걸어야 했다

| 해석 | 나는 차가 없어서 걸어야 했다.

(2) (Listening to the radio), she made a cake.
S(주어) V(동사) O(목적어)
라디오를 들으면서 / 그녀는 / 만들었다 / 케이크를

| 해석 | 그녀는 라디오를 들으면서 케이크를 만들었다.

기출로 Practice

A

258 (Having no money), they can't buy anything.
분사구문 / S / V / O
돈이 없기 때문에 / 그들은 / 살 수 없다 / 아무것도

| 해석 | 그들은 돈이 없기 때문에 아무것도 살 수 없다.

| 해설 | Having no money는 이유를 나타내는 분사구문으로, 분사구문의 주체는 문장의 주어인 they이다. 주어가 직접 동작을 하는 '능동'의 의미를 나타낼 때는 현재분사(v-ing)를 사용한다.

259 I did my math homework, (listening to classical music).
S V / O / 분사구문
나는 했다 / 나의 수학 숙제를 / 고전 음악을 들으면서

| 해석 | 나는 고전 음악을 들으면서 수학 숙제를 했다.

| 해설 | listening to classical music은 동시동작을 나타내는 분사구문으로, 문장의 뒤에 위치할 수 있다. 문장의 주어인 I가 분사구문의 주체이고, 주어가 직접 동작을 하는 '능동'의 의미를 나타내므로 현재분사인 listening을 사용했다.

260 (Walking along the street), I saw a man (with five dogs).
분사구문 / S V / O
길을 따라 걷다가 / 나는 봤다 / 한 남자를 / 5마리의 개와 있는

| 해석 | 나는 길을 따라 걷다가 개 5마리와 있는 한 남자를 봤다.

| 해설 | Walking along the street은 시간을 나타내는 분사구문이며, 분사구문의 주체는 문장의 주어인 I이다. 전치사구인 with five dogs는 목적어 a man을 수식한다.

261 (In spring), the female insects become active, (flying around looking for food).
S / V / SC / 분사구문
봄에 / 암컷 곤충들은 / ~해진다 / 활발한 / 먹이를 찾아 날아 다니며

| 해석 | 봄이 되면 암컷 곤충들은 먹이를 찾아 날아 다니며 슬슬 활동을 시작한다.

| 해설 | flying around looking for food는 동시동작을 나타내는 분사구문이다. 분사구문의 행위의 주체는 주어인 the female insects로, 주어가 직접 동작을 하는 '능동'의 의미를 나타내므로 현재분사(flying)를 사용했다.

B

262 POP QUIZ! Surrounded by her friends

(Surrounded by her friends), she enjoyed her victory.
분사구문 / S / V / O
자신의 친구들에게 둘러싸여 / 그녀는 / 즐겼다 / 자신의 승리를

| 해석 | 그녀는 친구들에게 둘러싸여 승리를 즐겼다.

| 해설 | Surrounded by her friends는 동시동작을 나타내는 분사구문으로 분사구문의 주체인 she가 친구들에 의해 '둘러싸이는' 수동의 의미를 나타내므로 p.p. 형태인 Surrounded를 사용했다. 분사 앞에는 Being이 생략되어 있다.

263 (Each morning), the king came (from the palace), (greeting his people).
S / V / 분사구문
아침마다 / 왕은 / 왔다 / 궁전에서 / 자신의 국민들에게 인사를 하면서

| 해석 | 아침마다 왕은 궁에서 나와 자신의 국민들에게 인사를 했다.

| 해설 | greeting his people은 동시동작을 나타내는 분사구문이다.

264 CHOOSE! filling

The sunlight shines (through the leaves of the trees), (filling the forest with brightness).
S / V / 분사구문
햇살은 / 빛을 비춘다 / 나무들의 잎사귀를 통해 / 숲을 밝게 채우면서

| 해석 | 햇살은 숲을 밝게 채우며 나무들의 잎사귀를 통해 빛을 비춘다.

| 해설 | 문장의 뒤에 위치한 분사구문은 동시동작을 나타낸다. 숲을 밝게 비추는 주체가 주어인 The sunlight이므로 능동의 의미를 나타내는 현재분사 filling이 쓰이는 것이 적절하다.

265 CHOOSE! Educated

(Educated by private tutors at home), she enjoyed reading and writing (early on).
분사구문 / S / V / O
가정에서 개인 교사들에 의해 교육을 받았기 때문에 / 그녀는 / 즐겼다 / 독서와 글쓰기를 / 일찍부터

| 해석 | 가정에서 개인 교사들에 의해 교육을 받은 그녀는 일찍이 독서와 글쓰기를 즐겼다.

| 해설 | 이유를 나타내는 분사구문이 문장의 앞에 위치한 문장 구조로, 분사구문의 주체인 she가 '교육을 받는' 수동의 의미이므로 being이 생략된 p.p.형태인 Educated가 쓰이는 것이 적절하다.

Unit Exercise

p. 86

A

266 | 정답 | (in order) to speed

S V O
We need to practice (harder) (to speed up our cooking).
우리는 필요로 한다 연습하는 것을 더 열심히 우리의 요리에 속도를 내기 위해

| 해석 | 우리는 요리에 속도를 내기 위해 더 열심히 연습해야 한다.

| 해설 | speed는 행위의 '목적'을 나타내는 to부정사로 써야 알맞다. 목적의 의미를 확실하게 하기 위해 to부정사 앞에 in order를 붙일 수도 있다. to speed up our cooking은 부사 역할을 하는 반면, to practice는 need의 목적어로 쓰여 명사 역할을 하는 to부정사이다.

267 | 정답 | to tell

S V SC
They were excited (to tell me about their achievement).
그들은 ~이었다 신난 나에게 그들의 성취에 대해 말해서

| 해석 | 그들은 나에게 자신들이 달성한 것에 대해 신이 나서 말했다.

| 해설 | tell은 '감정의 원인'을 나타내는 to부정사로 써야 알맞다. 감정(excited)을 나타내는 형용사 뒤에서 to부정사(구)는 그런 감정을 들게 한 '원인'을 나타내며, '~해서'로 해석한다.

268 | 정답 | winning

S V SC
We are famous (in our school), (winning a lot of awards and trophies).
우리는 ~이다 유명한 우리 학교에서 받았기 때문에 많은 상과 트로피를

| 해석 | 우리는 많은 상과 트로피를 받아서 학교에서 유명하다.

| 해설 | 문장의 주어인 We가 '많은 상과 트로피를 탄' 주체이므로 win은 능동의 의미를 나타내는 winning으로 써서 이유를 나타내는 분사구문이 되도록 해야 한다.

B

269 | 정답 | express → to express

S V O
People (around the world) use dance (to express themselves).
사람들은 전 세계의 사용한다 춤을 표현하기 위해 자신들을

| 해석 | 전 세계 사람들은 자신들을 표현하기 위해 춤을 사용한다.

| 해설 | 행위의 '목적'을 나타내는 to부정사로 '표현하기 위해'라는 의미를 나타내는 to express로 쓰는 것이 알맞다. 전치사 around the world는 주어인 People을 수식하고 있으 themselves는 주어 People around the world를 지 한다.

270 | 정답 | painted → to paint

S V O 의미상 주어 S'
It took about five months (for her) to paint a flowe (with a stem and leaves).
걸렸다 약 5개월이 그녀가 꽃을 그리는 것은 줄기와 잎이 있는

| 해석 | 그녀가 줄기와 잎이 있는 꽃을 그리는 데 약 5개월이 걸렸다.

| 해설 | 가주어 It이 주어 자리에 오고 진주어가 뒤로 간 구조의 문장 며, 의미상 주어인 for her가 있으므로 to부정사 형태가 쓰여 한다.

271 | 정답 | smelled → smelling

S V O 분사구문
She pushed her face (into the grass), (smellin the scent from the wildflowers).
그녀는 내밀었다 자신의 얼굴을 풀밭에 야생화의 향기를 맡으며

| 해석 | 그녀는 야생화의 향기를 맡으며 풀밭으로 얼굴을 내밀었다.

| 해설 | 문장의 주어인 She가 직접 '냄새를 맡는' 능동의 의미를 나타 므로 smelling으로 시작하는 분사구문으로 쓰는 것이 알맞다 이때, 분사구문은 동시동작을 나타낸다. from the wildflowe 는 the scent를 꾸며 주는 전치사구이다.

272 | 정답 | relieved → relieving

S V O
Having a dog (in the office) had a positive effec (relieving stress and making everyone aroun happier).
개를 데리고 있는 것은 사무실에 있었다 긍정적인 효과를 스트레스를 낮추고 주변의 모든 사람을 더 행복하게 해 주었기 때문에

| 해석 | 사무실에 개를 데리고 있는 것은 스트레스를 경감시켰으며 주 의 모든 사람들을 더 행복하게 했기 때문에 긍정적인 효과가 있었다.

| 해설 | 동명사구 주어인 Having a dog in the office가 '스트레 를 낮추는' 능동의 의미를 나타내므로 relieving으로 시작하 분사구문으로 쓰는 것이 적절하다. 이때 분사구문은 이유를 나 내고 있으며, and 뒤에 이어지는 making 이하 역시 이유를 나 타내는 분사구문이다.

Grammar Check

266 order 267 to부정사(구) 268 이유 269 동사
270 of 271 v-ing 272 현재분사

PART 4 절의 기본 이해

Unit 9 관계대명사절, 부사절, 명사절의 이해

문장공식 28 관계대명사절의 이해 pp. 90-91

S는 V하다 N을 관계대명사절하는

✔ QUICK QUIZ

(1) This is the card [which I got from Tim].
S(주어) V(동사) SC(주격보어) 관계대명사절
이것은 ~이다 카드 내가 Tim에게서 받은

| 해석 | 이것은 내가 Tim에게서 받은 카드이다.

(2) The boy [that we saw at the park] is cute.
S(주어) 관계대명사절 V(동사) SC(주격보어)
그 소년은 우리가 공원에서 본 ~이다 귀여운

| 해석 | 우리가 공원에서 본 그 소년은 귀엽다.

기출로 Practice

A

273 I want a robot [which can clean my room].
S V O 관계대명사절
나는 원한다 로봇을 내 방을 청소해 줄 수 있는

| 해석 | 나는 내 방을 청소해 줄 수 있는 로봇을 원한다.

| 해설 | which는 사물인 선행사(a robot)를 대신하면서 관계대명사절에서 주어 역할을 하는 주격 관계대명사이다.

274 Max is a singer [who my friends love].
S V SC 관계대명사절
Max는 ~이다 가수 내 친구들이 사랑하는

| 해석 | Max는 내 친구들이 사랑하는 가수이다.

| 해설 | 관계대명사절이 사람인 선행사(a singer)를 대신하면서 관계대명사절에서는 목적어 역할을 하는 목적격 관계대명사이다.

275 This is a great story [that gave hope to many people].
S V SC 관계대명사절
이것은 ~이다 멋진 이야기 많은 사람들에게 희망을 준

| 해석 | 이것은 많은 사람들에게 희망을 준 멋진 이야기이다.

| 해설 | 관계대명사절이 주격보어인 a great story를 수식하며, that은 주격 관계대명사이다.

276 Choose the drink [you want] (from the menu).
V O 관계대명사절
선택해라 음료수를 네가 원하는 메뉴판에서

| 해석 | 메뉴판에서 네가 원하는 음료수를 선택해라.

| 해설 | you want는 목적격 관계대명사가 생략된 관계대명사절로, 목적어인 the drink를 수식한다. 생략된 목적격 관계대명사는 선행사가 사물일 때 쓰는 which나 that이다.

B

277 POP QUIZ! that I could turn on

There was a light switch [that I could turn on].
V S 관계대명사절
(~이) 있었다 전등 스위치가 내가 켤 수 있는

| 해석 | 내가 켤 수 있는 전등 스위치가 있었다.

| 해설 | 관계대명사절이 주어 a light switch를 수식하며, that은 목적격 관계대명사이다.

278 Sharks have special skin [that makes them swim fast].
S V O 관계대명사절
상어는 가지고 있다 특별한 피부를 그들이 수영을 빠르게 하도록 만드는

| 해석 | 상어는 수영을 빠르게 하도록 하는 특별한 피부를 가지고 있다.

| 해설 | 주격 관계대명사 that이 이끄는 관계대명사절이 목적어인 special skin을 수식한다. 관계대명사절의 make는 사역동사로 쓰여 목적격보어로 원형부정사가 온다.

279 CHOOSE! helps

A habit is a faithful friend [who helps us toward our goal].
S V SC 관계대명사절
습관은 ~이다 충실한 친구 우리의 목표를 향하도록 우리를 도와주는

| 해석 | 습관은 우리가 목표를 향하도록 도와주는 충실한 친구이다.

| 해설 | 주격 관계대명사 who가 이끄는 관계대명사절이 주격보어인 a faithful friend를 수식한다. 주격 관계대명사 뒤에 오는 동사는 선행사(a faithful friend)에 수를 일치시키므로 helps가 알맞다.

280 CHOOSE! has

Any activity [which you do] has some risk or chance of injury.
S 관계대명사절 V O
어떤 활동도 당신이 하는 가진다 약간의 위험이나 부상의 가능성을

| 해석 | 당신이 하는 어떤 활동도 위험이나 부상의 가능성이 조금은 있다.

| 해설 | 목적격 관계대명사 which가 이끄는 관계대명사절이 주어인 Any activity를 수식한다. 문장의 동사는 관계대명사절의 수식을 받는 주어 Any activity에 수를 일치시켜야 하므로 has를 쓰는 것이 알맞다.

문장공식 29 부사절의 이해 pp. 92-93

S V 부사절 접속사 S' V'

✔ QUICK QUIZ

S(주어) V(동사) O(목적어) 부사절
(1) I will buy a new laptop [when I get a job].
나는 살 것이다 새 노트북 컴퓨터를 내가 직장을 얻을 때
|해석| 나는 내가 직장을 얻을 때 새 노트북 컴퓨터를 살 것이다.

부사절 S(주어) V(동사) SC(주격보어)
(2) [While he was on the bus], he fell asleep.
그가 버스에 있는 동안 그는 되었다 잠이 든
|해석| 그는 버스에 있는 동안 잠들었다.

기출로 Practice

A

S V SC 부사절
281 He was late [because his bike had a flat tire].
그는 ~이었다 늦은 그의 자전거 타이어가 펑크 났기 때문에
|해석| 그는 자신의 자전거 타이어가 펑크 났기 때문에 늦었다.
|해설| because는 '~ 때문에'라는 의미로 부사절을 이끄는 접속사이며, 접속사 뒤에는 주어(his bike)와 동사(had)를 갖춘 절이 온다.

S V 부사절
282 Billy is going to stay (in our house) [while we are away].
Billy는 머물 것이다 우리 집에서 우리가 집을 비운 동안
|해석| 우리가 집을 비운 동안 Billy는 우리 집에서 머물 것이다.
|해설| while은 '~하는 동안'의 의미를 나타내는 시간의 접속사로, 뒤에 주어(we)와 동사(are)를 갖춘 절이 이어져 부사 역할을 한다. while은 '~인 반면에'라는 대조의 의미를 나타낼 때도 있으므로 해석에 유의한다. be going to-v는 '~할 것이다'라는 미래의 의미를 나타낸다.

S V 부사절
283 His knees were shaking [as he walked to the microphone].
그의 무릎은 후들거리고 있었다 그가 마이크 쪽으로 걸어갔을 때
|해석| 그가 마이크로 걸어갔을 때 그의 무릎은 후들거리고 있었다.
|해설| as가 '~할 때'의 의미로 부사절을 이끄는 시간의 접속사로 쓰였다. as는 '~ 때문에'라는 의미로 이유를 나타내는 접속사로도 쓰일 수 있으므로 문맥에 따라 해석해야 한다.

S V 부사절
284 You can never learn (very much) [if you do not ask questions].
당신은 절대 배울 수 없다 매우 많이 당신이 질문을 하지 않는다면
|해석| 질문을 하지 않는다면 당신은 절대 매우 많이 배울 수 없다.
|해설| if는 '(만약) ~라면'이라는 의미로 조건을 나타내는 부사절을 이끄는 접속사이다.

B

부사절 S V
285 [As she was tired from her city life], she we
그녀는 도시 생활에 지쳤기 때문에 그녀는 갔
(back) (to the country).
다시 시골로
|해석| 그녀는 도시 생활에 지쳐서 시골로 다시 돌아갔다.
|해설| 이유를 나타내는 접속사 as가 이끄는 부사절이 주절 앞에 위
한 형태의 문장이다. to the country는 방향을 나타내는 전
사구이다.

286 POP QUIZ! Since her height was under 120 cm
부사절 S
[Since her height was under 120 cm], she cou
그녀의 키가 120cm 미만이었기 때문에 그녀는
V O
not get on the ride.
탈 수 없었다 그 놀이기구를
|해석| 그녀는 키가 120cm 미만이었기 때문에 그 놀이기구를 탈
없었다.
|해설| since는 '~ 때문에'라는 의미로 이유를 나타내는 부사절을
끄는 접속사이다. since는 '~ 이래로'라는 의미로도 쓰일 수
으므로 문맥에 맞게 해석해야 한다.

S V SC 부사절
287 You can't be a winner [unless you're willing
당신은 될 수 없다 승자가 당신이 실패에 기꺼이 맞서지 않는다면
face failure].
|해석| 당신이 실패에 기꺼이 맞서지 않는다면 승자가 될 수 없다.
|해설| unless는 '만약 ~아니라면'이라는 의미를 나타내는 조건의
속사로, if ~ not의 의미이다. 따라서 부사절을 if you're n
willing to ~로 바꿔 쓸 수도 있다.

288 CHOOSE! Even though
부사절
[Even though no one was around to celebra
나와 함께 축하할 사람이 주위에 아무도 없었지만
S V
with me], it didn't matter.
그것은 문제가 되지 않았다
|해석| 나와 함께 축하할 사람이 주위에 아무도 없었지만, 그건 문제가
되지 않았다.
|해설| 문장의 앞에 위치한 부사절은 문맥상 뒤에 이어지는 주절과의
미 관계로 보아 '비록 ~이지만'의 의미를 나타내는 양보의 접
사 Even though가 알맞다. if(만약 ~라면)는 조건을 나타내
접속사이다.

문장공식 30 명사절의 이해

pp. 94-95

S V that S' V'

✔ QUICK QUIZ

S(주어) V(동사) O(목적어-명사절)
(1) Tim found [that his baggage was missing].
Tim은 발견했다 그의 수하물이 없어졌다는 것을

☐ 주어 ☑ 목적어

| 해석 | Tim은 자신의 수하물이 없어진 것을 발견했다.

S(주어) V(동사) O(목적어-명사절)
(2) I don't think [that it was my mistake].
나는 생각하지 않는다 그것이 내 실수였다고

☐ 보어 ☑ 목적어

| 해석 | 나는 그것이 내 실수였다고 생각하지 않는다.

기출로 Practice

A

S V O (명사절)
289 Everyone knows [that the Earth goes around the sun].
모두가 알고 있다 지구가 태양의 주위를 돈다는 것을

| 해석 | 모두가 지구가 태양의 주위를 돈다는 것을 알고 있다.

| 해설 | 접속사 that 뒤에 주어(the Earth)와 동사(goes)를 갖춘 명사절이 동사 knows의 목적어 역할을 하고 있다. 명사절은 '~하는 것'이라고 해석한다.

S V SC S' (명사절)
290 It is interesting [that some animals can use tools].
~이다 흥미로운 어떤 동물들은 도구를 사용할 수 있다는 것은

| 해석 | 어떤 동물들은 도구를 사용할 수 있다는 것은 흥미롭다.

| 해설 | 접속사 that 뒤에 주어(some animals)와 동사(can use)를 갖춘 명사절이 문장 내에서 진주어 역할을 하고 있다. It은 주어 자리에 쓰인 가주어로, '그것'이라고 해석하지 않는다.

S V SC S' (명사절)
291 It is strange [that Susan doesn't remember me].
~이다 이상한 Susan이 나를 기억하지 못하는 것은

| 해석 | Susan이 나를 기억하지 못하는 것은 이상하다.

| 해설 | 접속사 that 뒤에 주어(Susan)와 동사(doesn't remember)를 갖춘 명사절이 문장 내에서 진주어 역할을 하고, 주어 자리에는 가주어 It이 쓰였다.

S V O (명사절)
292 Some students complain [that history is boring and worthless].
일부 학생들은 불평한다 역사는 지루하고 쓸모없다고

| 해석 | 일부 학생들은 역사는 지루하고 쓸모없다고 불평한다.

| 해설 | 접속사 that 뒤에 주어(history)와 동사(is)를 갖춘 명사절이 동사 complain의 목적어 역할을 하고 있다.

B

293 CHOOSE! that

S V O (명사절)
People said [that she gave a lot of money to charity].
사람들은 말했다 그녀가 자선 단체에 많은 돈을 줬다고

| 해석 | 사람들은 그녀가 자선 단체에 많은 돈을 줬다고 말했다.

| 해설 | 동사 said의 목적어로 '~라는 것'의 의미를 나타내는 명사절이 이어지는 것이 자연스러우므로, 접속사 that 뒤에 주어(she)와 동사(gave)를 갖춘 명사절이 목적어가 되는 것이 적절하다.

294 CHOOSE! It

S V S' (명사절)
It is (commonly) thought [that drinking lots of water is good for skin].
흔히 생각되어진다 물을 많이 마시는 것이 피부에 좋다고

| 해석 | 물을 많이 마시는 것이 피부에 좋다고 흔히 생각되어진다.

| 해설 | 접속사 that 뒤에 주어(drinking lots of water)와 동사(is)를 갖춘 명사절이 문장 뒤에서 진주어 역할을 하고 있으므로, 주어 자리에는 가주어 It이 쓰이는 것이 알맞다. that절의 주어는 동명사구가 쓰였다.

S V O (명사절)
295 I heard [that you need to be physically strong to be a police officer].
나는 들었다 당신은 경찰관이 되기 위해서는 신체적으로 강해야 한다고

| 해석 | 경찰관이 되려면 신체적으로 강해야 한다고 나는 들었다.

| 해설 | 접속사 that 뒤에 주어(you)와 동사(need)를 갖춘 명사절이 동사 heard의 목적어 역할을 하고 있다. need의 목적어로 to부정사가 쓰이면 '~해야 한다'로 해석하며, to be a police officer는 '목적'을 나타내는 to부정사구이다.

296 POP QUIZ! that there are cultural differences from country to country

S V O (명사절)
You should remember [that there are cultural differences from country to country].
여러분은 기억하는 것이 좋다 나라마다 문화적 차이가 있다는 것을

| 해석 | 여러분은 나라마다 문화 차이가 있다는 것을 기억하는 것이 좋다.

| 해설 | 접속사 that 뒤에 주어(cultural differences)와 동사(are)를 갖춘 명사절이 동사 should remember의 목적어 역할을 하고 있다. There is/are ~ 구문은 '~이 있다'라고 해석하며, 주어가 be동사 뒤에 온다.

Unit Exercise

p. 96

A

297 | 정답 | that

Some countries have laws [that are very unusual].

| 해석 | 어떤 국가들은 매우 독특한 법을 가지고 있다.

| 해설 | laws 뒤에 이어지는 절은 선행사 laws를 수식하는 관계대명사절이다. 빈칸에는 사물인 선행사를 대신하며 관계대명사절에서 주어 역할을 하는 주격 관계대명사 that이 알맞다.

298 | 정답 | It

It is (often) believed [that Shakespeare did not always write alone].

| 해석 | Shakespeare가 언제나 혼자 집필한 것은 아니었다고 보통 여겨진다.

| 해설 | that이 이끄는 명사절이 문장 내에서 진주어 역할을 하며 문장의 뒤로 왔으므로 빈칸에는 진주어를 대신하여 주어 자리에 쓰이는 가주어 It이 알맞다. always가 부정을 나타내는 not과 함께 쓰이면 '항상 ~한 것은 아니다'라는 의미를 나타낸다.

299 | 정답 | As

[As I walked to the train station], I felt the warm sun (on my back).

| 해석 | 나는 기차역으로 걸어가면서 등에 따뜻한 햇살이 닿는 것을 느꼈다.

| 해설 | 문맥상 콤마(,) 뒤의 주절 앞에 시간을 나타내는 부사절이 오는 것이 자연스러우므로, 빈칸에는 '~하면서'라는 의미를 나타내는 접속사 As를 쓰는 것이 적절하다.

300 | 정답 | that

The research reports [that dogs can understand the human words].

| 해석 | 그 연구는 개가 인간의 말을 이해할 수 있다고 보고한다.

| 해설 | 동사 reports의 목적어 역할을 하는 명사절이 이어지는 것이 자연스러우므로 빈칸에는 명사절을 이끄는 접속사 that이 알맞다. 목적어 역할을 하는 that절의 접속사 that은 생략할 수도 있다.

B

301 | 정답 | O

The sun is (really) important [because it helps us to see things].

| 해석 | 태양은 우리가 사물을 볼 수 있도록 도와주므로 정말 중요하다.

| 해설 | 주절 뒤에 이유를 나타내는 접속사 because가 이끄는 부사절이 이어지는 문장으로, 부사절은 주어(it)와 동사(helps)를 갖춘 완전한 문장으로 이루어져 있다. 「help+목적어+to부정사/원형부정사(목적격보어)」는 '(목적어)가 ~하는 것을 돕다'라는 의미를 나타낸다.

302 | 정답 | X / listen → listens

Having someone [who listens to you at school] can (really) help.

| 해석 | 학교에서 당신의 말을 들어 주는 누군가가 있는 것은 정말 도움이 될 수 있다.

| 해설 | who ~ school은 선행사 someone을 수식하는 관계대명사절이고, who는 사람을 선행사로 하는 주격 관계대명사이다. 주격 관계대명사 뒤에 오는 동사는 선행사에 수를 일치시켜야 하므로, listen은 단수인 선행사(someone)에 일치시켜 listens로 써야 한다.

303 | 정답 | X / which → that

Her study shows [that there is an important relationship between friendships and health].

| 해석 | 그녀의 연구는 우정과 건강 사이에 중요한 관계가 있다는 것을 보여 준다.

| 해설 | 동사 shows 뒤에 '~라는 것'의 의미로 목적어 역할을 하는 명사절이 이어지는 것이 자연스러우므로 명사절을 이끄는 접속사 that이 쓰여야 한다. 이때의 that은 생략할 수 있다.

Grammar Check

297 관계대명사	298 it	299 as	300 that
301 절	302 선행사	303 that	

TWIN WORKBOOK

Unit 1 문장의 기본 구조

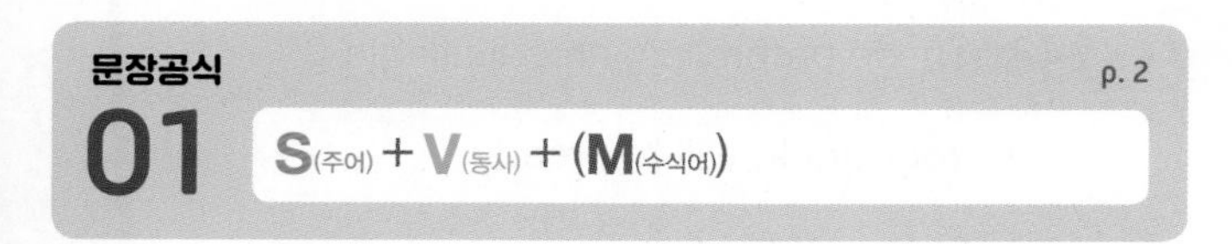

문장공식
p. 2
01
S(주어) + V(동사) + (M(수식어))

A 001 My grandmother, smiled

002 I, slept

003 is, good news

B 004 On that night, the pain in my left shoulder started

005 The global smartphone average price decreased

006 The event ends with an exhibition

C 007 A guitar case is on the bench and a donation box is under it.

008 Mary Cassatt and her family traveled throughout Europe in her childhood.

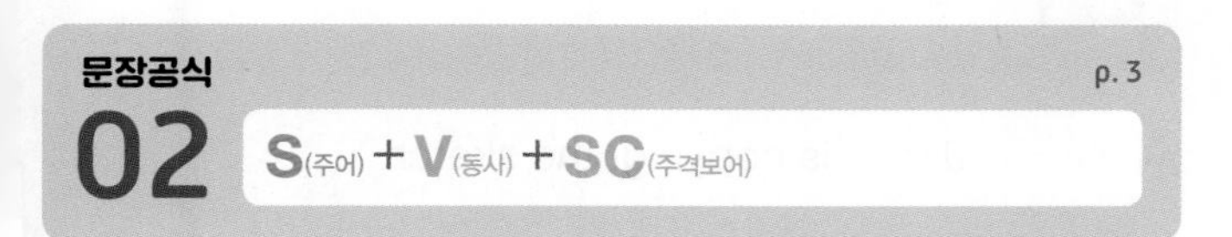

문장공식
p. 3
02
S(주어) + V(동사) + SC(주격보어)

A 009 The story, sounds, strange

010 Your students, were, a wonderful audience

011 The veterinarian, seemed, surprised

B 012 School uniforms are not very comfortable

013 The round clock looks simple and modern

014 The benefits of a morning walk are numerous

C 015 Many things can go wrong in the future.

016 Computers can become an important part of our everyday lives.

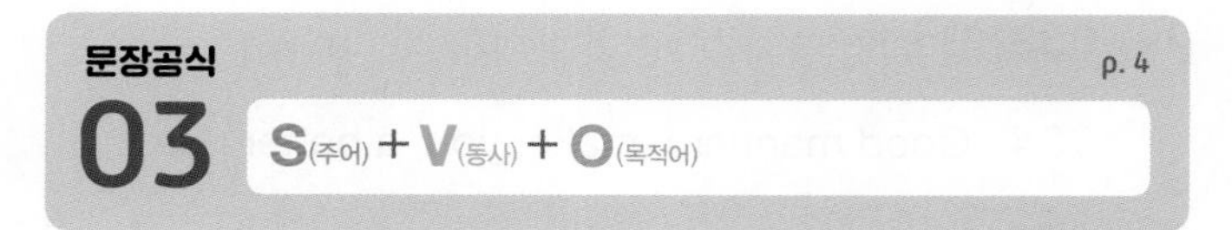

문장공식
p. 4
03
S(주어) + V(동사) + O(목적어)

A 017 Many dog owners, have, problem

018 The builders, used, building techniques

019 Bad lighting, can increase, stress

B 020 We discussed traditional foods

021 She sold healthy snacks

022 Sound reaches the ear

C 023 Today, thirty German students visited our school.

024 Robots can never improve their performance beyond their pre-programmed functions.

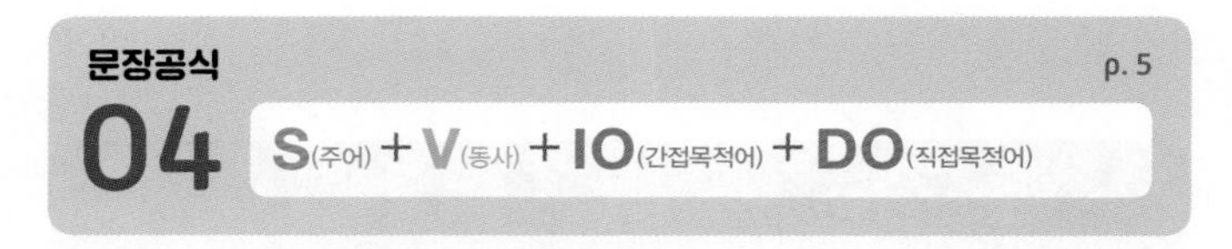

문장공식
p. 5
04
S(주어) + V(동사) + IO(간접목적어) + DO(직접목적어)

A 025 My grandfather, told, us, a funny story

026 My dad, bought, me, a guitar

027 I, show, you, a magic trick

B 028 My mom gave me her recipe

029 He taught his son mathematics and various languages

030 he asked them the same question

C 031 Trees give scientists some information about the climate.

032 My mother showed me the photograph album of her high school days.

문장공식 p. 6

05 S(주어) + V(동사) + O(목적어) + OC(목적격보어)

A 033 He, keeps, the bathroom, clean

034 Good manners, make, you, a better person

035 Newspaper headlines, called, the young man, hero

B 036 The dead silence, made the drive painful

037 Your smile makes the neighborhood a brighter place

038 each group considered the other an enemy

C 039 Celebrity brands will not make them popular.

040 Mark is alive and finds himself alone on the harsh planet.

Unit Exercise 문장공식 01~05 p. 7

041 The amount of water in the world / is / the same

042 In 1969 / the exhibition / brought / him / international recognition

043 Less stuff / makes / our camping / more enjoyable

044 We / discuss / books / at our members' homes / twice a month

045 Too many tests /make / students / tired

046 The candy factory / even / gave / him / a business card

047 the global smartphone average price and the smartphone average price in China / was / the smallest

Unit 2 동사를 통해 드러나는 시제

문장공식 p. 8

06 S(주어) + V(현재형/과거형) / will + v(동사원형)

A 048 These umbrellas, are, available

049 Your drink, will be, ready

050 I, took, this photo

B 051 Kate spent part of her childhood

052 The school will begin

053 the king goes hunting

C 054 About 2,500 years ago, builders in ancient Greece used the sun's free energy.

055 The slogan for the event changes every year, and this year it is *Walk with Us*!

문장공식 p. 9

07 S(주어) + be v-ing

A 056 Jimin, is copying, the sketch

057 A violent storm, was coming

058 People, were taking, a class

B 059 I am currently looking for a place

060 Our brains are constantly solving

061 Dr. Wilkinson was giving a gold medal

C 062 A clean sheet of paper is lying in front of you.

063 She was holding a camera in her hands and taking pictures of her husband and grandson.

문장공식 p. 10

08 S(주어) + have p.p.

A 064 I, have just created, a great new recipe

065 Have you, felt, this kind of pain

066 Kate and Dane, have known, each other

B 067 The Internet has quickly become an invaluable tool

068 Cooperation among animals has become a hot topic

069 Many people have never even had a conversation

C 070 The City Park Zoo has been home to many different animals since 1965.

071 Psychologists have long known about the harmful effects of noise.

Unit Exercise 문장공식 06~08 p. 11

072 One night / he / was watching / a PBS-TV program about cartooning

073 None of them / has ever used / a toothbrush / until now

074 Historically / dance / has been / a strong, binding influence / on community life

075 Have / you / ever / sat / out in a backyard / at night / and / turned on / a light

076 They / are having / a bad day / and / they / are expressing / their disappointment

077 The program / has always been / very popular / among international students

078 He / visited / some of the landmarks / here / and / has become / interested / in building structures

Unit 3 동사에 의미를 더하는 조동사

문장공식 p. 12

09 S(주어) + 조동사 + V(동사원형)

A 079 You, can join, my philosophy discussion group

080 You, should submit, your homework

081 The volcano, on the island, may erupt

B 082 The program might run

083 You should read the directions of the questions

084 Chemists have to write chemical equations

C 085 The old black-and-white TVs could not show the colors of each team's uniform.

086 My aunt would babysit me and show me magic tricks.

문장공식 p. 13

10 S(주어) + 조동사 + have p.p.

A 087 You, should've gone, to the lecture

088 The little boy, must have seen, something scary

089 You, cannot have done, such a foolish thing

B 090 We may have lost

091 He cannot have told a lie

092 Some of them may have traveled

C 093 He fell down the stairs and hurt his leg. He should have been more careful.

094 Henry's father was a house painter. He must have painted hundreds of houses.

Unit Exercise 문장공식 09~10

p. 14

095 I / change / these earphones / to black ones

096 Students / must sign up for / our program / in advance

097 A great leader / should have / a positive attitude

098 She / must have lost / her phone / at the bus stop

099 The community center / may be / available / now

100 Someone / can earn / extra money / for a new smartphone

101 You / should've written / the speech / on your own

Unit 4 주어와 동사의 관계를 보여 주는 태

문장공식 11 S(주어) + be p.p. + by

p. 15

A 102 Those pictures, were not painted

103 I, was deeply touched

104 The dirt, is hidden

B 105 The market is held

106 This picture was taken

107 The details of their everyday lives were posted

C 108 Doctors Without Borders was founded in 1971 by a small group of French doctors.

109 During 2009-2010, nearly 40 percent of the expenditures were financed by borrowing.

문장공식 12 S(주어) + be p.p. + O/C(목적어/보어)

p. 16

A 110 Identical twins, are given, the same genes

111 Mae, was named, the first black woman astronaut

112 The residents, were asked, questions

B 113 The 18th century is called the Golden Age

114 Sadness is considered an unnecessary emotion

115 The fairy returned, the woodcutter was left alone

C 116 was paid very well for their time, but the other was only given a small amount of cash

117 were shown a documentary film and then asked a series of questions about the video

문장공식 13 S(주어) + be동사 + being p.p. / have been p.p. / 조동사 + be p.p.

p. 17

A 118 One hundred people, will be invited

119 The impact of color, has been studied

120 Special radar systems, are being installed

B 121 Books must be returned

122 The quoll's survival was being threatened

123 Language skills, can be acquired

C 124 Other members of his family have already been taken to the hospital.

125 One of her novels has been translated into more than eighty languages.

Unit Exercise 문장공식 11~13

p. 18

26 Her early life / was strongly influenced / by her father's historical knowledge

27 In 1849 / he / was appointed / the first professor of mathematics / at Queen's College

28 Art / can be made / out of all kinds of old things / around us

29 In fact / much research / has been done / on the developmental stages of childhood

30 Every medal winner / was given / an olive wreath / along with their medal

31 Registration forms / must be sent / by email / to the address below / by 6:00 p.m., November 28

32 Rats / are considered / pests / in much of Europe and North America / and / greatly respected / in some parts of India

Unit 5 주어, 목적어로 쓰이는 to부정사와 동명사

문장공식 14 v-ing + V(동사)

p. 19

A
133 Drawing pictures, is, one of my hobbies
134 Visiting a sunflower festival, would be, nice
135 Preparing and eating good food, is, the pleasure of life

B
136 Doing well, gives most students confidence
137 Learning does not happen
138 Living without smartphones is difficult

C
139 Challenging your brain with new activities can strengthen the connections between brain cells.
140 Increasingly, reading and writing can be done electronically with the aid of a computer.

문장공식 15 It + V(동사) + to-v

p. 20

A
141 easy, to choose, a wedding ring
142 quick and easy, to post, photos
143 impossible, to satisfy, everyone around you

B
144 It is hard to realize our potential
145 It is important to recognize your pet's particular needs
146 it is popular to express feelings

C
147 It is okay to cry or fill up pages in your journal about all the horrible emotions.
148 It is wise not to open email attachments from an unknown source.

문장공식 16 S(주어) + V(동사) + v-ing

p. 21

A
149 keep, searching for answers
150 in, protecting animals
151 Consider, adopting a pet

B
152 I was worried about forgetting my lines
153 Minhwa artists enjoyed painting beautiful flowers
154 By combining story and report

C
155 We are looking forward to seeing excellent work from you in your new department.
156 The volcano kept growing, and it finally stopped growing at 424 meters in 1952.

문장공식 17 S(주어) + V(동사) + to-v p. 22

A 157 He, decided, to take a trip

158 I, want, to open my own donut shop

159 Most young designers, like, to work

B 160 People began to call him a master

161 I want to understand their songs

162 Children learn to do things independently

C 163 The organization agreed to transport the T-shirts on their next trip to Africa.

164 All mammals need to leave their parents and set up on their own at some point.

Unit Exercise 문장공식 14~17 p. 23

165 It / is / unwise / to do several things at once

166 Being(To be) a teenager / can be / a very stressful time / in your life

167 The left engine / starts / losing(to lose) power / and / the right engine / is / dead

168 I / like / helping people / and / hope / to get a job as a lifeguard later

169 Her legs / began / to shake(shaking) / and / she / felt / her body / stiffen

170 She / is / interested / in helping / with special programs / for kids

171 Losing weight / can be / difficult / but / changing their looks / is / simple

Unit 6 보어로 쓰이는 to부정사와 동명사, 원형부정사, 분사

문장공식 18 S(주어) + be동사 + to-v / v-ing(주격보어) p. 24

A 172 My habit, is, avoiding eye contact

173 My dream, is, to be the world chess champic

174 War, seems, to be part

B 175 The most important classroom rule is respect each other

176 My goal is to help all dogs

177 One of the most impolite behaviors is cuttir in line

C 178 The best means of destroying an enemy is make him your friend.

179 Imitation seems to be a key to the transmissic of valuable practices.

문장공식 19 S(주어) + V(동사) + O(목적어) + to-v(목적격보어) p. 25

A 180 told, the boy, to be careful

181 ordered, the dog, to get the ball

182 encourage, you, to participate

B 183 Kevin asked the company to use pape straws

184 We expected the package to arrive

185 The manager asked guests not to make tc much noise

C 186 My volunteer experience enabled me to se the world from a different point of view.

187 Stressful events sometimes force people develop new skills.

문장공식 p. 26

20 S(주어) + V(동사) + O(목적어) + v(목적격보어)

A 188 can watch, people, play music

189 lets, his dog, sleep

190 made, them, stay at home

B 191 We can let you use a room

192 The performers made many plates spin around

193 Their mineral and vitamin-rich diet helped them have healthy teeth

C 194 I will recover soon and see you become champion one day in perfect health.

195 Andrew Carnegie, the great early-twentieth-century businessman, once heard his sister complain about her two sons.

문장공식 p. 27

21 S(주어) + V(동사) + O(목적어) + v-ing/p.p.(목적격보어)

A 196 felt, something, approaching

197 had, her bike, fixed

198 heard, my name, called

B 199 Susan saw her purse left

200 Amy heard the bell ringing noisily

201 A police officer saw a little boy crying

C 202 I cannot imagine myself living on a small amount of food every day.

203 My sisters noticed their stockings filled with presents.

Unit Exercise 문장공식 18~21 p. 28

204 Their job / was / to look into the pipe / and / fix the leak

205 The hunter / felt / someone / follow(following) him / in the woods

206 Good manners / can help / you / have(to have) better relationships with other people

207 Too much exercise / made / Jenny / feel tired

208 Mr. Baker / lets / his students / go home / early

209 He / heard / his old nickname / called / among the crowd

210 Art museums / allow / us / to see works of art / in different ways

Unit 7 명사를 수식하는 to부정사와 분사

문장공식 p. 29

22 S(주어) + V(동사) + N(명사) + to-v

A 211 didn't have, a chance, to watch the movie

212 had, something important, to talk about

213 is, the easiest way, to keep ourselves fit

B 214 World leaders should have the vision to protect our environment

215 The desire to make money challenges and inspires us

216 The girls and boys found a place to sit down

C 217 Food labels are a good way to find the information about the foods.

218 The gift was a pack of batteries, and I had nothing to use them with!

문장공식 p. 30

23 N(명사) + v-ing/p.p. + V(동사)

A 219 The shop, selling toy cars

220 a present, wrapped in a colorful paper

221 The amount of oil, produced by this region

B 222 My aunt removed a heavy box containing many old pictures

223 A bicycle with a flag showing an image of a mug is leaning

224 A small bag found in Park Avenue was returned

C 225 Every year the number of people living in Africa and Asia increases.

226 The first underwater photographs were taken by an Englishman named William Thompson.

Unit Exercise 문장공식 22~23 p. 31

227 The men / invited to dinner / should wear / suits and ties

228 Don't miss / this great opportunity / to improve your Korean writing

229 The house / was / full / of old furniture / covered with white cloths

230 Homework / gives / students / plenty of time / to think deeply

231 Joe / visited / a beautiful house / located at the top of the hill

232 I / was charmed / by the native birds / moving among the branches

233 Parents and their children / have / the right / to enter any restaurant freely

Unit 8 부사 역할을 하는 to부정사와 분사구문

문장공식 p. 32

24 S(주어) + V(동사) ~ + to-v

A 234 had to travel, to find more food

235 was, happy, to send each of them a gift

236 recorded, her voice, to help the blind

B 237 We need to talk to understand one another better

238 Jessica went to the airport to pick up a client

239 Clothing doesn't have to be expensive to provide comfort

C 240 He suppressed his feelings at the office only to fight with his spouse at home.

241 To get the necessary nutrients, you must balance your food choices.

문장공식 p. 33

25 S(주어) + V(동사) + 형용사·부사 + to-v

A 242 was, easy, to see

243 was, too short, to reach the top shelf

244 is, big enough, to carry ten books

B 245 Food with fat was hard to get

246 Eric is smart enough to solve difficult math problems

247 It would take too long to write a book

C 248 He was bold enough to save a girl in danger.

249 The baby penguin will be too big to sit on its father's feet.

문장공식 26 It+be동사+형용사+for/of O'+to-v
p. 34

A
250 easy, for us, to choose the best idea
251 no place, for you, to drop off garbage
252 important, for us, to manage time

B
253 It is foolish of him to make the same mistake
254 It is important for the speaker to memorize his or her script
255 Zero Waste Day is an opportunity for you to clean out your attic

C
256 The program will be a great opportunity for our students to experience something new.
257 It is natural for parents to protect their children from dangerous things.

문장공식 27 v-ing, S(주어)+V(동사)
p. 35

A
258 Having no money, can't buy, anything
259 did, my math homework, listening to classical music
260 Walking along the street, saw, a man

B
261 the female insects become active, flying around looking for food
262 Surrounded by her friends, she enjoyed her victory
263 the king came from the palace, greeting his people

C
264 The sunlight shines through the leaves of the trees, filling the forest with brightness.
265 Educated by private tutors at home, she enjoyed reading and writing early on.

Unit Exercise 문장공식 24~27
p. 36

266 We / need / to practice / harder / (in order) to speed up our cooking
267 They / were / excited / to tell / me / about their achievements
268 We / are / famous / in our school / winning a lot of awards and trophies
269 People around the world / use / dance / to express themselves
270 It / took / about five months / for her / to paint a flower / with a stem and leaves
271 She / pushed / her face / into the grass / smelling the scent from the wildflowers
272 Having a dog in the office / had / a positive effect / relieving stress and making everyone around happier

Unit 9 관계대명사절, 부사절, 명사절의 이해

문장공식 28 S(주어)+V(동사)+N(명사)+관계대명사절
p. 37

A
273 want, a robot, which can clean my room
274 is, a singer, who my friends love
275 is, a great story, that gave hope to many people

B
276 Choose the drink you want from the menu
277 There was a light switch that I could turn on
278 Sharks have special skin that makes them swim fast

C
279 A habit is a faithful friend who helps us toward our goal.
280 Any activity which you do has some risk or chance of injury.

문장공식 p. 38

29 S + V~ + 부사절 접속사 + S' + V'

A 281 because, his bike, had

282 while, we, are

283 as, he, walked

B 284 if you do not ask questions

285 As she was tired from her city life

286 Since her height was under 120 cm

C 287 You can't be a winner unless you're willing to face failure.

288 Even though no one was around to celebrate with me, it didn't matter.

문장공식 p. 39

30 S(주어) + V(동사) + that(명사절 접속사) + S'(주어) + V'(동사)

A 289 the Earth, goes, around the sun

290 some animals, can use, tools

291 Susan, doesn't remember, me

B 292 Some students complain that history is boring and worthless

293 People said that she gave a lot of money

294 It is commonly thought that drinking lots of water is good

C 295 I heard that you need to be physically strong to be a police officer.

296 You should remember that there are cultural differences from country to country.

Unit Exercise 문장공식 28~30 p. 40

297 Some countries / have / laws / that are very unusual

298 It / is often believed / that Shakespeare did not always write alone

299 As I walked to the train station / I / felt / the warm sun / on my back

300 The research / reports / that dogs can understand the human words

301 The sun / is / important / because it helps us to see things

302 Having someone / who listens to you at school / can really help

303 Her study / shows / that there is an important relationship between friendships and health

MEMO

MEMO

공식으로 통하는
문장독해 기본

문장공식
비법노트